W.A.R.P.

LIVRE 1

L'ASSASSIN MALGRÉ LUI

EOIN COLFER

W.A.R.P.

LIVRE 1

L'ASSASSIN MALGRÉ LUI

Traduit de l'anglais
par Jean-François Ménard

GALLIMARD JEUNESSE

Couverture : illustration de Owen Richardson

Titre original : *W.A.R.P. Book 1, The Reluctant Assassin*
Édition originale publiée par The Penguin Group, Londres, 2013,

Pour Finn, Seán, Grace, Jeremy et Joe

1

LA CHAMBRE DU CRIME

Bedford Square. Bloomsbury. Londres. 1898

Il y avait deux taches dans la pénombre, entre l'horloge de grand-mère et les tentures de velours. L'une était située plus haut que l'autre. On aurait dit deux empreintes digitales dans une nuit noire rendue encore plus obscure par la doublure opaque des épais rideaux et la toile à sac fixée en travers des soupiraux.

La tache du bas était en fait le visage d'un jeune garçon, noirci de suie, qui tremblait légèrement dans cette chambre en sous-sol. Il s'agissait du jeune Riley qui devait passer cette nuit-là l'épreuve de son premier meurtre.

La tache du haut était aussi un visage, celui d'un homme qui se faisait appeler Albert Garrick par ses employeurs mais que le grand public avait autrefois connu sous un autre nom. Bien des années auparavant, il avait été le Grand Lombardi, le plus célèbre des illusionnistes du West End, jusqu'à cette représentation au cours de laquelle il avait véritablement coupé en deux sa ravissante partenaire. Lors de cette soirée, Garrick devait découvrir qu'il ressentait un plaisir presque aussi intense à ôter la vie qu'à entendre monter de la salle les applaudissements de spectateurs enthousiastes. Le magicien avait alors décidé d'entreprendre une carrière nouvelle, consacrée au meurtre.

Garrick fixa sur Riley son regard inexpressif d'assassin et le saisit par l'épaule, enfonçant dans le tissu de la veste ses longs doigts osseux qui se refermèrent sur son bras à la manière d'une pince. Il ne prononça pas un mot mais fit un unique signe de tête, un geste lourd de sens, qui était à la fois un rappel et une menace.

« Repense à ta leçon de cet après-midi, disait le menton penché vers lui. Avance sans plus de bruit que le brouillard de Whitechapel et glisse la lame jusqu'à ce que tes doigts pénètrent dans la plaie. »

Garrick avait ordonné à Riley d'aller chercher au bord de la Tamise une carcasse de chien et de la ramener dans leur logis de Holborn. Ensuite, le jeune homme s'était entraîné à donner des coups de couteau dans le cadavre suspendu pour s'habituer à la résistance des os.

« Les novices ont la fausse impression qu'une lame pointue s'enfoncera dans la chair comme un tison chauffé au rouge dans de la cire, mais ce n'est pas ainsi que les choses se passent. Parfois, même un maître tel que moi tombe sur un muscle ou un os ; dans ce cas, il faut faire levier en poussant la lame vers le haut. Souviens-toi bien de cela, mon garçon. Faire levier et pousser vers le haut. Sers-toi de l'os comme point d'appui. »

Garrick accomplit le geste avec la longue lame effilée de son poignard, inclinant vers Riley son large front noirci de suie pour s'assurer que le jeune homme lui prêtait attention.

Riley approuva d'un signe de tête, puis il prit le couteau dans sa paume et le fit passer dans son autre main, comme il l'avait appris.

Garrick lui donna un petit coup de coude pour qu'il sorte de l'ombre et s'approche du grand lit à baldaquin sur lequel était étendu le quasi-mort.

« Le quasi-mort. » C'était un des bons mots de Garrick.

Riley savait qu'il était mis à l'épreuve. Il s'agissait d'un vrai meurtre pour lequel une bourse bien rebondie avait été payée d'avance. Ou bien il éteignait sa première chandelle, ou bien Albert Garrick laisserait derrière lui un cadavre de plus dans cette chambre horrible, sinistre, et irait ramasser un nouvel apprenti dans les caniveaux de Londres. Garrick serait navré d'avoir à agir ainsi, mais il n'y aurait pas d'autre option à ses yeux. Riley devait apprendre davantage que frire des saucisses ou cirer des bottes.

Riley s'avança, un pied à la fois, traçant un large cercle du bout de ses orteils, comme il lui avait été enseigné, pour vérifier qu'il n'y avait pas d'obstacle par terre. Sa progression en était ralentie mais le simple froissement d'un papier tombé sur le sol pouvait suffire à réveiller la victime désignée. Riley voyait devant lui la lame du poignard dans sa propre main et il avait du mal à croire qu'il était bien là, sur le point de commettre l'acte qui le condamnerait à l'enfer.

« Lorsque tu auras senti en toi le pouvoir, tu pourras prendre ta place à mes côtés dans l'entreprise familiale, disait souvent Garrick. On devrait se faire des cartes de visite, qu'en penses-tu, mon garçon ? Garrick & fils. Assassins à louer. Nous ne valons peut-être pas grand-chose, mais nous ne sommes pas bon marché. »

Garrick se mettait alors à rire, et c'était comme un bruit lugubre, lointain, qui contractait les nerfs de Riley et lui soulevait le cœur.

Riley avança encore d'un pas. Il ne voyait aucun moyen de s'échapper. La pièce semblait se refermer autour de lui.

« Je dois tuer cet homme ou être tué moi-même. » Il sentit le sang battre à ses tempes au point que sa main trembla et que le poignard faillit lui glisser des doigts.

Garrick surgit aussitôt à côté de lui, tel un fantôme, lui touchant à nouveau le coude d'un doigt crochu et froid comme un glaçon.

– Tu es poussière... chuchota-t-il, si doucement que ses paroles semblaient un simple courant d'air.

– Et tu retourneras en poussière.

Riley avait formé silencieusement sur ses lèvres la suite de la citation biblique. Celle que Garrick préférait.

« Ce sont mes derniers sacrements, je les administre moi-même », avait-il dit à Riley, un soir d'hiver, tandis qu'ils contemplaient Leicester Square, assis à la table d'un restaurant italien. Le magicien avait vidé jusqu'à la dernière goutte son deuxième cruchon d'un vin rouge et amer et son accent de gentleman l'abandonnait comme un poisson qui glisse sur une dalle mouillée.

« Chacun d'entre nous est sorti de la crasse et de la poussière et c'est là que nous retournerons tous, retiens bien ça. Moi, je les y renvoie plus vite, c'est tout. Je leur enlève quelques battements de cœur pour que nous puissions profiter des conforts de la vie. Telle est notre situation et si tu n'es pas capable de l'affronter avec la force de l'acier, Riley, alors… »

Garrick ne formulait jamais ses menaces jusqu'au bout, mais il était clair que le moment était venu pour Riley de gagner sa place à la table du maître.

Riley sentait les jointures du plancher sous les minces semelles de ses chaussures, rabotées à grand-peine dans l'atelier de Garrick, à l'aide d'un tour. Il distinguait à présent la cible sur le lit. Un vieil homme avec une touffe de cheveux gris qui dépassait de sous un édredon matelassé.

« Je n'arrive pas à voir son visage. » Il en était soulagé.

Riley s'approcha du lit, percevant la présence de Garrick derrière lui, sachant qu'il ne lui restait plus beaucoup de temps.

« En poussière. Renvoyé à la poussière. »

Riley aperçut la main du vieil homme posée sur l'oreiller, l'index réduit à une simple protubérance, vestige d'une ancienne blessure, et il se rendit compte qu'il n'y arriverait pas. Il n'était pas un assassin.

Il jetait des coups d'œil un peu partout en gardant la tête immobile. Riley avait appris à se servir de ce qu'il y avait autour de lui en cas d'urgence, mais son mentor se trouvait dans son dos et observait chacun de ses mouvements de son regard intense, inquiétant, sans le moindre battement de cil. Le vieux, allongé dans son lit, aurait été incapable de l'aider. Que pouvait faire un homme aux cheveux gris contre Garrick ? Que pouvait faire qui que ce soit ?

Quatre fois, Riley s'était enfui et quatre fois, Garrick l'avait retrouvé.

« La mort est pour moi le seul moyen de m'échapper, avait pensé Riley. La mienne ou celle de Garrick. »

Mais on ne pouvait pas tuer Garrick car il était la mort elle-même.

« En poussière. »

Riley se sentit soudain faiblir et crut qu'il allait s'effondrer sur le sol glacé. Peut-être cela valait-il mieux ? Rester étendu sans connaissance et laisser Garrick accomplir sa sanglante besogne, mais le vieil homme mourrait aussi et cette certitude pèserait sur l'âme de Riley dans l'au-delà.

« Je vais me battre », décida le jeune homme. Il avait peu d'espoir de survivre, mais il devait faire quelque chose.

Une succession de stratagèmes défila dans son cerveau enfiévré, tous plus irréalisables les uns que les autres. Pendant tout ce temps, il continuait d'avancer, sentant le souffle froid de Garrick sur son cou, tel un mauvais présage. La silhouette de l'homme étendu sur le lit à baldaquin devenait plus distincte. Il voyait une oreille à présent, percée de petits trous, là où une rangée d'anneaux avait dû autrefois orner le lobe.

« Un étranger, peut-être ? Un marin ? »

Il aperçut également une mâchoire solide avec, au-dessous, des bourrelets de chair graisseuse et une lanière à laquelle était accroché un étrange pendentif posé sur l'édredon.

« Regarde bien chaque détail, lui avait enseigné Garrick. Avale tout avec tes yeux, peut-être que cela te sauvera la vie. »

« Aucune chance de sauver ma vie, pas ce soir. »

Riley fit un nouveau pas, avec un mouvement circulaire du pied, et sentit alors une chaleur inattendue. Il jeta un regard vers le sol et s'aperçut dans un mélange de surprise et de désarroi que le bout de sa chaussure brillait d'une lueur verte. En fait, la silhouette de l'homme endormi était à présent baignée d'un cocon lumineux dont le cœur, semblable à une flamme d'émeraude, émanait du pendentif.

Les paroles de Garrick jaillirent comme une rafale de vent :

– Cornes du diable ! Une ruse ! Surine-le, mon garçon.

Riley ne put faire un geste, pétrifié par la lueur spectrale.

Garrick le poussa un peu plus dans la tiédeur de l'étrange halo lumineux qui changea immédiatement de couleur, se transformant en un dôme écarlate. Une plainte surnaturelle s'éleva du lit. Horrible, perçante, elle ébranla le cerveau de Riley sous sa voûte crânienne.

Le vieil homme dans son lit se réveilla aussitôt et se redressa comme un diable sorti de sa boîte.

– Stupide capteur, encore déréglé, marmonna-t-il avec un accent écossais, en battant des paupières, les yeux ensommeillés. J'ai mal au...

À ce moment, l'homme s'aperçut de la présence de Riley et vit la lame qui émergeait de son poing comme une aiguille de glace. Il laissa sa main descendre doucement vers le pendentif lumineux en forme de goutte d'eau qui reposait contre son torse maigre, puis il en tapota le centre à deux reprises, interrompant le terrible hurlement. Le pendentif affichait à présent des chiffres qui brillaient dans le noir, apparemment tracés avec du phosphore. Le nombre vingt scintilla puis dix-neuf, dix-huit...

– Allons, bonhomme, dit le vieux. Ne t'emballe pas comme ça. On peut discuter, je ne manque pas d'argent.

Riley était fasciné par le pendentif. C'était certainement un objet magique, mais en plus, il avait quelque chose de familier à ses yeux.

Garrick interrompit les pensées de Riley en lui donnant un vigoureux coup de coude dans les côtes.

– Ne traîne pas, dit-il vivement. Fais-toi la main, mon garçon. Qu'il retourne en poussière.

Riley ne pouvait pas. Il n'allait pas devenir comme Garrick et se condamner à l'enfer pour l'éternité.

– J... je... balbutia-t-il, espérant que son esprit allait trouver les mots pour que tous deux, lui-même et cet étrange vieillard, échappent au désastre.

L'homme leva les mains pour montrer qu'elles étaient vides, comme si le fair-play avait sa place dans cette chambre obscure.

– Je ne suis pas armé, dit-il. Tout ce que j'ai, c'est une quantité d'argent illimitée. Je peux vous donner ce que vous voulez. Rien de plus facile que d'imprimer quelques milliers de livres sterling. Mais si vous me faites du mal, des hommes viendront s'assurer que vous n'avez pas dérobé mes secrets – des hommes avec des armes telles que vous n'en avez jamais vu.

Le vieil homme n'ajouta pas un mot car, soudain, la lame d'un poignard s'était enfoncée dans sa poitrine. Riley vit que sa propre main tenait l'arme et, pendant un instant, il eut la nausée en songeant que ses muscles avaient trahi son cœur et accompli l'acte qui lui répugnait, mais il sentit un fourmillement quand les doigts glacés de Garrick lâchèrent son avant-bras. Il comprit alors qu'il lui avait forcé la main.

– Et voilà, dit Garrick, tandis que le sang tiède imprégnait la manche de Riley. Tiens bon et tu sentiras la vie le quitter.

– Ce n'est pas moi qui ai fait ça, dit Riley à l'homme poignardé, ses mots s'échappant lentement de ses lèvres. Ce n'est pas moi.

Le vieil homme, assis dans son lit, était raide comme une planche, la lanière du pendentif frottant contre la lame du poignard.

– Je n'arrive pas à y croire, grogna-t-il. Tous ces gens à mes trousses et je me fais avoir par ces deux clowns.

Riley eut l'impression que les paroles de Garrick pénétraient dans ses oreilles en rampant comme des limaces.

– Je ne peux pas mettre ça à ton crédit, mon garçon. C'est ma main qui a trouvé le creux entre les côtes de ce pigeon, mais les circonstances étaient particulières, je te l'accorde. Je te donnerai donc peut-être une autre chance.

– Je n'arrive pas à y croire, répéta le vieux.

Puis son pendentif émit un signal sonore et l'homme disparut. Littéralement. Se dissolvant dans un nuage d'étincelles orange avalées par le cœur du pendentif.

– De la magie, dit Garrick dans un souffle, d'un ton proche de la révérence. La magie existe vraiment.

L'assassin recula soudain, pour se protéger des conséquences que pourrait avoir cette vaporisation, mais Riley n'eut pas la présence d'esprit de l'imiter. Le poignard toujours à la main, il ne put que regarder le nuage remonter le long de son bras et le dématérialiser en moins de temps qu'il n'en faut à un mendiant pour cracher par terre.

– Je m'en vais, dit-il, et c'était vrai, mais il ne savait pas où il allait.

Il vit son torse devenir transparent et, pendant un instant, il put apercevoir ses organes, serrés étroitement les uns contre les autres derrière ses côtes translucides. Enfin, ses entrailles disparurent à leur tour, remplacées par des étincelles.

Riley s'était transformé en un gaz qui fut aspiré par le cœur du pendentif. Il se sentit englouti dans un vortex qui lui rappela le jour où il avait été renversé par une vague sur la plage de Brighton et il revit l'image d'un jeune garçon qui l'observait sur le rivage.

« Ginger. Le Rouquin. Je me souviens de toi. »

Puis Riley fut réduit à un unique point lumineux d'énergie pure. Le point clignota une seule fois comme s'il adressait un clin d'œil à Garrick et disparut. Le vieil homme et le garçon étaient partis tous les deux.

Garrick tendit la main vers le pendentif tombé sur les draps et pensa : « J'ai déjà vu cet objet, ou un autre identique. Il y a de nombreuses années... » Mais ses doigts ne touchèrent qu'une tache de suie, à l'endroit où s'était trouvé l'étrange talisman quelques instants auparavant.

– Toute ma vie, dit-il. Toute ma vie...

Il forma sur ses lèvres la suite de la phrase sans prendre la peine de la prononcer car il était seul dans cette chambre des merveilles.

« Toute ma vie, j'ai cherché la véritable magie. Et maintenant, je sais qu'elle existe. »

Garrick était un homme aux émotions bouillonnantes

qu'il gardait généralement dans le secret de son cœur, mais en cet instant, des larmes tièdes, des larmes de bonheur, coulèrent sur son visage et tombèrent sur le revers de sa veste.

« Pas de la simple prestidigitation. De la vraie magie. »

L'assassin se laissa tomber par terre, ses longues jambes grêles repliées jusqu'à ce que ses genoux soient à la hauteur de ses oreilles. Du sang mouilla le fond de son pantalon de prix, mais cela n'avait aucune importance car rien ne serait jamais plus comme avant. Sa seule crainte était que la magie ait quitté cet endroit pour toujours. L'avoir approchée de si près et l'avoir manquée d'un cheveu serait à coup sûr une vraie catastrophe.

« J'attendrai ici, Riley, pensa-t-il. Les Chinois croient que la magie s'attache souvent à un lieu particulier. Attendre est donc ma seule carte à jouer. Et quand ces hommes reviendront avec leurs armes fabuleuses, je te vengerai. Puis je m'emparerai de leur magie et je la plierai à ma volonté. Personne, alors, ne pourra m'arrêter. »

2

UNE ADEPTE DE LA GYM

Bedford Square. Bloomsbury. Londres. Aujourd'hui

Chevron Savano ne s'était jamais particulièrement intéressée à la parabole du fils prodigue. On pouvait même dire qu'elle détestait cette histoire et qu'elle grinçait des dents chaque fois que quelqu'un s'en servait pour faire la leçon.

« Il y a beaucoup de joie dans le ciel quand un fils prodigue retourne au bercail. »

Vraiment ? Est-ce ainsi ? Et si un fils, ou une fille, restait au bercail et travaillait sans relâche, vacances et week-ends compris, pour préserver ce bercail du crime organisé et de la corruption ? Et si la fille sacrifiait à peu près tout pour mettre le *bercail* à l'abri des menaces ? Que lui arrivait-il, à *cette fille-là* ? Eh bien apparemment, on l'envoyait à Londres pour une mission de baby-sitting dans un refuge sécurisé, spécialisé dans la protection des témoins, ce qui ressemblait, autant qu'elle pouvait en juger, à une mise au placard.

L'agent spécial Lawrence Witmeyer, son patron au

bureau du FBI de Los Angeles, lui avait assuré qu'il ne s'agissait pas d'une sanction officieuse pour avoir mis publiquement l'organisation dans une situation embarrassante.

– C'est une mission importante, Chevie, lui avait-il assuré. Vitale, pour tout dire. Le WARP existe depuis trente ans au sein du FBI.

– Ça signifie quoi, WARP ? avait-elle demandé.

Witmeyer avait regardé sur son écran s'il avait des mails.

– Heu… WARP : Witness Anonymous Relocation Programme. Autrement dit : Programme de relocalisation anonyme des témoins.

– Apparemment, ils ont ajouté « Anonyme » pour que ça fasse WARP. Sinon, ça donnait WRP et c'était imprononçable.

– Ils voulaient sûrement que ça sonne bien. Vous connaissez ces types qui s'occupent des noms.

Chevie était furieuse. Il était évident que le FBI voulait se débarrasser d'elle en l'expédiant à Londres, là où la presse ne la retrouverait sans doute pas.

– J'ai fait mon travail, je vous signale. J'ai sauvé des vies.

– Je le sais, répondit Witmeyer, momentanément radouci. Chevron, vous avez le choix, à présent. Les autres membres de votre groupe ont accepté le dédommagement proposé pour mettre fin à leur mission. Vous avez seize ans, vous pouvez faire ce que vous voulez.

– Sauf être une agente du FBI.

– Vous n'avez jamais été une véritable agente, Chevie.

Officiellement, vous étiez une source de renseignement. C'est très différent.

– Pourtant, il était écrit « agente » sur mon badge. Et mon instructeur m'appelait agente Savano.

Witmeyer sourit à Chevie comme si elle avait eu cinq ans.

– Nous pensions que ça vous ferait plaisir, à vous les jeunes, d'avoir un badge. Pour vous sentir importants. Mais un badge ne suffit pas, Chevie.

– J'étais sur la bonne voie pour devenir très vite une véritable agente. On m'avait dit que tout ce que j'avais à faire, c'était accomplir ma mission et qu'après, une place m'attendrait à Quantico, au centre de formation du FBI.

– On vous a *dit,* répliqua Witmeyer. Mais rien n'était écrit. Acceptez le marché, Miss Savano. Il est très avantageux. Et peut-être que si vous gardez un profil bas, nous pourrons reparler de Quantico dans quelques années.

Cet arrangement n'intéressait pas Chevie, mais si elle voulait devenir une agente spéciale à part entière, l'Angleterre était le seul choix possible.

– Donc, je me présente au bureau de Londres ?

Witmeyer parut plus évasif que d'habitude.

– Non. Vous vous présentez directement au WARP. Le bureau de Londres se consacre surtout aux délits liés à la discrimination, aux crimes de haine, ce genre de choses. Ce que vous aurez à faire ne sera pas lié à leur travail au jour le jour. Ils ne sauront même pas que vous êtes dans le pays sauf si vous voulez vous manifester auprès d'eux.

Witmeyer regarda autour de lui d'un air surexcité comme s'il s'apprêtait à annoncer une nouvelle *fabuleuse.*

– En réalité, votre seul travail sera de suivre des

cours par correspondance pour terminer vos études secondaires.

Chevie soupira.

– Alors, on renvoie la môme au lycée ?

– Je suis navré de vous dire ça, Chevie, mais vous êtes une môme, répondit Witmeyer.

Il regarda par-dessus l'épaule de Chevie, impatient de mettre fin à l'entrevue et de rejoindre les autres agents qui s'activaient dans les bureaux en faisant claquer la culasse de leurs armes.

– Je veux bien doubler vos années pour établir le montant de votre pension, Chevie. C'est le mieux que je puisse vous proposer. Vous pouvez accepter la pension ou pas. Mais si vous voulez conserver une chance de rester au FBI, il faut que vous partiez à Londres.

Et donc, Chevie se trouvait à Londres depuis maintenant neuf mois, chargée de surveiller à la manière d'une baby-sitter une capsule de métal qui ressemblait à s'y méprendre à un module Apollo. L'engin avait été casé au sous-sol d'une maison géorgienne à trois étages, située à Bedford Square, dans le quartier de Bloomsbury.

– Qu'est-ce qu'on fait vraiment, ici ? avait-elle demandé à son chef, le jour de son arrivée.

Aussi incroyable que cela paraisse, l'homme s'appelait agent Orange, ce qui devait être une forme de pseudonyme. Il était gris des pieds à la tête, depuis la mèche de cheveux qui lui tombait sur le front jusqu'à ses mocassins à glands sur mesure en passant par ses lunettes de soleil et son costume cintré.

– Nous veillons sur la capsule, répondit le quinquagénaire, son accent écossais prolongeant de trois secondes le mot « veillons ».

– Nous sommes des adorateurs de la capsule ? répliqua Chevie, qui était encore sous le coup du décalage horaire et se sentait d'humeur belliqueuse.

Orange prit la question au sérieux.

– D'une certaine manière, oui, agente Savano. Cette capsule va devenir votre église.

Il emmena Chevie dans le hall, aménagé comme celui d'un hôtel anglais trois étoiles, avec des chenets dans la cheminée et un bateau dans une bouteille, et la conduisit dans un sous-sol dont l'entrée était protégée par une porte d'acier blindée. Lorsqu'ils l'eurent franchie, le décor prit très vite un style FBI. Chevie repéra plus d'une douzaine de caméras dans les murs de béton, il y avait aussi des détecteurs de mouvement tout au long du couloir et une gaine grisâtre dans laquelle s'enchevêtraient tous les modèles connus de câbles informatiques.

– Jolie gaine, dit sèchement Chevie. Elle va très bien avec votre... enfin avec tout le reste.

Orange toussa.

– L'agent Witmeyer vous a-t-il précisé que je suis votre supérieur ?

– Négatif, mentit Chevie. Il a dit que nous faisions équipe.

– J'en doute fortement, répondit Orange. En fait, je vous donne le titre d'*agente* par simple courtoisie. D'après ce que j'ai entendu dire, vous avez été mise au placard à Londres après la débâcle de cette *opération Lycée* qui était très mal conçue.

Ils passèrent devant une cellule de détention et une

infirmerie bien équipée, puis le couloir s'élargit pour aboutir à une pièce circulaire où était abritée une capsule métallique de trois mètres de hauteur, en forme de pyramide, couverte de tubes de réfrigération et d'un ensemble complexe de lumières clignotantes.

– Voici le point central du WARP, dit Orange en tapotant avec affection la carrosserie de l'engin.

– Ça ressemble à un arbre de Noël de science-fiction, remarqua Chevie en s'efforçant de ne pas paraître impressionnée.

Orange consulta plusieurs voyants. Il avait vraiment l'air de savoir ce qu'il faisait.

– Je m'attendais à ce genre d'attitude, dit-il sans regarder Chevie. J'ai lu votre dossier. Très édifiant. Vous êtes sortie première de votre groupe, avec des résultats records malgré votre âge. Vous avez des problèmes avec l'autorité, et bla-bla-bla, on est en plein stéréotype hollywoodien.

Orange se tourna enfin vers Chevie.

– Nous savons tous les deux pourquoi vous êtes ici, agente Savano. Votre groupe a mis le FBI dans l'embarras et a créé une situation potentiellement explosive sur le plan légal, en raison de votre âge. Vous avez provoqué à Los Angeles un vrai désastre enregistré en vidéo et c'est pour ça qu'on vous a envoyée de l'autre côté de l'Atlantique en vous confiant un poste bien tranquille. Mais, en dépit de ce que vous pouvez penser, notre travail ici est très important, agente Savano. Et nous ne ferons preuve d'aucun relâchement sous prétexte que vous êtes jeune.

Chevie lui lança un regard noir.

– Ne vous inquiétez pas, agent Orange. Je n'attends aucun relâchement de votre part et je n'ai pas besoin de preuve.

Orange tendit la main à l'intérieur de la capsule pour en vérifier la température.

– Je suis content de vous l'entendre dire. Sachez qu'il est très peu probable que nous ayons jamais recours à vos talents, aussi peu relâchés qu'ils soient. Il se passera des jours et des jours sans que personne ne sorte de la capsule du WARP, vous n'aurez donc rien d'autre à faire que d'étudier le programme de votre examen de fin d'année. Mais s'il arrivait qu'un homme assez particulier émerge de cet engin un jour où je ne serai pas là, vous aurez pour mission de le maintenir en vie. Assurez-vous qu'il est bien vivant et appelez-moi. C'est tout.

– Cet homme est-il à l'intérieur, en ce moment ?

– Non, agente Savano. Pour l'instant, la capsule est vide et elle l'est depuis trente ans.

– Alors, c'est une capsule magique ?

La manière dont Orange sourit indiqua à Chevie qu'il savait beaucoup de choses qu'elle ignorait.

– Pas vraiment magique. Mais elle a peut-être quelque chose de merveilleux.

– Oui, ça m'aide beaucoup.

– C'est toute l'aide que vous obtiendrez de moi aujourd'hui, agente Savano. Si vous prouvez que vous êtes une véritable adoratrice de la capsule, peut-être que je vous ferai part de certains détails. En attendant, vous habiterez sur place et vous ne devrez jamais vous aventurer à plus d'un kilomètre et demi de cette maison. Pendant que vous dormirez, c'est moi qui surveillerai la capsule.

– Au fait, je dors où ?

– Dans l'appartement du dessus. Il vous plaira beaucoup.

– Et vous, où dormez-vous ? Dans la bonne vieille Écosse ?

Orange eut un nouveau sourire.

– Au dernier étage. Dans l'appartement avec terrasse. Un des avantages d'être chef.

Il tendit un smartphone à Chevie.

– Tous les numéros sont en mémoire. Et il y a des applications pour l'alarme et les systèmes de surveillance. Vous voyez cette icône d'alerte ? N'appuyez pas dessus si vous ne voulez pas provoquer le branle-bas de combat. Compris ?

Chevie prit le téléphone.

– Compris, agent Orange.

– Bien.

Orange se tourna à nouveau vers la capsule, ses doigts pianotant avec dextérité sur les vieux claviers en plastique fixés à sa surface.

– Si vous vous débrouillez bien, ici, gardez profil bas pendant deux ans et on verra si on peut vous renvoyer discrètement aux États-Unis sans que la presse le remarque. À cette époque-là, vous aurez presque l'âge de présenter votre candidature à Quantico.

Chevie fronça les sourcils en regardant le dos gris d'Orange. Dans deux ans, elle serait vieille. Elle aurait presque dix-neuf ans.

– Wouaoh, ce serait génial ! Deux ans passés à faire la baby-sitter. Je suis bien contente d'avoir suivi toutes ces leçons de tir, ça en valait la peine.

Orange quitta la pièce sans jeter un regard en arrière.

– Poursuivez vos efforts, agente Savano, lança-t-il par-dessus son épaule. Un de ces jours, vous finirez par dire quelque chose de vraiment drôle.

«Je hais déjà ce type», pensa Chevie Savano.

À présent, plusieurs mois plus tard, Chevie avait perdu le contact avec la plupart de ses amis en Californie, pendant qu'elle attendait qu'un mystérieux personnage jaillisse d'une capsule spatiale installée dans la cave. Elle n'avait pas fait usage de son arme une seule fois, même dans un stand de tir, ce qui la rendait très nerveuse et elle s'aperçut que non seulement elle parlait toute seule, mais qu'en plus elle se répondait à elle-même.

– Il faut arrêter ça, se dit-elle à haute voix. Les gens vont croire que tu es folle.

Vraiment? Quels gens? En six semaines, elle n'avait parlé à personne d'autre que l'agent Orange. Elle avait même fêté son dix-septième anniversaire toute seule avec un gâteau au chocolat et une minable petite bougie.

La maison de Bedford Square était devenue comme son deuxième foyer, ou peut-être sa prison. Elle connaissait chaque centimètre carré du bâtiment mieux que sa propre maisonnette de Malibu Bluffs où elle pourrait légalement vivre seule quand elle aurait atteint l'âge de dix-huit ans, dans moins d'un an.

Il y avait une pièce qu'elle aimait vraiment dans la maison de Bedford Square, c'était le studio. À un moment de l'histoire des lieux, un danseur avait transformé une grande partie du premier étage en studio de danse, avec un mur tout en miroir et une barre. Chevie Savano ne pratiquait pas la danse, mais c'était une adepte de la gym et il lui avait suffi de trois semaines de demandes obstinées pour convaincre Orange de débloquer les quelques milliers de livres sterling nécessaires à l'achat de poids et d'appareils de musculation.

Ce soir-là, qui allait se révéler riche en événements après avoir commencé dans la routine habituelle, Chevie avait consacré ses derniers moments de tranquillité à s'observer longuement dans le miroir en pensant : « Où va ta vie, ma fille ? »

Ce n'était guère un mystère.

« Tu le sais très bien où va ta vie. Passe le temps qu'il faudra à surveiller la capsule et peut-être que là-bas, aux États-Unis, les autorités oublieront l'affaire de Los Angeles et te donneront une chance de devenir une véritable agente du FBI. Tu as encore des amis à Quantico. »

D'habitude, les agents fédéraux devaient avoir vingt-trois ans minimum avant de pouvoir porter le badge, mais Chevie avait fait partie d'un programme d'essai pour combattre le problème grandissant de l'infiltration terroriste dans les lycées. Un groupe de pupilles de l'État, triés sur le volet, avait suivi une formation d'un semestre à Quantico, avant que ses membres soient envoyés incognito dans divers lycées qu'on soupçonnait d'être fréquentés par des sympathisants. Leur mission était strictement limitée à l'observation. Pas d'infiltration, pas de confrontation. Chevie avait passé six mois à Los Angeles à surveiller une famille iranienne dont le FBI soupçonnait qu'elle essayait de monter une cellule terroriste en Californie. La mission s'était terminée par un désastre public, à l'entrée d'un théâtre de Los Angeles, où Chevie avait mis son entraînement en pratique pour désarmer un adolescent ivre qui menaçait les Iraniens. Malheureusement, l'adolescent avait été blessé au cours de l'incident et quelqu'un avait filmé l'intégralité du fiasco sur son smartphone. On avait précipitamment mis fin au programme secret et envoyé Chevie faire du baby-sitting à Londres, afin d'éviter qu'une commission sénatoriale ne s'aperçoive que l'agente impliquée dans l'affaire du Hollywood Center était mineure.

Chevie fit trente minutes de cardio et trente de musculation, puis elle boxa dans le vide devant le miroir jusqu'à ce que son maillot et son legging en lycra soient trempés de sueur. Elle était suffisamment en forme pour envoyer au tapis les meilleurs dix pour cent des officiers de police, n'importe où dans le monde. Et elle était capable de dégommer une pomme sur sa branche à cent pas.

« Est-ce que je parais dix-sept ans ? »

À en juger par ce qu'elle voyait d'elle, Chevie était à peu près la même que lorsqu'elle avait seize ans. Son mètre soixante-cinq était un peu court pour un agent du FBI, mais elle était souple et rapide, avec un visage à l'ovale délicat et des cheveux noirs lisses et brillants typiques des Indiens d'Amérique.

« Je vais aller jusqu'au bout de cette mission, songea-t-elle. On ne se débarrasse pas si facilement de Chevron Savano. Il y a des choses pires que l'ennui. »

Ce fut la dernière fois qu'elle pensa à son travail comme à une routine.

*

Riley, même si sa vie en avait dépendu, aurait été incapable de décrire l'horrible épreuve qu'il traversait. S'il avait eu une Bible à portée de main, il n'aurait pas pu jurer qu'il était vivant ou mort. Ses pensées tournoyaient dans un mélange d'effroi et de confusion et il s'aperçut que la force intérieure, le stoïcisme de son esprit, qui lui avaient permis de traverser toutes ces années terrifiantes au côté de Garrick, étaient totalement absents.

Ses sens se trouvaient pris dans un tourbillon semblable aux courants boueux qui agitaient la Tamise et il ressentait une envie de vomir qui se situait dans sa tête et non dans ses entrailles.

« Est-ce l'enfer ? se demanda-t-il. Le diable s'est-il emparé de moi ? »

Il ordonna à sa main de remuer mais rien ne se produisit ou peut-être bougeait-elle sans qu'il puisse le voir.

Il lui semblait cependant qu'il y avait là-haut devant lui une lumière qui brillait comme un réverbère. Et bien que Riley ne pût distinguer cette lumière ni établir dans quelle direction se situait ce « là-haut devant lui », il savait d'une certaine manière que la chose était réelle.

« Je vais bientôt arriver », comprit-il.

Debout devant la glace, Chevron vit son image se couper en deux. Pendant une fraction de seconde, elle crut qu'elle était devenue complètement folle, puis elle se rendit compte que c'était le miroir qui s'était fendu, entre le sol et le plafond.

« Il y a quelqu'un à qui ça va porter malheur, sans doute moi. »

Le miroir continua à se craqueler, avec des fissures en

forme d'éclairs noirs qui divisaient en morceaux distincts le reflet de la pièce.

« Est-ce un tremblement de terre ? Ils en ont, à Londres ? »

La glace se lézarda en un, deux, trois, mille endroits, dans un bruit qui évoquait un tir d'arme automatique. Les craquelures passaient d'un morceau de miroir à l'autre, se répandant tout au long des murs. Chevie se décida à bouger lorsque, sous ses baskets, les planches laquées du parquet se fendirent à leur tour et tombèrent par fragments dans le hall du rez-de-chaussée.

– Qu'est-ce que... ? s'écria-t-elle avant de se précipiter vers la porte en passant entre les trous.

Au-dessus d'elle, les ampoules vacillèrent puis éclatèrent, aspergeant Chevie d'étincelles et de débris de verre. À travers la fenêtre, elle vit des réverbères exploser le long de Bailey Street et autour de la place elle-même. Au-delà, l'obscurité se propagea, telle une onde, en direction de Covent Garden et de Soho, comme si une gigantesque créature nocturne avalait la lumière par morceaux.

« Qu'est-ce qui arrive au réseau électrique ? » Orange doit le savoir.

Mais Orange se trouvait ailleurs. C'était elle, l'agent de service.

Une baie vitrée à l'épreuve des balles craqua, laissant passer les bruits du monde extérieur. On entendait le fracas métallique des voitures qui se tamponnaient sur Tottenham Road et des cris de panique montaient vers les sombres nuages londoniens que la lueur des réverbères avait cessé d'éclairer.

«Je ne sais pas ce qui se passe, mais c'est parti d'ici», songea Chevie.

Elle se rua sur le coffre-fort encastré dans le mur, composa le code en écrasant les touches et attrapa le Glock 22 glissé dans le holster qu'elle attachait avec une sangle supplémentaire pour que l'arme, bien calée contre son flanc gauche, soit plus facile à dégainer. Elle passa adroitement le holster sur son épaule et saisit le pistolet.

Des deux mains, Chevie tenait l'arme à bout de bras et regardait fixement à travers la lueur verte du Tritium les points de contraste de son viseur nocturne en espérant que rien n'allait surgir devant elle et l'obliger à tirer.

«Je ne sais même pas à quoi ressemble le type qui pourrait sortir de la capsule. Si je tire sur le témoin, ils ne me laisseront jamais revenir en Californie.»

Chevie traversa le palier au pas de course en rasant le mur. Autour d'elle, des briques crissaient et du plâtre tombait par plaques.

«Ce morceau-là a la forme du Texas», pensa Chevie, car on n'arrive jamais à contrôler ce qui vient à l'esprit.

L'éclairage de sécurité s'alluma, baignant les lieux d'une lumière industrielle aux teintes jaunâtres.

«Bien, songea Chevie. Au moins, je pourrai voir ce qui se passe, c'est-à-dire, j'espère, rien du tout.»

Elle eut une autre pensée.

«L'agent Orange. Il va sans doute dire que tout ça est ma faute.»

Chevie serra la crosse de son pistolet et s'obligea à se concentrer tournant à droite, toujours collée au mur, en direction de l'escalier. Elle descendit avec précaution les deux étages qui menaient au sous-sol. Devant elle, les marches étaient presque intactes, mais la porte blindée s'était gondolée et le panneau central semblait avoir fondu.

« Qu'est-ce qui peut donc faire fondre une porte d'acier ? » se demanda l'agente spéciale Savano. Cette question muette trouva une réponse lorsqu'un éclair crépita entre les bords luisants du métal fondu et arracha un gros morceau de mur.

« La foudre. D'accord. »

Chevie se rendit compte qu'elle s'était accroupie, son pistolet tendu vers la porte.

« C'est ça, agente Savano. Tirez donc sur la foudre. »

Elle attendit quelques minutes, jusqu'à ce que les éclairs qui venaient de l'intérieur cessent de jaillir puis elle dévala les quelques marches étroites qui la séparaient du couloir.

Il ne restait plus que l'encadrement de la porte. Les bords fondus de l'acier s'étaient déjà solidifiés.

Dans un mouvement qui aurait fait la fierté de Cord Vallicose, son instructeur à Quantico, Chevie plongea à travers l'ouverture, roula sur elle-même et se releva, le canon de son arme visant le couloir. Elle devait s'apercevoir un peu plus tard que les bords pointus de la porte l'avaient écorchée sur tout le flanc, mais en cet instant, elle ne sentait même pas les entailles.

Il n'y avait pas de menace manifeste de l'autre côté de la porte détruite, simplement de la poussière et un spectacle de dévastation. La capsule du WARP elle-même avait été arrachée de l'armature qui la maintenait en place et pointait le nez vers le couloir du sous-sol. On aurait dit qu'un petit engin spatial s'était écrasé dans la maison.

« Ce qui se passe réellement n'a pas plus de sens : une grosse machine est en train d'aspirer le courant électrique du centre de Londres. »

Chevie se jura que lorsqu'Orange arriverait, elle le tiendrait sous la menace de son arme jusqu'à ce qu'il lui révèle exactement ce que cette capsule des années 70 pouvait bien avoir à faire avec la protection des témoins.

Cet engin la faisait toujours penser à une exposition dans un musée scientifique, avec son design rétro et son brillant métallique un peu terni, mais à présent, il semblait vivant et en parfait état de marche, quelle que fût sa fonction. À sa base, d'épais câbles d'alimentation bourdonnaient et lançaient des étincelles comme des anguilles électriques et une douzaine de panneaux lumineux clignotaient, dessinant des schémas complexes dans une totale synchronisation.

« C'est sans doute aujourd'hui que le visiteur de marque va surgir de cet appareil, ce qui paraît impossible. »

– Vous, là, dans la... heu... capsule, lança-t-elle en se sentant passablement ridicule. Sortez les mains en l'air.

Personne n'émergea de la pyramide de métal, mais un panneau d'accès laissa échapper un gaz puis tomba par terre dans un grand bruit. Des volutes d'une vapeur fantomatique s'élevèrent de l'intérieur de l'engin.

« Ça, c'est nouveau », songea Chevie qui vérifia avec son pouce qu'elle avait bien ôté le cran de sûreté du pistolet.

Dans la capsule, une lumière orange scintilla, projetant sur le mur d'étranges ombres mouvantes.

« Il y a quelque chose de vivant, là-dedans », se dit Chevie.

Riley sentit toutes les molécules de son corps s'agréger, devenir compactes jusqu'à ce qu'il retrouve ses esprits.

« Je suis vivant », se dit-il, réjoui, puis un froid vif le saisit et ses dents se mirent à claquer violemment.

Sa main était toujours crispée sur l'arme du crime qui était restée plantée dans la poitrine du vieux bonhomme assassiné.

« Je n'arrive pas à lâcher le couteau, comprit-il. Mes doigts sont comme verrouillés. »

Riley s'efforça de bien regarder le décor autour de lui, comme le lui avait enseigné Garrick.

Il était enfermé dans une citerne de métal et des lumières d'aspect féerique brillaient en grand nombre sur les parois glacées.

« J'ai ramené ce gentleman magique auprès des siens avec une lame enfoncée dans le corps et c'est ma main qui tient cette lame. Ils vont me passer la corde au cou pour avoir fait ça. »

« Fuis, lui disait son instinct. Fuis avant qu'on ne t'accuse de meurtre ou, pire, avant que Garrick s'arrange pour te rattraper. »

Mais le froid le retenait comme s'il avait eu un rocher attaché à ses épaules et Riley savait que, comme des milliers de gamins des rues chaque hiver, il s'endormirait bientôt et finirait par mourir.

*

Chevie se releva de sa position accroupie puis s'avança sans bruit vers le panneau d'accès, son regard toujours fixé sur le viseur du pistolet.

– Sortez les mains en l'air, ordonna-t-elle à nouveau, mais cette fois encore, personne n'émergea de la capsule.

Il lui fallut peut-être trois secondes pour atteindre l'engin. Chevie eut cependant l'impression qu'il s'était passé une éternité. Tout ralentissait tandis que l'adrénaline se répandait dans son corps, stimulant son rythme cardiaque, dilatant ses vaisseaux sanguins et ses voies respiratoires. Elle vit des étincelles tomber lentement des câbles et des nuages de vapeur semblaient flotter dans l'air, immobiles.

« Concentre-toi, agente Savano, se dit-elle. Il y a quelqu'un dans cette capsule. »

Elle entendait à l'intérieur un bruit semblable à un tâtonnement.

Était-ce un chien ? Un animal ?

Comment lancer des sommations à un animal ?

Soudain, le temps reprit de la vitesse et Chevie se retrouva devant la trappe d'accès. Un air glacé s'échappait de l'ouverture et des étincelles orange se rapprochaient les unes des autres dans un mouvement qui n'avait rien de naturel puis s'aggloméraient en une matière solide.

« Est-ce que je vise un fantôme ? »

Mais il y avait à l'intérieur quelque chose de bien réel, ou plutôt quelqu'un, le corps ramassé sur lui-même, qui tremblait dans cet espace confiné.

– Pas un geste ! s'écria Chevie, de sa voix la plus sérieuse d'agente du FBI. Ne bouge pas ou je te refroidis.

Une faible voix s'éleva du nuage orange :

– J'ai déjà très froid, miss. Parole !

Avant que Chevie ait pu se demander pourquoi l'étrange accent la faisait penser au film *Oliver!*, le nuage se dissipa, révélant la silhouette d'un jeune garçon blotti contre un vieil homme.

Le garçon était vivant, mais pas l'homme, sans doute à cause du poignard planté dans sa poitrine. Être mort n'était pas la seule chose qui clochait chez cet homme-là : en plus, le sang coagulé sur son torse était de couleur jaune et il semblait avoir un bras de gorille.

«N'y pense pas pour le moment. Fais ton travail.»

– Bon, alors, petit, tu lâches le... la créature morte.

Le garçon cligna des yeux, cherchant la source de la voix qui lui donnait des ordres.

– C'est pas moi qui ai fait ça, miss. Il faut partir d'ici. Il va venir me chercher.

En une fraction de seconde, Chevie prit la décision d'attraper le garçon par le col et de l'arracher à la capsule.

Elle le plaqua à terre de sa main libre.

– Qui va venir, petit? Qui va venir te chercher?

Le garçon avait les yeux écarquillés.

– Garrick. Il va venir. Le magicien. La mort en personne.

«Parfait, songea Chevie. D'abord un homme-singe et maintenant la mort elle-même qui, en prime, a l'apparence d'un magicien.»

Chevie sentit une autre présence dans la pièce et leva les yeux. L'agent Orange, dans toute sa gloire grisâtre, s'avançait le long du couloir en direction de la capsule.

– Excellent moyen de vous faire tirer dessus, Orange.

Et d'abord, qu'est-ce que vous faites là ? Je n'ai jamais appuyé sur le bouton d'alerte.

Orange enleva ses lunettes de soleil argentées et contempla la scène de désolation.

– Vous savez, agente Savano, quand j'ai vu que la moitié de Londres n'avait plus de courant, je me suis douté que la capsule du WARP avait dû être activée.

Parvenu à moins de deux mètres de la trappe d'accès, Orange hésita.

– Vous avez regardé à l'intérieur, Chevie ?

– Oui, j'ai regardé. Est-ce que je vais mourir à cause de radiations toxiques ?

– Non, bien sûr que non. Y a-t-il... un homme là-dedans ? Mon père est-il dans la capsule ?

Le père d'Orange ? Décidément, cette mission était bizarre.

Chevie posa à nouveau son regard sur le garçon immobilisé.

– Il y avait deux personnes à l'intérieur. Ce garçon et un homme. J'espère franchement que l'homme n'est pas votre père.

« Mais avec tout ce qui s'est passé aujourd'hui, je suis prête à parier que l'homme-singe est bel et bien le papa d'Orange. »

Chevie prit conscience qu'elle n'avait jamais vraiment fait confiance à l'agent Orange. En cet instant, cependant, elle était sincèrement désolée pour lui.

3

TECHNO-MACHOS

Bedford Square. Bloomsbury. Londres. 1898

Albert Garrick était affalé sur le sol froid de la chambre, les paupières étroitement closes, préservant l'image fantôme des étincelles orange.

« La magie existe vraiment. »

C'était une pensée révolutionnaire dans cet âge industriel de logique et de raison. Il était difficile de continuer à croire à ce qu'il avait vu, une fois que la preuve avait disparu. Il aurait été plus simple d'oublier l'événement en l'attribuant à une hallucination, mais il s'y refusait.

« Je suis mis à l'épreuve, conclut-il. Cette nuit, une occasion de savoir s'est présentée et je dois trouver en moi-même le courage de saisir ma chance. »

Garrick n'avait jamais eu foi que dans le sang et les os, dans la boucherie – il ne croyait qu'aux choses autour desquelles il pouvait refermer ses doigts pour les étrangler, à des choses réelles, qui n'avaient rien d'éthéré. Pourtant, cette fois, c'était différent, il s'était passé un phénomène extraordinaire.

La magie.

Aussi loin que remontaient ses souvenirs, Garrick avait toujours été fasciné par la magie. Enfant, il avait accompagné son père au théâtre Adelphi, à Londres, et avait regardé, assis dans les coulisses, son vieux papa balayer la scène et se prosterner devant le talent. Dès cette époque, une telle déférence avait mis en colère le jeune Albert Garrick. Qui étaient donc tous ces gens pour se permettre de traiter son père avec un tel dédain ? Des cabotins, pour la plupart, cabotins, pantins, plaisantins.

Il y avait une hiérarchie chez les artistes. Les chanteurs occupaient le haut de l'affiche, suivis par les comiques, venaient ensuite les danseuses, toujours ravissantes, puis enfin les prestidigitateurs et les dresseurs d'animaux. Albert observait, fasciné, les médiocres petits drames qui se jouaient chaque soir dans la coulisse. Les divas entraient dans des crises de fureur à cause des loges qu'on leur avait attribuées ou de la taille des bouquets de fleurs les soirs de première. Le jeune Garrick voyait des visages giflés, des portes claquées, des vases jetés à terre.

Un soir, un ténor italien particulièrement vaniteux du nom de Gallo avait estimé que le prestidigitateur ne lui manifestait pas le respect qui lui était dû et il décida de ridiculiser cet homme le jour où il célébrait son anniversaire dans une taverne du Strand qui s'appelait le Coal Hole, la Cave à Charbon. Garrick avait assisté à la scène, assis sur un tabouret près de la cheminée, et elle l'avait tellement impressionné qu'il s'en souvenait encore, près de quarante ans plus tard.

Le magicien, le Grand Lombardi, était bâti comme un jockey, petit et noueux, avec une tête trop grande pour son corps. Il avait une fine moustache, comme dessinée au crayon, qui lui donnait un air un peu austère, et un casque luisant de cheveux pommadés renforçait cette impression. Lombardi était italien, lui aussi, mais de la région des Pouilles, au sud du pays, que Gallo, le Romain, considérait comme une terre de paysans – une opinion qu'il exprimait souvent et bruyamment. Et comme Gallo était la vedette du spectacle, il allait sans dire que Lombardi devait supporter sans broncher ses constantes moqueries. Mais Gallo aurait dû être le premier à savoir que les Italiens sont fiers et que les insultes avalées sans rien dire leur restent sur l'estomac comme une poche de bile.

Ce soir-là, après avoir régalé l'assemblée d'une interprétation tapageuse de la « chanson à boire » extraite de *La Traviata*, Gallo s'approcha à grands pas du magicien et entoura de son bras musculeux les épaules du petit homme.

– Dis-nous, Lombardi, est-il vrai que dans les Pouilles, les pauvres se battent avec les cochons pour manger des racines ?

De grands éclats de rire et des tintements de verres encouragèrent Gallo à pousser plus loin ses railleries.

– Pas de réponse ? Dans ce cas, signor Lombardi, raconte-nous comment les femmes du Sud empruntent le rasoir de leur mari pour se faire belles avant la messe du dimanche.

C'en était trop : l'illusionniste taciturne tira soudain de sa manche un long poignard dont il sembla enfoncer la pointe sous le menton de Gallo, mais il n'y eut pas la moindre goutte de sang. Seul un flot de mouchoirs écarlates jaillit de la lame. Gallo poussa un hurlement aigu, tel un enfant effrayé, et se laissa tomber à genoux.

– À propos de rasoir, dit Lombardi en rangeant le faux poignard dans sa poche, il semblerait que le signor Gallo se soit coupé en se faisant la barbe. Mais il survivra... cette fois-ci en tout cas.

La plaisanterie s'était complètement retournée contre le ténor qui, humilié au-delà de toute mesure, se rendit à Newhaven pour prendre le premier ferry en direction de la France, rompant son contrat et assurant qu'il ne travaillerait plus jamais dans un music-hall de Grande-Bretagne.

C'était une magnifique revanche, agrémentée d'un joli jeu de mots, et le jeune Garrick, assis près du feu, s'était juré à lui-même : « Un jour, moi aussi, j'aurai le pouvoir d'inspirer un tel respect. »

Après avoir passé six mois à aller chercher et à porter toutes sortes de choses pour le compte du magicien, Albert Garrick parvint finalement à convaincre le Grand Lombardi de le prendre comme apprenti. C'était une porte qui s'ouvrait sur un nouveau monde.

Assis dans la chambre du crime de cette sinistre maison de Bedford Square, Garrick repensait à ce serment.

« Un jour, moi aussi j'aurai le pouvoir. »

Et ce jour était enfin arrivé.

Garrick trempa le bout de ses doigts dans le sang noir répandu sur les draps, puis il regarda l'épais liquide couler sur sa main pâle. Les motifs qu'il forma lui rappelèrent les peintures de guerre portées par les sauvages dans le Wild West Show de Buffalo Bill qu'il était allé voir avec Riley.

« Quelqu'un va venir nettoyer tout ce désordre, pensa-t-il, en barbouillant ses joues du sang de l'homme mort. Ils viendront et je m'emparerai alors de leur magie et de leur pouvoir. »

Bedford Square. Bloomsbury. Londres. Aujourd'hui

L'agente spéciale Chevie Savano avait le sentiment d'être très mal informée. La première chose qu'elle fit, après avoir bouclé l'étrange garçon dans une cellule, fut de se précipiter dans le sous-sol où se trouvait la capsule, bien décidée à en découdre avec l'agent Orange. Mais son indignation s'évapora quand elle vit son collègue, agenouillé devant la trappe d'accès, contempler avec tristesse le corps qui se trouvait à l'intérieur de l'engin.

– C'est... mon père, dit-il sans lever les yeux. Il était sans doute déjà mort ou mourant quand il a été aspiré dans le trou de ver. La perte rapide d'énergie peut expliquer les diverses mutations.

Chevie n'avait jamais pensé qu'elle entendrait un jour prononcer les mots « trou de ver » ou « mutation » ailleurs que dans un film.

– Il faut absolument que vous me disiez tout, agent Orange.

Orange fit un signe d'approbation ou peut-être avait-il simplement laissé tomber sa tête.

– Je sais, bien sûr, mais d'abord, il faut appeler une équipe de nettoyage. J'ignore ce que mon père a laissé derrière lui. Appelez le bureau de Londres et dites-leur de m'envoyer une équipe HAZMAT, les spécialistes des matières dangereuses. Ce ne sera probablement pas nécessaire, mais je dois retourner pour vérifier.

– Retourner où ? Qu'est-ce que c'est que cette capsule ? Une sorte de transporteur ? Si nous disposions d'une telle technologie, le public serait déjà au courant.

Orange eut un rire sans joie.

– Il y a des milliers de sites Web consacrés aux technologies gardées secrètes : deux d'entre eux ont déjà posté des plans de la capsule. Les gens croient ce qu'ils voient dans les magasins Apple et pas ce que leur racontent quelques cinglés, adeptes de la théorie du complot.

– C'est donc bien un transporteur ?

Orange trouvait ces questions embarrassantes.

– D'une certaine manière, oui. Je vais relever votre niveau d'accès. Ouvrez mon dossier sur le réseau interne. Le mot de passe est HGWELLS. Attaché et en majuscules. Les fichiers vous indiqueront tout ce que vous avez besoin de savoir.

Chevie avait déjà monté la moitié des marches pour aller consulter son ordinateur lorsqu'elle se rappela pourquoi le mot de passe lui paraissait familier.

H.G. Wells. *La Machine à explorer le temps.*

« Une machine à explorer le temps ? pensa-t-elle. C'est complètement dément. »

Mais finalement pas plus dément qu'un bras de singe ou du sang jaune.

Chevie appela le bureau de Londres pour demander une équipe HAZMAT et fut renvoyée de service en service pendant près d'un quart d'heure jusqu'à ce qu'elle prononce le nom de l'agent Orange. On lui passa alors la section spécialisée dans le traitement des matières dangereuses et il lui fut assuré qu'une équipe arriverait sur place dans moins d'une heure. À peine avait-elle raccroché qu'une brigade des meilleurs pompiers de Londres défonça ce qui restait de la porte d'entrée, avec l'intention manifeste de se frayer un chemin à coups d'énormes haches. Les pompiers furent poliment mais fermement éconduits par une douzaine de gros bras du FBI vêtus de noir, qui avaient établi un périmètre de sécurité autour de la maison de Bedford Square avant l'arrivée des HAZMAT.

Dès que Chevie fut certaine que le périmètre était bien en place, elle annonça au chef des gros bras, en le regardant dans ses lunettes noires, qu'elle allait passer dix minutes dans le centre d'opérations.

« Le temps de découvrir ce qui peut bien se passer ici. »

Chevie fut surprise de constater qu'elle gérait plutôt bien les événements de la soirée. Elle avait toujours su garder son sang-froid sous la pression, mais cette fois, c'était différent. Il se passait quelque chose qui relevait de la science-fiction. Il lui semblait que le monde qu'elle connaissait n'était plus le monde tel qu'il est.

« Concentre-toi, se dit-elle. Et lis les fichiers. »

Le dossier d'Orange avait toujours figuré dans la liste des dossiers partagés du réseau interne depuis qu'elle était arrivée à Bedford Square, mais jusqu'à présent, elle n'avait jamais pu y avoir accès. Chevie éprouva une certaine appréhension quand elle pointa le curseur sur l'icône.

« Qu'est-ce que je vais trouver, encore ? S'il y a un voyage dans le temps pourquoi pas aussi des extraterrestres ? Pourquoi pas des vampires ? Je n'ai pas du tout envie de devenir une de ces filles du FBI qui chassent les erreurs de la nature dans les grosses productions hollywoodiennes. Ces filles-là finissent toujours boiteuses à force de prendre des coups. »

Chevie ouvrit le dossier et y découvrit avec effroi deux cents fichiers classés par ordre alphabétique. Elle en modifia la présentation pour les classer par ordre chronologique et en choisit un qui avait pour titre « Synthèse du projet Orange. » Elle commença à le lire, se forçant à aller lentement pour bien absorber chaque mot. Après vingt minutes d'une concentration totale, elle se laissa aller contre le dossier de son fauteuil et se couvrit la bouche d'une main pour réprimer un éventuel fou rire hystérique.

« Vous vous fichez de moi », pensa-t-elle. Puis elle ôta sa main de devant sa bouche et cria en direction de la porte :

– Vous vous fichez de moi !

Orange était au sous-sol, dans la petite salle de soins de l'infirmerie. Il avait arraché son père mort à la capsule et l'avait étendu sur un brancard d'acier, le couvrant entièrement d'un drap blanc, à l'exception de la tête. Lorsque Chevie entra dans la pièce, il épongeait avec douceur le front du vieil homme.

– À votre avis, pourquoi ce môme a-t-il tué votre père ?

– Je ne sais pas. La vidéo de la Clé temporelle ne montre pas grand-chose. On voit le garçon surgir tout d'un coup. C'est sûrement un voleur.

– Un voleur du passé. Qu'est-ce qu'on va faire de lui ?

Orange tordit le tissu éponge avec tant de force que ses jointures blanchirent.

– Une fois encore, je ne sais pas. Jusqu'à présent, personne n'avait jamais ramené quelqu'un du passé. On pourrait le descendre. J'ai une arme.

– Le descendre ? Bravo. Vous vous sentez bien, agent Orange ? Je devrais peut-être prendre le commandement.

Orange sourit d'un air ironique et Chevie pensa – ce n'était pas la première fois – que son partenaire avait une grande variété de sourires, mais aucun d'eux n'était joyeux.

– Ce ne sera pas nécessaire, agente Savano, et rassurez-vous, je me sens parfaitement bien.

– Mais enfin, c'est votre père.

– Sur le papier. Il y a bien longtemps que je n'ai pas vu cet homme. Ma famille, c'est le FBI.

– Houlà ! Je crois que c'est la chose la plus triste que j'aie jamais entendue.

Orange eut un autre sourire, mélancolique cette fois.

– Vous avez peut-être raison.

– Je dois toujours vous appeler agent Orange ?

– Non. Professeur Smart sera beaucoup mieux. Ou simplement Felix.

– Professeur Felix Smart. Fils de Charles Smart, physicien écossais porté disparu, spécialiste de la physique quantique. Vous avez le même nez.

– Mais pas le même sang, Dieu merci. Dans les aéroports, le sang jaune fait sonner les portiques.

Chevie ne releva pas cette faible tentative d'humour.

– Alors, qu'est-ce qui est arrivé au professeur Smart père ? Je ne suis pas encore allée jusque-là dans la lecture des fichiers.

Felix Smart lui répondit sans cesser de contempler le visage de son père.

– Il a découvert que la théorie d'Einstein était exacte pour l'essentiel et qu'il pouvait stabiliser un trou de ver traversable dans l'espace-temps en utilisant une matière exotique avec une densité énergétique négative.

– Je savais bien que quelqu'un finirait par en arriver là, dit Chevie, le visage impassible.

Elle regretta aussitôt de ne pouvoir activer la capsule du WARP pour revenir cinq secondes en arrière et éviter de lancer une plaisanterie alors que le père de son partenaire était allongé mort sur le brancard, le corps déformé par une mutation.

– On ne pourrait pas sortir d'ici pour parler de ça ?

– Bien sûr.

Felix Smart l'emmena dans le couloir et ils continuèrent leur conversation en marchant.

– L'université d'Édimbourg a financé les travaux de mon père pendant quelques années, puis il a déménagé dans un laboratoire plus grand à Londres, en association avec le département recherche de Harvard. À cette époque, je travaillais déjà pour le FBI, à Washington. Dès qu'il m'est apparu clairement que mon père obtenait des résultats, j'ai persuadé mon chef de section de jeter un coup d'œil à ses travaux. On ne s'en douterait pas en entendant mon accent, mais j'ai vécu à Washington avec ma mère après le divorce de mes parents. Les consultants du FBI ont beaucoup aimé le concept, ils ont couvert mon père d'argent et j'ai été nommé agent de liaison du projet. Nous avons vu très vite des résultats concrets. Au début, nous avons envoyé des appareils photo et des animaux. Puis des condamnés à mort.

Chevie ne fut pas choquée. Elle savait qu'au cours du millénaire précédent, certaines administrations gouvernementales avaient souvent proposé à des prisonniers condamnés à la peine capitale de jouer le rôle de cobayes en échange de certains avantages. On avait tout essayé sur les prisonniers, depuis les balles en caoutchouc jusqu'aux pilules télépathiques.

– Les tests se sont révélés très positifs. Il y a eu un petit nombre d'aberrations, généralement au cours du voyage de retour, mais dans une proportion inférieure à un pour cent, donc acceptable d'un point de vue scientifique. Un petit malin a alors eu l'idée d'expédier dans le passé certains témoins particulièrement précieux.

Chevie leva le doigt.

– Vous pourriez répéter ce que vous venez de dire ? Je voudrais essayer de relier ça à la réalité.

– Même le plus puissant des parrains de la Mafia n'aurait pas pu trouver des tueurs pour exécuter un contrat au XIXe siècle, d'accord ? On envoyait donc les témoins dans le passé avec un accompagnateur et on les ramenait à notre époque pour qu'ils puissent se présenter devant le tribunal.

– Alors, le FBI fait de la protection de témoins dans le passé ?

– Oui. Vous voulez peut-être que je vous le répète ?

– Non, j'ai compris.

– Bien entendu, c'est hors de prix et la puissance nécessaire pour une seule excursion pourrait assurer l'éclairage d'un petit pays pendant un an, par conséquent, les témoins qui en bénéficiaient étaient toujours des personnes très menacées, liées à des procédures s'étalant sur plusieurs années. Au cours des dix ans pendant lesquels le WARP a véritablement fonctionné, nous n'avons envoyé que quatre témoins à diverses époques du passé. Certains officiers de haut rang des services de renseignement ont alors estimé que l'État n'y trouvait pas son compte et c'est ainsi qu'un certain colonel Clayton Box, un enthousiaste des forces spéciales, a fermement suggéré que cette technologie soit utilisée pour des opérations clandestines.

– Des crimes de sang ? Des assassinats ?

– Exactement. Imaginez qu'on puisse remonter le temps et supprimer des terroristes pendant qu'ils sont encore au lycée. Mon père n'aimait pas cette idée et, malgré tous mes efforts pour le rassurer, il est devenu de plus en plus paranoïaque. Il voyait des complots partout et il était convaincu qu'on lui volait ses recherches. Alors, un matin, il a tout simplement disparu dans le passé en emportant avec lui toutes les Clés temporelles programmées et les codes d'accès. Mon père pouvait revenir s'il le voulait, mais nous ne pouvions pas le rejoindre. Impossible sans avoir les algorithmes et les codes précis qu'il gardait en mémoire. Il avait inventé le langage que comprenaient les capsules et donc, sans lui, le WARP était terminé. La clé, c'était mon père lui-même et même après tout ce temps, personne n'a été capable de pirater ses machines. Nous avons perdu Terence Carter, un témoin dans une énorme affaire de corruption. Et son garde du corps a été coincé avec lui dans le passé. Sans compter qu'il y a pour des millions de dollars de capsules du WARP installées à l'entrée de trous de ver et pas plus utiles que des tas de ferraille. L'ironie, c'est que le colonel Box et son équipe au complet étaient en mission quand mon père s'est enfui dans le passé. Box et ses hommes n'ont jamais réussi à revenir et donc, la menace contre le WARP était neutralisée.

Chevie absorba lentement ce déluge d'informations puis, au bout d'un long moment, elle posa une question sensible :

– Alors, le sang jaune et le bras de singe font partie de ces aberrations dont vous parliez ?

Felix Smart répondit calmement, comme si avoir un père mort doté d'un bras de gorille était une situation des plus courantes.

– Il y avait très peu de chance qu'on ait deux aberrations en même temps. Des mutations dues aux trous de ver se sont produites quelquefois chez certains prisonniers. La théorie de mon père, c'était que les tunnels temporels avaient une mémoire et que parfois, la mousse quantique subissait des mélanges. Des molécules s'amalgamaient. Dans plus de quatre-vingt-dix-neuf pour cent des cas, nos cobayes revenaient sans mutation significative. Mais parfois, nous avons constaté l'apparition de membres supplémentaires ou des phénomènes de perception extrasensorielle. Un jour, nous avons même eu une tête de dinosaure.

Chevie eut du mal à rester impassible.

– Une tête de dinosaure ?

– Je sais, ça paraît dément. C'était un vélociraptor, je crois. On n'a jamais été vraiment sûr.

– Le dinosaure est mort ?

Felix Smart fronça les sourcils.

– Techniquement, le vélociraptor s'est suicidé. Le chercheur avait conservé suffisamment de lucidité pour comprendre ce qui s'était passé, alors, il a pris un pistolet et s'est tiré une balle dans la tête. Ce n'était pas beau à voir.

Chevie éprouva une sensation comparable aux effets d'un décalage horaire.

« C'est un léger choc psychologique, comprit-elle. Mon cerveau ne croit pas un mot de ce qu'il entend. Mais il vaut mieux faire comme si de rien n'était, ce sera bientôt fini. »

– Et maintenant, quelle est la suite, Orange... heu, professeur ?

Avant que Felix ait eu le temps de répondre, son téléphone vibra pour lui annoncer qu'il avait un message. Il tira de sa poche un petit appareil argenté extraplat et lut ce que l'écran affichait.

– L'équipe HAZMAT est arrivée. La suite, ce sera de cloner la Clé temporelle de mon père pour retourner là où il se cachait et peut-être trouver des notes et réparer les dégâts qu'il a pu faire. Il ne faudrait pas que quelqu'un de l'époque trouve un plan dessiné par mon père et se mette à construire des super-lasers avec un siècle d'avance. Vous, vous restez ici et vous relevez tous les indices enregistrés par la caméra de la Clé temporelle.

Chevie regarda son partenaire/chef se diriger à grands pas vers l'escalier. Il était déjà passé en mode action, moins d'une heure après avoir trouvé le corps de son père qu'il avait perdu de vue.

« Dur », pensa-t-elle.

*

Riley était étendu sur le lit bas de sa cellule. Il leva les mains devant son visage et serra les poings pour les empêcher de trembler.

« Je suis dans un autre monde », fut sa première pensée. Sa deuxième fut pour Garrick. « Il va venir me chercher, je parierais mon dernier shilling là-dessus. »

Riley s'efforça de penser à autre chose.

Il n'avait jamais eu d'ami, aussi loin que remontaient ses souvenirs, et il avait coutume de chercher en lui-même la force de se redonner du courage. Mais parfois, dans ses songes, il voyait ce garçon de haute taille avec des cheveux roux et un grand sourire. Il s'était habitué à lui parler dans sa tête. C'était un moyen d'essayer de se calmer.

« Je suis vivant, pas vrai, le Rouquin ? Et peut-être que cette prison est suffisamment loin. Assez loin pour que Garrick lui-même n'arrive pas à la trouver. »

Mais Riley avait beau se le répéter, il ne parvenait pas à y croire.

Il fit des efforts pour ne plus penser à Garrick, mais il avait du mal à se réconforter car l'image qui lui venait le plus souvent à l'esprit était précisément la tête de Garrick.

« Dans ce cas, pense à quelque chose d'autre. »

Par exemple, ce sang jaune qui avait jailli du palpitant de ce vieux bonhomme ? N'avait-il pas aussi des bouts de singe sur le corps ? Et cette fille impudique qui ne portait même pas de jupe sur son long caleçon noir ? C'était vraiment un drôle de monde et une étrange prison.

« Mais toute cellule a une porte et toute porte a une serrure. »

C'étaient les paroles de Garrick.

Et dans ces paroles, il y avait indéniablement une certaine sagesse. Riley se força à se lever et à faire la demi-douzaine de pas qui la séparait de la porte. S'il s'agissait véritablement d'une prison, alors, on pouvait s'en échapper tout comme Edmond Dantès s'était échappé de l'effroyable château d'If dans l'un des romans préférés de Riley, *Le Comte de Monte-Cristo.*

Au cours des dernières années, les livres étaient devenus une passion pour Riley. Ils l'avaient aidé à supporter les longues heures passées au théâtre de Holborn où Garrick et lui avaient établi leur repaire. Garrick avait coutume de disparaître plusieurs jours de suite et, lorsqu'il revenait, il s'attendait à trouver une maison propre et un dîner chaud. Quand l'assassin était assis dans la cuisine et soufflait sur son ragoût de bœuf, ses genoux cognant le dessous de la table, il faisait tournoyer sa cuillère dans un geste royal, ce qui signifiait que le spectacle du soir devait commencer. Riley régalait alors son maître d'un résumé approximatif du roman qu'il avait été chargé de lire.

« Rends-moi ça vivant, fils, lançait-il souvent. Fais-moi croire que je suis moi-même entre les pages. »

Riley pensait : « Je ne suis pas ton fils et c'est moi qui voudrais bien être entre les pages. »

Lorsque Garrick avait établi cette pratique de la lecture, Riley avait détesté cela et en était venu à en vouloir aux livres eux-mêmes, mais *Les Aventures de Sherlock Holmes* avaient tout changé. Ce livre était beaucoup trop fascinant pour être dédaigné. Riley ne pouvait pas plus détester Arthur Conan Doyle qu'il ne pouvait détester ses parents dont il ne se souvenait pas, même si Garrick lui rappelait souvent qu'ils l'avaient laissé dans un sac de farine suspendu à une rampe de l'hospice de pauvres de Bethnal Green, où le magicien l'avait trouvé et arraché aux cannibales des bas-fonds.

« Un conseil de Mr Holmes me serait bien utile en ce moment, songea Riley en frappant sur la porte d'un doigt replié. Un détective de génie, voilà ce qu'il me faudrait – ça ou un bon cambrioleur. »

La porte de la cellule elle-même n'avait rien de remarquable, elle était en acier épais avec une fenêtre suffisamment grande pour qu'un chien de taille moyenne puisse s'y glisser, s'il n'y avait pas eu un carreau.

« Ou un illusionniste spécialisé dans l'évasion. »

Riley savait qu'il parviendrait à se tortiller à travers cette ouverture si seulement il y avait un moyen d'enlever cette vitre.

« Garrick m'a fait passer dans des trous plus étroits. »

Mais la vitre était prise dans la porte elle-même et elle était soigneusement polie, il n'y avait pas de bulles ni aucune inégalité à sa surface.

« Ces gens-là s'y connaissent en verre, dut admettre Riley. Alors, la serrure ? »

Elle était d'un modèle qui le laissa perplexe. Même le plus fin des crochets n'aurait pas pu s'y glisser. Du bout du doigt, il essaya d'explorer le trou de la serrure et ne parvint qu'à se casser un ongle. La porte était dépourvue de gonds visibles et, au-dessous, il n'y avait même pas assez de place pour un courant d'air.

« Même pour Garrick, ce serait un casse-tête. »

Mais Garrick chercherait plutôt à entrer, pas à sortir. Et entrer était toujours plus facile, surtout si on pouvait assommer la personne qui possédait la clé et la lui prendre.

Riley frissonna. Il aurait juré qu'il sentait Garrick de plus en plus près et son approche semblait refroidir l'atmosphère.

Il y eut un claquement puis la porte s'ouvrit lentement vers l'intérieur. Riley retint son souffle, tant il était convaincu que c'était Garrick qui venait le chercher pour lui offrir un petit somme au cimetière de Highgate. Mais ce n'était pas le magicien. La fille à moitié habillée qui l'avait bouclé dans sa cellule se tenait à présent dans l'encadrement de la porte.

– Recule, petit, dit-elle. Allonge-toi sur le lit, les mains derrière la tête.

Son ton était assez aimable mais elle tenait un gros pistolet dans ses doigts délicats et l'opinion de Riley était que ce pistolet-là semblait capable non seulement de tirer une balle, mais de creuser la tombe en même temps. On ne discutait pas avec ce genre d'arme et Riley obéit avec zèle aux instructions qui lui étaient données.

La fille se montra satisfaite et s'avança dans la cellule, laissant derrière elle un entrebâillement vers la liberté qui paraissait très tentant. Riley songea un instant à se précipiter vers le monde extérieur, mais un reflet de lumière étincela sur le canon du pistolet et il décida d'attendre une prochaine occasion.

– Miss, dit Riley, on dirait que j'ai atterri dans la troupe de Buffalo Bill. Vous avez la même tête que ces sauvages d'Indiens qu'on voit dans son spectacle.

Chevie lança au garçon un regard noir à travers le viseur de son arme.

– Nous n'utilisons plus l'expression « sauvages d'Indiens ». Il y a des gens qui ne sont pas contents qu'on les traite de sauvages. Va savoir pourquoi.

– Moi, je l'ai vu, le cirque de Buffalo Bill, il y a un petit bout de temps. Vous avez l'air d'une Apache.

Chevie eut un demi-sourire.

– Je suis une Shawnee, si tu tiens vraiment à le savoir. Mais laissons tomber les mondanités. Il y a un barreau derrière ta tête. Serre-le dans ta main droite.

Riley obéit et, se doutant un peu de ce qui allait se passer, il saisit le barreau en écartant les doigts pour élargir son poignet, mais ce fut inutile.

– Bien sûr, petit. Le plus vieux truc du monde. Tu crois que je viens tout juste de décrocher mon diplôme de crétinisme appliqué ?

– Pourquoi vous m'appelez tout le temps « petit » ? Je dois avoir le même âge que vous, à peu près.

Chevie se pencha sur Riley et referma d'un claquement sec une menotte métallique sur son poignet.

– Ah ouais ? En fait, j'ai dix-sept ans. Et toi, tu en parais tout juste douze.

Elle serra la menotte, accrochant l'autre au barreau du lit.

– Ça m'en fait quatorze, répliqua Riley. Et tous les jours, je grandis d'un cran. L'année prochaine, même date, c'est sûr que je vous dépasse d'une bonne tête, miss.

– Je suis ravie de l'apprendre, petit. En attendant l'aube de ce grand jour, il te reste une main pour manger et te gratter le derrière, mais je te conseille de manger d'abord.

À présent que le garçon était bien attaché, Chevie

maintint la porte ouverte à l'aide d'une chaise pour pouvoir surveiller la pièce où se trouvait la capsule, au cas où quelque chose d'autre déciderait d'en sortir.

Riley tira plusieurs fois sur la chaîne pour en éprouver la solidité et Chevie eut un large sourire.

– Tout le monde fait toujours ça, mais je te signale que ces menottes ont une résistance à la traction de plus de trois cent cinquante livres, alors tu perds ton temps.

Elle hocha la tête.

– Et tu n'as pas idée du *temps* qu'on perd aujourd'hui dans cet endroit.

Riley ressentit soudain une envie de pleurer et presque aussi soudainement, il eut honte de lui. Pleurer ne lui permettrait pas d'échapper à Garrick. L'ordre du jour, c'était au contraire de ne pas se laisser aller.

– Miss, il faut me détacher avant qu'il arrive.

Chevie prit une chaise en fer, la fit tourner sur un pied et s'assit, les coudes appuyés sur le dossier.

– Ah, oui, le fameux «*Il*». La mort en personne, c'est ça? Il est la Mort et la Mort vient vers nous. Le croquemitaine.

– Non, pas le croquemitaine. Garrick existe en chair et en os. C'est lui qui a effacé le vieux à sang jaune et nous aussi, il va nous effacer bientôt si on ne met pas un peu de vent dans les voiles pour filer d'ici et d'abord, où est-ce qu'on est?

Chevie eut presque pitié de ce gamin crasseux jusqu'à ce qu'elle se souvienne du moment où elle l'avait vu pour la première fois.

– Je vais te dire quelque chose, petit. Si on oubliait un peu ce personnage de la *Mort* et qu'on se demande plutôt pourquoi tu as tué le vieil homme?

Riley protesta d'un signe de tête.

– C'est pas moi, miss. Jamais fait ça, moi. C'est Garrick.

Chevie était habile à évaluer les gens. Le visage de ce garçon était large, avec de gros sourcils, un menton pointu et une tignasse qui aurait pu être de n'importe quelle couleur sous la saleté. Ses yeux étaient d'un bleu saisissant, l'œil droit en tout cas. Le gauche semblait surtout constitué d'une pupille complètement dilatée. En résumé, c'était le visage d'un gamin innocent, pas celui d'un assassin. À moins qu'il ne se fût agi d'un psychopathe.

– Ah oui, Garrick. M. Mort-en-personne. Ou peut-être M. Personne tout court.

– Vous vous moquez de moi, miss. Vous me prenez pour un menteur.

Chevie se renfrogna.

– Arrête de m'appeler « miss », petit, tu me donnes l'impression d'être une grand-mère. Appelle-moi agente Savano. Et ne va pas croire qu'on est devenus copains, tous les deux, j'essaye simplement d'être polie et je ne veux pas te juger avant de connaître tous les faits. Pour répondre à ta question de géographie, nous sommes à Londres, Angleterre.

Le garçon fut manifestement perturbé par cette nouvelle.

– Londres, vous dites ? C'est vrai, ça ? Alors, il est déjà là. On n'a plus le temps, agente Sa-va-no. Il faut qu'on s'en aille. Vous savez vous servir de la magie orange ?

« La magie orange. Agent Orange, songea Chevie qui voyait enfin le rapport. J'ai compris, maintenant. »

– Écoute, petit. Si ce fameux Garrick existe vraiment et

qu'il soit coincé de l'autre côté de la *magie orange*, il aura beau remuer ciel et terre, il lui sera impossible d'arriver jusqu'ici. Compris ?

Les yeux dissymétriques, toujours aussi écarquillés, ne perdirent rien de leur fébrilité.

– S'il remue ciel et terre, mais s'il remue l'enfer ?

Chevie laissa échapper un petit rire.

– Vous autres, les Anglais victoriens, vous êtes portés sur le mélodrame, n'est-ce pas ? Quel est ton nom, petit ? Je ne peux pas continuer à t'appeler « petit » toute la journée.

– On m'appelle Riley, répondit le garçon.

– Riley quelque chose ? Ou quelque chose Riley ?

Riley haussa les épaules.

– Ça, je n'en sais rien, agente Savano. Garrick ne le savait pas plus que moi. Un seul nom, ça me suffisait. Quand je suis né, à côté de moi, il y avait un papier qui disait : « Voici Riley, un pauvre enfant dans le besoin. Prenez soin de lui. » J'allais finir dans la marmite d'une bande de cannibales quand il m'a trouvé. Il les a tués, c'est pas des blagues, et le dernier, il lui a fait manger un bout de sa propre jambe pour lui donner une leçon.

– Je n'aime vraiment pas ce Mort-en-personne, ce magicien qui appelle les autres d'un seul nom, ce tueur qui est censé voyager dans le temps.

Riley soupira. La dame n'arrivait pas à comprendre qui était Garrick, mais comment aurait-elle pu ? Garrick était une créature unique, on ne pouvait pas mesurer sa colère quand on ne la voyait pas ou qu'on ne la subissait pas. Il allait devoir mijoter un plan dans sa propre cervelle et peut-être détourner l'attention de sa geôlière pendant un moment pour se donner le temps de réfléchir. Riley se redressa un peu et montra d'un signe de tête un tatouage sur le biceps de l'agente Savano.

– Qu'est-ce que c'est que cette pointe de flèche, agente Savano ? Vous êtes dans la marine ?

Chevie tapota le tatouage bleu.

– Ça représente un chevron et c'est ce qui m'a donné mon nom, mais je te raconterai ça un autre jour, peut-être, quand je viendrai te voir en prison.

La dame n'était pas tombée dans son piège.

– Je suis innocent, miss... heu, agente Savano. Il faut me laisser sortir.

Chevie se leva, faisant tourner la chaise sous sa main.

– On en reparlera quand j'aurai vu la vidéo. Dans une heure, je t'apporterai un McDonald, en attendant, reste là, mon petit voyageur du temps.

Riley regarda la porte se refermer en pensant : « *Voyageur du temps ?* »

Et : « Qu'est-ce que c'est qu'une vidéo ? »

Et encore : « Pourquoi est-ce qu'elle veut me ramener un Écossais ? À quoi il pourrait me servir ? »

L'équipe HAZMAT ne ressemblait pas du tout aux spécialistes des matières dangereuses que Chevie avait vus jusqu'à présent. Ils ne portaient pas de combinaisons blanches antivirus, ou *blantiv*, comme on les appelait au FBI. Les quatre agents étaient vêtus apparemment de caoutchouc noir qui semblait un peu déchiré pour une équipe scientifique.

Chevie suivit le couloir au pas de course pour rejoindre l'agent Smart qui sanglait une arbalète sur sa poitrine.

– C'est qui, ces gars-là ? Les ninjas de la chimie ? Et pourquoi vous emportez cette arbalète ?

– Ça fait beaucoup de questions, agente Savano.

– J'étais un peu hors du coup, ici. Avant aujourd'hui, personne ne m'avait jamais parlé une seule fois de voyage dans le temps pour protéger des témoins. Et maintenant, tout le monde va faire un petit tour dans le passé, sauf moi.

– Vous n'avez pas de formation dans le traitement des matières dangereuses, Chevie. Cette équipe, en revanche, est bien préparée, elle est aussi très entraînée au combat. Quant à nos tenues et à notre équipement, nos combinaisons sont à base de chanvre biodégradable à l'air libre et les armes sont ultraperfectionnées mais ne feront pas trop science-fiction aux yeux des gens du coin, si jamais on en rencontre. On part, on nettoie et on revient à la maison. Et si on oublie quelque chose sur place, il n'y aura pas d'effet domino.

– À propos de… heu… d'effet domino, pourquoi ne pas remonter un peu plus loin dans le temps et sauver la vie de votre père ? Maintenant que vous avez cette Clé temporelle et que vous savez exactement où il était.

L'agent Smart hocha la tête.

– Vous n'avez pas lu l'intégralité du fichier, n'est-ce pas, Chevie ? Les trous de ver sont d'une longueur constante à la nanoseconde près. C'est un peu comme une paille. Si on tire un bout, l'autre bout se déplace aussi. Et donc, si une heure s'est écoulée ici, une heure s'est également écoulée là-bas. Le trou de ver que nous utilisons mesure un peu moins de cent vingt ans et par conséquent nous ne remonterons pas plus loin dans le passé.

– Combien de temps serez-vous partis ?

– Pas très longtemps. Dix minutes maximum. Si ça dure davantage, ça voudra dire que nous sommes morts, il faudra alors que vous fermiez cet endroit, que vous démontiez la capsule et que vous rentriez en Californie.

– Ça, au moins, c'est une façon positive de voir les choses, agent Smart. Et qu'est-ce qu'on va dire aux pompiers, cette fois-ci ?

Smart passa un masque intégral sur sa tête.

– Pas de problème, j'ai activé les cylindres amortisseurs. Il n'y aura pas de coupure de courant.

Chevie regarda les hommes de l'équipe temporelle, vêtus des pieds à la tête d'armures noires matelassées, hérissés de poignards et d'arbalètes.

– Même avec votre quincaillerie d'un autre âge, vous avez l'air d'un commando du futur. Qu'est-ce qui se passera si vous vous faites prendre avant que le chanvre se dissolve ? Ce gamin, Riley, jure qu'il y a une espèce de tueur magique, là-bas.

La voix de Smart était étouffée par le filtre de son masque.

– Ah oui, le croquemitaine. Un phénomène classique de transfert, Savano. Rejeter la responsabilité d'un acte sur quelqu'un qui n'existe pas. Même s'il y a là-bas un personnage à la Dickens, genre Fagin, je pense que mes hommes arriveront à le neutraliser.

Chevie le pensait aussi. Ces types semblaient capables de conquérir à eux seuls un petit pays.

– Que se passerait-il s'il y avait un tremblement de terre et que vos hommes soient coincés dans les décombres ?

– Ces boutons rouges sont prévus pour ça. Nos combinaisons n'ont pas servi pendant quinze ans, mais j'espère que les interrupteurs à mercure fonctionnent toujours.

Cette réponse ramena au premier plan la gravité de la situation.

– Autodestruction ? dit Chevie. Vous vous moquez de moi ? On n'est pas dans un épisode de *La Quatrième Dimension.*

Le petit rire de l'agent Smart secoua ses épaules.

– Mais si, Chevie. C'est exactement ça.

Chevie ne riait pas. Elle avait le sens de l'humour, mais les plaisanteries sur le thème de l'autodestruction n'étaient pas de son goût.

– Alors, je vais rester ici à me tourner les pouces pendant que vous, les techno-machos, vous irez remettre en place les dominos du temps ?

Smart se figea.

– Techno-machos ? Remettre en place les dominos du temps ? Je vais vous dire une chose, agente Savano. Je crois que vous avez saisi l'essence même de ce qui se passe ici. Je ne pensais pourtant pas que vous y parviendriez. Certains ont pour muscle principal celui qui leur sert à presser la détente de leur arme, mais vous, vous avez fait preuve d'un admirable sang-froid pendant ce moment difficile, et sans tirer un seul coup de feu.

Chevie le regarda fixement. Smart prenait-il le temps de se moquer d'elle ? Ou n'était-il qu'un robot ?

– Vous êtes sûr qu'il ne vaudrait pas mieux que je prenne la tête des opérations ? Je devrais peut-être vous relever ?

Soudain, les quatre techno-ninjas saisirent leurs pistolets dans leurs holsters suspendus au portemanteau.

– Ne prononcez pas le mot « relever », Chevie, conseilla Felix. Cette mission est très importante. Personne n'a envie que son existence soit annulée parce que mon père a pollué la ligne du temps.

Chevie ne recula pas d'un centimètre.

– Bon, alors, dites à vos bonshommes qu'à leur retour, je les prends deux par deux dans le gymnase.

Les membres de l'équipe HAZMAT baissèrent leurs pistolets en regardant fixement Chevie, la tête penchée, l'air surpris, comme des lions défiés par une petite souris.

– Ils ne disent pas grand-chose, vos copains de laboratoire.

Smart ouvrit une rangée d'ordinateurs portables alignés sur une table de métal. Des câbles épais, à l'arrière de chaque appareil, tombaient sur le sol et serpentaient jusqu'à la capsule du WARP. Il composa rapidement de longues suites de codes.

– C'est pour ça que je les aime, agente Savano. Ils se contentent de faire leur travail. Pas de paroles inutiles.

Les ordinateurs étaient vieux et massifs avec des claviers aux lettres en relief qui brillaient d'une lueur verte et n'étaient pas disposées dans l'ordre habituel. Chevie donna une petite tape sur le boîtier de l'un d'eux pour voir s'il était vraiment en bois.

Smart lui écarta la main d'une claque sur le poignet.

– Ne touchez pas au matériel, agente Savano, la gronda-t-il. Il a été fabriqué à partir d'une ancienne technologie alternative. Nous n'avons même plus les pièces pour le réparer.

– Allons donc. J'ai du bois dans ma chambre.

Smart ne prêta aucune attention à son commentaire et continua la vérification des systèmes. Tandis qu'il tapait sur les claviers, la capsule se mit en marche, vibrant et soufflant de la vapeur comme un très vieux réfrigérateur. Les voyants lumineux s'allumèrent peu à peu et se mirent à ronronner en dessinant des schémas compliqués. Les gros câbles bourdonnèrent sous la puissance des mégawatts qu'ils parvenaient à peine à contenir dans leurs gaines. Par endroits, le caoutchouc fondait et mettait à nu des fils crépitant d'énergie.

L'installation rappelait à Chevie les vieilles séries de science-fiction qu'elle avait vues sur les chaînes câblées.

« Voilà comment les gens de la télé s'imaginaient le futur au siècle dernier. Clinquant et bon marché. »

Des rayons laser jaillirent de différents points à la surface de la capsule, se connectant pour former un treillis autour de l'engin.

« Des lasers ? pensa Chevie. Alors, c'est bien une machine à remonter le temps. J'ai l'impression de revenir aux années 1970. »

La capsule du WARP mit plusieurs minutes à chauffer. Elle se secoua, toussa et démarra dans un vrombissement produit par les six moteurs électriques, situés à sa base, qui commencèrent à tourner avec un bruit métallique. Chevie était très contente de ne pas faire partie du groupe qui attendait d'entrer dans le ventre de la machine pour y être dématérialisé. Enfin, la capsule se souleva d'environ un centimètre au-dessus de son socle et les divers voyants lumineux étincelèrent dans une parfaite harmonie, à part ceux qui claquaient et crépitaient.

– OK, s'écria Smart en s'efforçant de couvrir le vacarme électrique. Nous avons quatre-vingt-dix-sept pour cent de stabilité. C'est suffisant.

« Quatre-vingt-dix-sept pour cent ? pensa Chevie. Je parierais que ces types du HAZMAT n'ont pas vu le bras de singe, sinon ils insisteraient pour atteindre les cent pour cent. »

Les hommes habillés de noir entrèrent dans l'engin par la trappe d'accès et s'assirent sur le banc qui suivait l'arrondi de la cloison. Ils étaient serrés les uns contre les autres et parurent soudain un peu moins redoutables malgré l'aspect effrayant de leur tenue et de leurs armes. En les voyant, Chevie repensa à son petit frère adoptif. Une nuit, ses copains et lui avaient campé dans le jardin, en jouant les durs jusqu'à ce que quelque chose bruisse contre la toile de la tente à deux heures du matin.

Smart donna à Chevie la Clé temporelle qu'il détenait.

– J'ai cloné des clés pour l'équipe et pour moi, mais celle-ci, c'est l'original avec l'ensemble des codes d'accès. En fait, toute l'histoire du projet se trouve sur cette clé. Ne la perdez pas.

Chevie l'accrocha à son cou.

– Je la garderai sous mon oreiller, à côté de ma photo de vous.

Smart abaissa son masque et Chevie remarqua que, pour la première fois en neuf mois, il souriait vraiment.

– Vous allez me manquer quand tout ça sera terminé, Savano. Aucun de ces types n'ose me lancer des vannes. Cela dit, si jamais vous vous plantez sur ce coup-là, je vous envoie en poste à Mourmansk.

– Nous n'avons pas de bureau à Mourmansk.

– Oh, si, mais il est très loin sous la glace.

– J'ai compris le message. Ne vous inquiétez pas, Felix. Le garçon est en sûreté et je ne laisserai personne toucher à cette clé.

Smart ajusta son masque.

– Très bien. Donc, dans dix minutes, vous pourrez rentrer chez vous avant l'heure avec une bonne recommandation et un dossier sans tache. Mais si un étranger sort de cette capsule, rappelez-vous votre entraînement : toujours viser la poitrine.

– Je me souviens, répondit Chevie. La poitrine. La cible la plus large.

Ils se serrèrent la main, ce que Chevie n'avait pas particulièrement envie de faire, non pas par peur des microbes, mais parce que l'ennui dans lequel elle avait baigné ces neuf derniers mois lui avait donné le goût des films d'action. Or, tous les passionnés de cinéma le savent, quand deux flics qui ne s'aiment pas beaucoup commencent à éprouver du respect l'un pour l'autre, cela signifie que celui qui a le rôle secondaire ne va pas tarder à mourir.

« Et s'il y a quelqu'un qui a un rôle secondaire, ici, c'est bien moi », songea-t-elle.

Smart se pencha pour entrer dans la capsule et alla se serrer sur le banc, à côté des autres.

Avec les doigts, il fit un compte à rebours de cinq secondes, puis tous les hommes de l'équipe tendirent le bras vers le centre de l'engin et posèrent leurs mains les unes sur les autres. Lorsqu'ils furent tous en contact, Smart appuya sur le médaillon accroché à son cou. Une lumière orange entoura la capsule et, dans un grand bruit d'aspiration, il se créa un vide dont Chevie elle-même, restée devant les ordinateurs, ressentit l'effet.

Le bruit augmenta jusqu'à atteindre l'intensité d'un ouragan. Smart et ses hommes tressautèrent alors que leurs molécules s'arrachaient les unes aux autres. Ils devinrent orange, puis se divisèrent en bulles de la même couleur qui furent emportées dans la spirale d'un mini-cyclone tourbillonnant de plus en plus vite au milieu de la capsule. Chevie aurait juré voir des morceaux de corps humain se refléter à la surface des bulles.

« D'où pouvaient-ils bien se refléter ? Du monde subatomique ? »

Le trou de ver s'ouvrit comme un entonnoir de lumière, un peu plus petit que ne l'aurait imaginé Chevie, pour être honnête, mais suffisamment grand pour engloutir les atomes qui constituaient l'équipe HAZMAT et son chef. Les bulles tournoyèrent, se forçant à pénétrer dans le cercle blanc dont on percevait les pulsations à la base de la capsule. Il brilla comme une pièce d'argent puis tourna sur lui-même comme si quelqu'un lui avait donné une pichenette, chaque révolution projetant un rayon aveuglant à travers la pièce.

Chevie ferma les yeux. Lorsqu'elle les rouvrit, le trou de ver s'était refermé, laissant derrière lui une volute de fumée qui avait la forme d'un point d'interrogation grossièrement dessiné.

« Moi aussi, j'ai un point d'interrogation dans la tête », songea Chevie.

À pas prudents, elle contourna la rangée d'ordinateurs pour aller jeter un coup d'œil dans le ventre de la capsule.

Il y faisait froid et des morceaux de gel orange tremblotaient sur les parois d'acier.

« J'espère que ces morceaux n'étaient pas auparavant des parties importantes de corps humains. »

Smart et son équipe n'étaient plus là.

« Je n'ai pas cru à l'histoire d'Orange jusqu'à cet instant, réalisa Chevie. Pas une seconde. Et même maintenant, je ne suis pas encore sûre d'y croire. »

Mais il était impossible de nier que son partenaire avait disparu, soit dans un trou de ver, comme prévu, ou réduit à l'état de gelée par les rayons laser de la vieille école.

« J'aurai le temps de m'inquiéter de tout ça quand je serai rentrée chez moi, à Malibu. En attendant, je dois me comporter en professionnelle. »

Chevie décida de passer les dix minutes suivantes à regarder la vidéo enregistrée par la Clé temporelle de Smart père. Pour voir s'il y avait quelque chose d'autre qu'elle puisse ajouter à son rapport. Et, sait-on jamais, il existait toujours une chance infime que Riley ait dit la vérité. Mais, même si c'était le cas, il était impossible au croquemitaine dont il avait si peur de se projeter dans le futur.

En un éclair, Chevie revit soudain le visage de Riley : de grands yeux bleus, un front maculé de suie.

« Impossible s'il remue ciel et terre, mais s'il remue l'enfer ? »

Elle frissonna. Ce garçon ne disait peut-être pas la vérité, mais en tout cas, il y croyait dur comme fer.

4

TECH-ALT

Bedford Square. Bloomsbury. Londres. 1898

Albert Garrick fredonnait une chanson enfantine apprise sur les genoux d'une Irlandaise qui avait été sa nourrice pendant la moitié du temps qu'il avait passé autrefois dans le quartier de l'Old Nichol, aux jours les plus sombres de sa vie. S'il y avait une certitude profondément ancrée en lui, c'était qu'il ne remettrait jamais les pieds dans l'Old Nichol, pas même pour éviter la pendaison.

– J'aimerais encore mieux me balancer au bout d'une corde que de retourner dans ce cloaque, se promit-il silencieusement entre ses dents serrées, comme il le faisait presque chaque soir.

En l'occurrence, le mot « cloaque » n'était pas une simple exagération de conteur. Les taudis grouillants de l'Old Nichol étaient bordés par les égouts. Ils avaient été épargnés par le Grand Incendie de Londres, mais depuis ce temps, aucune rénovation n'avait été entreprise en faveur des pauvres qui habitaient le quartier. Un véritable cloaque. Une fosse en putréfaction, parsemée de porcheries, de cabanes, de tas de fumier, où flottaient dans l'air l'odeur âcre de l'industrie et les hurlements avides des bébés affamés.

L'enfer sur la terre.

Alors qu'Albert Garrick fredonnait, les paroles de la chanson remontèrent des ombres de son passé et l'assassin les chanta d'une douce voix de ténor :

Un bébé, dix bébés, j'en avais jusqu'à vingt,
La semaine passée, on me payait très bien,
Mais le diable est venu me voler mes bébés
Et depuis, je mendie pour avoir à manger.

Garrick eut un petit rire sinistre. C'était une chanson du temps du choléra, peu susceptible d'apaiser les peurs d'un enfant et, la plupart du temps, elle le maintenait éveillé au lieu de l'endormir. Il faut dire que neuf membres de sa famille avaient été emportés par la maladie. Lui-même et son père auraient également succombé si, une nuit, dans une ruelle obscure, son cher papa n'avait eu l'intelligence de trancher la gorge du concierge du théâtre Adelphi pour venir, le lendemain, proposer de le remplacer. Dans leurs jeunes années, le concierge et le père de Garrick avaient joué les durs dans le quartier. Ils étaient proches, mais c'était une question de vie ou de mort et les flots de la Tamise regorgeaient d'amis très chers. Il était rare qu'après une marée, on ne retrouve pas un ancien intime échoué sur les rives boueuses de Battersea.

Pendant plus d'un an, le père et le fils avaient dormi dans un espace secret, derrière le foyer de l'Adelphi, jusqu'à ce qu'ils aient les moyens de se trouver un logement loin du quartier de l'Old Nichol.

Garrick s'agenouilla sur le tapis orné de fleurs de lis au dessin contourné qui s'étendait devant lui et se concentra sur la tâche qui l'attendait ce soir-là, repoussant les souvenirs de son passé. Il disposa soigneusement les pointes de ses lames sur le pétale qui constituait le centre du motif. Six couteaux en tout, depuis le stylet jusqu'au poignard en passant par le bo-shuriken à quatre faces – le couteau à lancer japonais. Mais le préféré de Garrick était un couteau à poisson à la lame dentelée qu'il conservait sous son oreiller depuis l'enfance.

Il caressa le manche de bois avec affection. On pouvait dire sans se tromper que Garrick avait plus de considération pour cette lame que pour n'importe quelle personne de sa connaissance. En vérité, le magicien avait un jour risqué la prison en s'attardant sur le lieu d'un crime pour arracher le couteau coincé dans le magma d'entrailles d'une de ses victimes.

« Mais même toi, je te sacrifierais pour pouvoir goûter à la magie, admit-il en s'adressant au couteau. Avec joie et sans un instant d'hésitation. »

Garrick savait que des gens viendraient ici lorsqu'ils verraient que leur propre magicien leur avait été retourné à l'état de cadavre. C'était ce que le vieillard avait promis – « si vous me faites du mal, des hommes viendront s'assurer que vous n'avez pas dérobé mes secrets » – et Garrick croyait à la vérité de ces paroles. Les secrets du vieux étaient d'ordre magique et les hommes viendraient parce que la magie représentait le pouvoir, qui lui-même était la connaissance. Et celui qui dominait la connaissance dominait le monde. La connaissance était une chose dangereuse qu'il ne fallait pas laisser courir en liberté et donc, des hommes viendraient.

Des chauves-souris suspendues en cercle dans le large conduit de la cheminée battirent des ailes, dans un claquement qui rappelait la brosse du tanneur.

Peut-être sentaient-elles quelque chose ? Le grand moment allait peut-être arriver ?

« Venez, dieux de la Magie. Venez affronter l'acier d'Albert Garrick et nous verrons si vous saurez mourir comme des hommes. »

Garrick glissa les couteaux dans ses poches et se fondit dans l'ombre du sous-sol, près de l'horloge de grand-mère.

Quand un voyageur émerge d'un trou de ver et que la mousse quantique se solidifie, il se passe quelques instants, vite oubliés, d'intense lucidité, au moment où le passager du temps sent qu'il ne fait plus qu'un avec le monde.

« Tout va très bien sans qu'on ne voie rien, comme avait dit Charles Smart lors du célèbre colloque de l'université de Columbia, au cours de sa tournée de conférences aux États-Unis. Quand ces petites particules virtuelles s'annihilent, le sujet se trouve littéralement branché sur l'univers tout entier. »

Bien sûr, à l'époque, tout cela n'était encore qu'une quanti-pothèse, un autre mot inventé par le professeur Smart. On n'aurait jamais la preuve de ces fugitifs instants d'unité cosmique, puisqu'ils se dissipaient presque aussitôt et qu'il était quasiment impossible de les enregistrer. Le professeur Smart avait cependant raison : le Dixième Zen, comme il l'appelait, existe et il fut expérimenté par les hommes du HAZMAT lorsque leurs corps se solidifièrent et qu'ils éprouvèrent un bref moment d'éblouissement absolu, tels des enfants devant un feu d'artifice.

L'équipe au complet s'était retrouvée debout sur le lit que Charles Smart avait transformé en receveur. Le fin rideau de lumière orange qui les entourait à la manière d'une couronne recula par saccades en direction du trou de ver flottant derrière eux comme un diamant suspendu dans les airs.

– Hé ! dit l'homme qui se trouvait à l'avant du groupe, son arbalète pendant au bout de ses doigts. Est-ce que vous avez noté le parallèle entre Einstein et Daffy Duck ? Ce canard savait de quoi il parlait.

Il s'en serait suivi environ huit secondes de philosophie cosmique si Garrick n'avait pas compris intuitivement que le destin ne lui présenterait pas deux fois une occasion aussi parfaite. Il attaqua comme un derviche jeteur de mort, bondissant de sa cachette, et sauta sur le lit à baldaquin, où ses adversaires se tenaient comme du bétail dans un abattoir.

« Servez-vous donc de vos arbalètes, à présent, mes petits gars », pensa-t-il.

L'arrivée de Garrick pulvérisa le cocon de félicité et l'équipe HAZMAT fut aussitôt en position de combat – à part Smart, qui était toujours baigné de particules quantiques provoquant des ondulations et des tremblements aux extrémités de ses membres, comme si elles s'étaient trouvées sous l'eau.

Le premier coup porté par Garrick fut aussi le plus doux à ses yeux, car il fit jaillir un sang rouge et chaud. Il avait eu peur que sa lame ne rencontre une quelconque armure, mais bien que le tissu de leurs vêtements fût d'une exceptionnelle robustesse, il ne put résister à la pointe de son fidèle couteau à poisson dont la lame chanta sous le choc. L'homme qui avait parlé de canard s'effondra sur les draps, son cœur éclaté dans sa poitrine. Un deuxième étranger vêtu de noir se mit dans une position qui ressemblait approximativement à celle d'un boxeur et décocha à Garrick un crochet foudroyant au plexus.

L'assassin grogna de surprise, pas de douleur. Ces démons noirs étaient rapides, mais ce n'était pas de la magie et il aurait fallu des coups un peu plus vigoureux pour pénétrer la cloison de muscles qui protégeait le torse de Garrick.

Il avait étudié de nombreux arts de combat, depuis la lutte bretonne jusqu'au karaté d'Okinawa, prenant ce qu'il voulait dans chacun d'eux. Il avait ajouté à ces aptitudes sa propre spécialité : la prestidigitation. Sa technique n'était pas de celles qu'on peut analyser afin de s'en défendre, car ce style n'avait qu'un seul maître et un seul élève.

Le magicien mit en pratique le talent qui lui était propre et fit passer le couteau dans sa main gauche. Le deuxième homme en noir suivit ce mouvement des yeux, la tête penchée, mais il ne sut pas voir le poignard à lancer qui surgit dans la main droite de Garrick comme s'il était sorti d'une veine de son poignet.

Lorsque l'homme en noir perçut du coin de l'œil

l'éclat mortel de la lame, le poignard suivait déjà sa trajectoire fulgurante vers sa cible. Qui n'était pas ce deuxième homme, mais un troisième, alors que le deuxième ne regardait plus la main gauche dans laquelle Garrick tenait toujours le couteau à poisson.

Le deuxième homme s'en aperçut trop tard et eut tout juste le temps de voir le poignard s'enfoncer dans la poitrine de son camarade avant que le couteau à poisson ne tranche sa propre veine jugulaire.

« Que de sang, pensa Garrick. Une mer de sang. »

Trois des hommes du HAZMAT étaient morts. Le quatrième choisit d'attaquer plutôt que d'être abattu à son tour. C'était un vrai cogneur, célèbre au FBI pour avoir mis K-O un champion du monde de boxe au cours d'une bagarre dans un bar de Las Vegas. Il envoya un terrible crochet du droit qui aurait assommé un éléphant et visualisa dans sa tête ses trois prochains coups.

Mais il n'aurait pas l'occasion de les donner. Garrick esquiva le crochet, lui saisit le bras pour le faire rouler par-dessus son épaule et le rattrapa de l'autre côté à la pointe d'un couteau fabriqué en prison. L'agent ne mourut pas tout de suite, mais il n'allait pas s'attarder très longtemps.

Il n'en restait qu'un, à présent, celui qu'une lumière magique entourait. L'homme qui possédait le véritable pouvoir. Garrick se sentit saliver.

Comment voler la magie ? Quelle technique employer ? Une incantation, peut-être ? Ou un pentagramme ? Tout ce que Garrick avait tenté dans le passé pour arracher à l'éther céleste une étincelle de puissance semblait maintenant une farce de pacotille. Les chandelles et les mauvaises herbes, les sacrifices d'animaux. Il n'avait été qu'un enfant gribouillant dans le noir. Le vrai pouvoir était là, devant ses yeux, si seulement il pouvait s'en saisir.

Garrick rangea le couteau dans sa poche et enfonça ses doigts glacés dans la lumière orange jusqu'à ce qu'il trouve le cou de l'homme. Les tendons semblaient raides comme une corde de gibet, mais au toucher, ils étaient plus tendres que le beurre. Garrick vit ses propres doigts se mélanger, pour ainsi dire, au corps de l'inconnu et ce mélange s'accompagna d'un partage des âmes.

«Je connais cet homme, se dit-il. Et lui me connaît.»

De sa main libre, Garrick lui arracha son masque pour obtenir la connaissance qu'il n'arrivait pas à trouver en explorant l'esprit de cet homme.

– Dis-moi comment je puis m'emparer de ta magie, exigea-t-il. Livre-moi tes secrets.

L'homme paraissait plongé dans la stupeur. Il voyait sans voir, le regard pâle, voilé, un regard que Garrick avait observé dans les yeux de soldats blessés qui se réveillaient d'une anesthésie au chloroforme.

«Je te connais, Albert Garrick, dit l'homme, sans que ses lèvres ne remuent. Je sais ce que tu es.»

En entendant les pensées de Felix Smart, Garrick eut l'impression de ne faire plus qu'un avec lui. C'était comme si la vie entière de Smart avait été compressée dans une pilule amère qu'on lui enfonçait dans la gorge. Il sentait des souvenirs exploser en lui, plus vivants que les siens. Il avait sur la langue un goût de sang et de sueur, il sentait une odeur de poudre et de chair putride et il éprouvait des hontes et des regrets qu'il n'avait jamais osé s'avouer.

« C'est cela, la magie, comprit-il, tandis que sa vie passée rampait comme un ver dans ses entrailles. Voir, savoir. »

– Donne-moi tout, dit Garrick qui resserra son étreinte autour du cou de l'homme. Tout, je veux tout, entends-tu ?

– Ils t'ont envoyé en Afghanistan, haleta l'homme, les mots sortant de sa bouche comme un grognement.

Garrick fut tellement surpris qu'il se livra.

– Il n'y a pas beaucoup de gens qui le savent, monsieur l'Écossais. J'ai porté le fusil au nom de la reine, j'ai tué ma part d'ennemis et je suis revenu en héros.

Il hocha la tête pour essayer de se débarrasser de l'esprit de l'homme orange qui fouillait dans ses pensées.

– Arrête de parler, sauf si c'est pour révéler tes secrets.

L'homme ferma les yeux, avec une expression de tristesse, pensa Garrick.

– Je ne peux pas. Et je sais ce que tu as l'intention de faire, alors...

Sa main s'approcha d'un bouton rouge, sur sa ceinture, et Garrick saisit son poignet entre ses doigts.

Un circuit quantique s'établit et des informations furent échangées à tous les niveaux. Le savoir, les secrets, l'essence même de l'être – mélangés comme avec un fouet entre les deux hommes enchevêtrés dans un combat sinistre. Garrick luttait pour rester lui-même sous ce déluge de connaissances qui le cinglait comme une tempête. Il voyait et comprenait tout, de l'amibe aux micro-ondes. Il sentait qu'il n'était plus qu'un ensemble de neutrons secoués de toutes parts et ce concept même lui devenait compréhensible. Il voyait la surface de la Lune, une Terre où régnaient les dinosaures, des ordinateurs de la taille d'une boîte d'allumettes, le savant écossais, la petite Indienne shawnee et aussi le garçon, Riley.

« Riley », pensa-t-il et cette pensée s'enfuit loin de lui, emportée par une marée de mousse quantique. Il pencha la tête pour la suivre et l'Écossais profita de sa distraction pour appuyer sur le bouton rouge de sa ceinture.

Garrick sentit le déplacement du mercure à l'intérieur de l'interrupteur, il perçut une odeur d'explosifs et sut aussitôt qu'il n'y avait qu'un seul moyen d'échapper – peut-être – à la mort. Il écrasa dans son poing la trachée presque impalpable de Felix Smart, puis il entraîna celui-ci dans le minuscule cercle de lumière qui scintillait au centre du matelas.

Il semblait impossible que deux adultes de bonne taille puissent se glisser dans ce tout petit espace, mais le trou de ver était un phénomène de physique pure et il fit son office, dématérialisant les deux combattants au moment où la petite bombe attachée à la ceinture de la combinaison explosait.

Dans sa célèbre conférence de Columbia, Charles Smart, le parrain du voyage dans le temps, avait émis l'hypothèse que l'introduction d'un changement spontané d'énergie dans un flux quantique pourrait avoir des effets spectaculaires sur un voyageur temporel, en produisant, théoriquement, un être imprégné de tous les pouvoirs que l'évolution n'avait pas encore permis à l'humanité d'acquérir. Ou, selon sa propre formule : « Clark Kent pourrait véritablement devenir Superman. »

Le monde pourrait alors connaître des superhéros.

Ou des supercriminels.

Bedford Square. Bloomsbury. Londres. Aujourd'hui

Chevie Savano enfonça la Clé temporelle de Charles Smart dans une étrange prise à broches pour la relier aux antiques ordinateurs installés dans la pièce de la capsule.

Un message apparut sur l'écran central : PRÉCHAUFFAGE.

« Préchauffage ? Qu'est-ce que c'est que ça ? Une photocopieuse ? »

Tech-alt était un terme que Felix aimait bien répéter à tout propos. Technologie alternative. Il désignait par là de vieux tas de ferraille qui n'étaient plus en état de fonctionner convenablement.

Préchauffage ? Cet engin allait bientôt demander qu'on lui rajoute un peu d'essence.

Un menu apparut enfin en lettres tremblotantes sur le petit écran convexe. Le genre d'écrans que les grands-pères férus d'informatique collectionnaient pour jouer à Pac-man. Chevie n'avait jamais connu ce système d'exploitation : c'était une liste de menus qui ressemblait à un arbre généalogique.

« J'imagine que même Apple et Microsoft ne peuvent pas contrôler le passé », pensa-t-elle en souriant.

Cette Clé temporelle semblait en effet tout contenir. L'histoire du projet dans son entier, y compris d'anciens sauts dans le temps, des fichiers personnels, les lieux où étaient installées les autres capsules et, bien sûr, le journal vidéo du professeur Smart.

À l'aide d'une bonne grosse souris en bois, Chevie sélectionna les enregistrements d'alerte de proximité et les fit défiler jusqu'aux deux dernières minutes.

L'image avait beaucoup de grain, les couleurs étaient assombries par l'obscurité, mais elle voyait nettement le jeune garçon, Riley, s'approcher avec précaution, les yeux et les dents brillant par contraste sur son visage noirci. La lame qu'il tenait à la main était également visible, mais on n'en distinguait que le bord supérieur, là où il n'y avait pas de suie.

Soudain, l'écran prit une couleur verte et le visage de Riley fut éclairé par en dessous, comme un personnage de Halloween. S'introduisant subrepticement dans la maison d'un vieil homme en plein milieu de la nuit, armé d'un redoutable couteau, le garçon, il faut bien le dire, avait toutes les apparences d'un coupable. L'alerte passa du vert au rouge à mesure que Riley s'approchait et l'image bascula quand le professeur Smart se redressa.

Ils échangèrent quelques mots, qu'il était impossible de distinguer, puis Riley frappa et tout devint orange. Fin de l'histoire. CQFD, comme une lettre à la poste, l'acte d'accusation est incontestable.

Ou alors peut-être pas?

Chevie fit un arrêt sur image au moment où Riley portait le coup de couteau. La scène avait quelque chose d'étrange. Chevie savait tout des combats au couteau et la position du garçon lui semblait improbable. Il était penché en arrière tout en faisant un geste vers l'avant. Ce n'était pas facile à réaliser. En plus, son visage avait une expression d'horreur totale.

«Ou bien ce garçon est schizophrène ou bien on l'a un peu aidé à agir.»

Mais il n'y avait personne d'autre dans la pièce obscure. En tout cas personne qu'elle puisse voir.

Chevie eut envie de taper à grands coups sur ce matériel d'un autre âge.

« Technologie alternative, mes fesses. Je ne peux même pas nettoyer un tout petit peu l'image. »

Elle eut alors une idée : il était impossible de modifier l'image avec cette boîte à boulons mais si elle pouvait la transférer...

Elle prit son smartphone attaché à sa ceinture et photographia l'écran en HD. Le simple fait de transférer l'image sur son téléphone sembla l'améliorer un peu, mais elle était toujours sombre et floue.

« Sombre et floue, ce n'est pas un problème. »

Chevie n'avait pas moins de quatre applications permettant de modifier des photos sur son téléphone et elle en choisit une pour analyser l'image en détail.

D'une certaine manière, s'atteler à une tâche aussi matérielle eut une vertu thérapeutique en lui donnant l'illusion momentanée de travailler sur un cas normal.

Elle ordonna à son téléphone d'augmenter le contraste, la luminosité, et de rehausser les couleurs.

L'opération dura quelques secondes et une autre personne apparut alors dans l'ombre, derrière Riley, à sa droite. C'était un homme grand, légèrement courbé, avec des yeux sombres, rapprochés, et totalement dépourvus d'expression, tels ceux d'un cadavre. L'aspect terne de son visage était renforcé par la suie qui maculait ses traits. Chevie n'imaginait pas qu'une femme puisse jamais tomber en pâmoison devant un tel homme, mais c'était son regard qui était le plus révélateur. Elle avait déjà vu ces yeux-là, des yeux morts, sur des photos de tueurs en série, dans les fichiers de Quantico.

Chevie frissonna.

« C'est donc ça qu'on éprouve quand on dit que quelque chose vous glace le sang, pensa-t-elle. J'avais entendu l'expression, mais je ne l'avais jamais bien comprise. »

Cet homme était sans aucun doute celui dont avait parlé Riley. La Mort-en-personne, le magicien. Ce type paraissait capable de tout.

Pourtant, c'était bien Riley qui avait le couteau à la main. Le garçon restait coupable.

Mais...

Chevie tapota deux fois l'écran pour agrandir l'image puis elle centra le réticule sur le bras de Riley qui tenait le couteau et agrandit à nouveau. C'était concluant. Une main serrant le poignard, un avant-bras, des ombres ridées, au niveau du coude.

« Des ombres ridées... »

Chevie agrandit encore jusqu'à ce que les pixels deviennent flous et vit que les ombres n'étaient pas des ombres.

« À moins que les ombres aient des doigts. »

Quatre longs doigts qui étreignaient le bras de Riley et lui forçaient la main.

« Ce garçon est innocent ! » pensa-t-elle, en expirant sans s'être rendu compte qu'elle avait retenu son souffle jusqu'à cet instant.

Quand elle voyait ce visage noirci, avec ces yeux sans éclat, Chevie était contente que cet homme, contrairement à ce que croyait Riley, n'eût pas les moyens de voyager dans le futur.

« Je vais quand même monter la garde devant la capsule, songea-t-elle. Avec une balle dans le canon. Au cas où. »

Chevie ôta la Clé temporelle de la prise et l'accrocha à son cou pour qu'elle soit en sûreté.

Au cas où.

L'agent spécial Lawrence Witmeyer, son chef au bureau de Los Angeles, tenait toujours en réserve un conte moral pour toutes les occasions. Nombre d'entre eux avaient pour héros un certain O'Cazoo, un agent fédéral modèle, qui était toujours prêt et ne se faisait jamais tirer dessus pour avoir oublié de suivre le protocole.

Chevie eut un petit rire de dédain. « L'agent O'Cazoo. Quel type formidable. »

Si elle n'avait pas été distraite par ce souvenir, elle aurait peut-être remarqué une bulle menaçante d'énergie rouge qui bouillonnait au cœur de la capsule du WARP. Elle aurait alors eu le temps de se baisser avant l'explosion.

Malheureusement, elle *était* distraite et ne vit rien avant que les ordinateurs ne déclenchent une sirène d'alarme. Mais à ce moment-là, il était déjà trop tard.

Garrick et Smart roulèrent ensemble dans le trou de ver, mais séparés. Une fois à l'intérieur, Garrick se cramponna à sa conscience, alors que le cœur de Smart avait déjà cessé de battre et que ses facultés cérébrales s'éteignaient. La bombe d'autodestruction eut pour effet de provoquer l'emballement de certaines particules qui n'étaient pas faites pour s'emballer et d'altérer la transition, fusionnant les derniers neurones de la conscience de Smart avec celle de Garrick, mélangeant également certaines de ses caractéristiques physiques que la capsule allait reconstruire autour de son ADN modifié.

C'était un nouvel être qui avait subi une évolution

accélérée. Avec tous les dons apportés par des millénaires d'adaptation.

Pendant un laps de temps infini et pourtant instantané, Garrick se sentit désincarné dans le trou de ver. Il ne pouvait rien voir et passa son temps à parcourir les souvenirs de Smart.

« J'ai tué à la fois le père et le fils », songea-t-il et il regretta de n'avoir pas été payé pour le deuxième meurtre.

Cette réflexion sur sa rémunération amena Garrick à repenser au client louche qui l'avait chargé de l'assassinat de Charles Smart.

« Est-il au courant de toute cette magie ? » se demanda Garrick.

Lors d'un contrat normal, il n'y aurait eu aucune complication. Garrick serait entré et sorti en coup de vent, mais Riley était avec lui pour exécuter son premier meurtre. C'était un coup d'essai pour le garçon, simple et facile. Pendant quelques jours, Garrick avait surveillé les allées et venues dans la maison, puis il avait fait entrer Riley par une fenêtre du premier. Il n'aurait jamais risqué sa réputation ou sa bourse en emmenant le jeune homme s'il y avait eu le moindre soupçon de danger.

« Tous ces événements magiques sont dus à la chance ou au sort. »

Bien que Garrick, à présent, ne pût croire ni à la chance, ni au sort. Les atomes entraient en collision ou pas, c'était aussi simple que ça.

« Les atomes, pensa Garrick, ravi de posséder cette nouvelle connaissance que sa fusion avec Felix Smart lui avait apportée. Je peux voir leur fonctionnement dans mon esprit. »

Garrick n'éprouvait ni angoisse, ni malaise devant cette étrange transition. Maintenant, il savait exactement ce qui se passait et ce qui l'attendait dans le futur. Il n'était pas non plus déçu par l'absence de « vraie magie » car tout cela, autour de lui, n'était-il pas aussi de la magie ? Ce nouveau savoir ne représentait-il pas un pouvoir sans mesure ? Garrick était trop enchanté de son nouvel état pour s'inquiéter.

« Le futur m'attend et grâce à mes nouvelles connaissances, j'en serai le maître. »

Il existait beaucoup de sujets importants, dans un avenir que Garrick connaissait bien, désormais.

« Les films en 3D et les ordinateurs de poche. Les armes automatiques et les robots japonais. Oh, là, là ! »

Il n'y eut pas de matérialisation en douceur dans la maison de Bedford Square, pas de volutes de brumes éthérées ou de silhouettes frémissantes à l'intérieur de la capsule. Cette fois, une boule rouge, liquide, de la taille d'une pomme, apparut puis éclata dans un déversement d'horreur, vomissant des vagues de sang dans le sous-sol, accompagnée d'un boum supersonique et d'une violente onde de choc. Le cercle de cylindres amortisseurs, autour de la capsule, explosa tels des feux d'artifice à un concert de rock.

Chevie fut soulevée comme une feuille avant un ouragan et projetée en arrière sur toute la longueur du couloir. Elle toucha terre deux fois avant de s'écraser, sous l'escalier, contre une pile de boîtes vides qui avaient servi à son déménagement et qu'elle avait eu l'intention de plier depuis son arrivée. Les boîtes tombèrent sur elle, laissant un tunnel triangulaire qui lui permettait de voir la capsule, mais d'un œil seulement. Son œil gauche s'était fermé sous le choc et sa conscience était sur le point de l'abandonner, mais elle résista suffisamment longtemps pour voir ce qui sortait de l'engin.

Ce qui sortit, ce fut une poche de chair et d'os qui fit un bond en avant, en se démenant sur le sol luisant de sang. Chevie aperçut une main qui creva la membrane et un visage écrasé contre la surface visqueuse.

– Smart, appela-t-elle d'une voix faible.

Dans un étrange bouillonnement, le visage se transforma alors en celui de l'homme qu'elle avait vu sur l'écran.

«Je suis en plein cauchemar. Réveille-toi, Chevron Savano. Allez, debout.»

Si c'était un rêve, il était d'un incroyable réalisme, stimulant tous ses sens, y compris l'odorat.

«Je ne me souviens pas avoir jamais senti d'odeurs dans un rêve.»

Chevie savait que ce n'était pas un rêve. Les dalles contre lesquelles s'écrasaient sa joue et le côté de sa mâchoire étaient recouvertes de sanie et d'un sang grumeleux.

Les morceaux de corps amassés dans la membrane grinçaient, craquaient, dans un souffle laborieux, attirant des éclairs d'énergie jaillis de la capsule. La forme flasque se secoua comme un chien mouillé, éjectant des bulles gélatineuses jusqu'à ce que la silhouette d'un homme émerge enfin. L'homme se déploya avec lenteur en position verticale puis il écarta les bras, fléchissant ses doigts comme s'il s'agissait d'une merveilleuse invention qu'il venait de découvrir.

Chevie sentit ses jambes remuer faiblement dans un

mouvement de piston, à la recherche d'un appui sur le sol, mais même ce simple effort lui faisait tourner la tête.

«Riley. Il faut que je sauve ce garçon.»

La silhouette sembla entendre cette pensée et se débarrassa d'un coup d'épaule des restes de la membrane distendue et gluante qui passa de l'état solide à l'état gazeux et s'envola en nuages vers le plafond.

Des vêtements recouvrirent l'homme peu à peu, ils apparaissaient littéralement point par point, comme tissés sur place. On aurait dit des vers grouillants qui rampaient sur la peau en train de se solidifier. Ils étaient constitués d'un curieux mélange de chanvre, de jambières appartenant à l'uniforme des HAZMAT, et d'un manteau d'homme de l'époque victorienne, le tout surmonté d'un chapeau melon qui paraissait aussi incongru qu'un nœud papillon au cou d'un requin.

– Riley, dit l'homme, comme pour vérifier que sa bouche fonctionnait normalement. Riley, mon fils. Je suis venu te retrouver. Je sais où tu es emprisonné. Le Smart du futur me l'a montré.

«Smart lui a montré», pensa Chevie et au fond d'elle-même, elle eut la certitude que l'équipe HAZMAT avait été éliminée.

Elle se souvint qu'elle avait un pistolet qui était peut-être encore dans son holster, sur son flanc, mais elle avait l'impression que sa main ne pourrait jamais parcourir une telle distance. Tout ce qu'elle arrivait à faire, c'était garder un œil ouvert. Elle vit le magicien taper avec tendresse sur le clavier d'un des vieux ordinateurs. Enfin, son regard se tourna vers elle.

« Il me voit », comprit Chevie, et elle sentit le froid qui montait du sol s'insinuer dans son corps.

Le regard de l'homme s'attarda un moment sur elle, puis le magicien se dirigea d'un pas décidé vers la porte verrouillée de la cellule.

« Pas grave, pensa Chevie. Cette porte est en acier blindé. Le diable lui-même ne pourrait l'ouvrir sans une carte d'accès ou un code. »

La silhouette démoniaque s'arrêta devant le clavier de sécurité, fit craquer ses jointures d'un geste théâtral puis composa le code.

– Abracadabra, dit-il tandis que la porte s'entrouvrait.

« Désolée, Riley, pensa Chevie. Tu m'avais dit la vérité et je t'ai laissé là-dedans, face à la mort. Pardonne-moi. »

Garrick ôta son chapeau, comme s'il entrait dans une église, puis il se glissa à l'intérieur de la cellule.

Chevie ferma son œil unique. Elle ne voulait pas voir ce qui allait se passer.

Albert Garrick était devenu littéralement un homme nouveau lorsqu'il avait émergé de la membrane et fait son premier pas dans le futur.

Tout était différent : son ADN, son vocabulaire, l'étendue de ses compétences, son maintien, le développement de ses muscles, sa compréhension des choses. Il avait même étudié Shakespeare, ou en tout cas, Felix Smart l'avait étudié pour lui.

« Être ou ne pas être, mon petit Riley. Dans ton cas, je ne suis pas encore décidé. »

Il vint à l'esprit de Garrick qu'il pouvait y avoir un danger caché dans cette installation où il s'était matérialisé, bien que, d'après les souvenirs de Smart, la seule sentinelle en faction fût une jeune fille, une petite chose qu'on pouvait imaginer relativement inoffensive. Pourtant, les souvenirs de Smart lui indiquaient qu'elle était une combattante accomplie qui s'était illustrée dans la Cité des Anges.

« Et elle possède la dernière Clé temporelle de ce siècle », se souvint-il. Si la mémoire de Smart était sortie intacte du trou de ver, sa Clé temporelle, en revanche, n'était plus que cendres sur sa poitrine.

« Ne sous-estime pas la fille, se dit Garrick, sinon, c'est toi qui retourneras en poussière. »

Il se planta solidement dans le monde réel et regarda autour de lui. L'endroit était étrange : des murs sans fenêtres sur lesquels s'alignaient des cordes de différentes couleurs et toute une machinerie fixée dans la pierre.

« Des câbles et des serveurs », l'informa le courant électrique qui passait entre ses nouvelles terminaisons nerveuses.

La manifestation sanglante du voyage de Garrick dans le temps présent s'étalait partout : du sang maculait les murs et constellait, en flaques coagulées, les machines disposées sur la table.

– Riley, dit-il pour vérifier que sa voix était toujours là. Riley, mon fils. Je suis venu te retrouver. Je sais où tu es emprisonné. Le Smart du futur me l'a montré.

Garrick se dirigea vers les machines. « C'est un ordinateur, pensa-t-il en tapant sur le clavier. Très charmant. »

Il aurait du temps plus tard pour ce genre de fantaisies, il fallait d'abord libérer Riley, trouver un refuge sûr, puis laisser le garçon s'extasier devant la nouvelle gloire de son maître.

Il n'y avait aucun signe de la présence de Miss Savano. Peut-être la violence de son arrivée avait-elle suffi à l'éliminer ?

Ou peut-être était-elle tapie quelque part.

Garrick se força à se concentrer. Il s'approcha du mur, plissant les paupières pour voir quelque chose à travers la fumée et les lumières qui clignotaient. Il distinguait un couloir en briques rouges et des emballages entassés en désordre.

« Là, regarde ! »

Un bras dépassait de sous les boîtes. Les doigts de la main remuaient de manière spasmodique et la tête qui reposait sur ce bras restait immobile. Un œil était complètement fermé, l'autre vitreux et enflé.

« Ce petit bigorneau est à un souffle de la mort. Je vais chercher mon garçon et en sortant, j'irai éteindre sa dernière étincelle de vie. »

Garrick avança rapidement dans le couloir. Il y avait des décennies qu'il ne s'était senti aussi bien. Le voyage dans le trou de ver avait purgé son organisme. Il se sentait comme un gamin tout étourdi à l'idée d'escalader sa première gouttière.

Un autre défi l'attendait, un défi pour l'ancien Albert Garrick. Pas pour le nouveau modèle.

« Version 2.0 », pensa-t-il.

Il pinça la peau de son propre bras pour forcer sa concentration.

Le défi, c'était un clavier qui servait à ouvrir la serrure électronique.

« Cette machine fonctionne avec des cartes ou des chiffres. Je n'ai pas de carte mais les codes qui donnent accès à tout ce qu'il y a dans cette maison se trouvent quelque part dans mon esprit. »

Garrick pencha la tête pendant que son cerveau lui fournissait les chiffres. Il fit craquer ses jointures puis composa le code sur le clavier. La lumière passa au vert et la porte s'entrouvrit d'un coup.

– Abracadabra, dit-il avec satisfaction.

Garrick ôta son chapeau et se glissa à l'intérieur. Il sourit en pensant à l'ébahissement de Riley quand il le verrait arriver.

« Oh, mon fils, nous avons tant de choses à partager. Tant de choses. »

La cellule était spartiate, avec un lit étroit, une seule chaise et bien entendu, une caméra tapie au plafond, telle une araignée. Mais c'était tout.

Pas de garçon.

Riley avait disparu. Son fils.

Garrick ne se laissa pas aller à crier son nom. Il avait été autrefois un illusionniste célèbre et célébré, pas un simple acteur d'horribles mélodrames. Il se contenta de claquer la porte dans un grand bruit, avant d'aller poser quelques questions à Miss Savano.

« Une chance que je ne l'aie pas tuée avant, se dit-il. Maintenant, elle va pouvoir m'aider à retrouver Riley avant de mourir. »

Le monde de Chevie tournoyait dans un kaléidoscope de couleurs ternes. Gris du béton et traînées marron. Elle s'était répété inlassablement « le garçon est mort », mais elle ne se souvenait pas si c'étaient les paroles d'une chanson ou une pensée véritable qui aurait dû l'inquiéter.

Quelque chose se passait dans une partie de son corps, en dehors de sa tête. À l'épaule, peut-être ? Oui, à l'épaule. Pourquoi quelqu'un lui secouait-il l'épaule alors qu'elle voulait tout simplement dormir ?

– Miss, réveillez-vous, dit une voix pressante. Il arrive.

« Me réveiller ? Non, merci. »

C'était son jour de congé. Elle irait peut-être faire un peu de surf sur la plage de Malibu.

– Miss, debout, maintenant, ou alors Garrick va nous tuer tous les deux.

« Garrick. »

L'image d'un corps ensanglanté émergeant d'une sorte de cocon apparut en un éclair dans la tête de Chevie.

L'un de ses yeux s'ouvrit, l'autre était toujours enflé, tel un gros insecte rose dans son orbite. Le garçon, penché sur elle, la hissa par le col.

– Riley ?

– Le seul et unique, Miss Savano. Il faut partir d'ici tout de suite.

« Partir ? Mais je croyais que tu étais mort. Je vais fermer les yeux, juste une seconde. »

Riley attrapa Chevie sous les aisselles et la força à se lever.

– Allez, venez, grogna-t-il. Hop, sur vos petites jambes.

L'œil valide de Chevie s'ouvrit.

– Hé, je ne suis pas une enfant !

À cet instant, Garrick apparut dans le couloir, son visage figé comme de l'albâtre et maculé de sang.

« Il est en rage », comprit Riley et l'expression glacée de son maître faillit le paralyser de peur.

Mais son instinct de survie reprit le dessus. Il saisit le pistolet de Chevie, le cala entre les doigts de la jeune femme et, lui tenant la main entre les siennes, tourna le canon de l'arme vers la poitrine de Garrick.

– Faites feu, miss, dit-il. Vite !

Avec l'aide de Riley, Chevie réussit à tirer non pas un, mais deux coups de feu, tous deux un peu trop haut. La seconde balle, cependant, s'écrasa suffisamment près de sa cible pour que Garrick s'immobilise. Le magicien grogna comme un chien des rues pris au piège et modifia entièrement sa façon de marcher. Ses mouvements devinrent fluides mais irréguliers, il n'arrivait jamais à l'endroit où le laissait prévoir le langage de son corps. Quand il semblait sur le point de faire un pas de côté, son corps plongeait en diagonale, dans un bond qui paraissait impossible à exécuter.

Les coups de feu secouèrent Chevie et la ramenèrent à la réalité. Ce Garrick se déplaçait d'une manière qu'elle n'avait encore jamais vue. Elle cligna son œil valide.

– Enfin, quoi ? Ce type a l'air d'un chat.

– C'est une feinte, une ruse de magicien, dit Riley qui ahanait en hissant Chevie le long des marches.

Il lui expliquerait plus tard le style si particulier de Garrick, lorsqu'ils se seraient enfuis de cette maison de la mort, si toutefois la fuite était possible.

Chevie remonta l'escalier à reculons, s'efforçant de maintenir autant que possible son pistolet tourné vers Garrick. Le magicien sifflait à présent, tel un vampire, et il enfonça son chapeau melon jusqu'aux sourcils pour ne pas risquer de le perdre.

« Il s'apprête à bondir », pensa Chevie.

– C'est ça, mon bonhomme, lui cria-t-elle. Rapproche-toi un peu. On va voir si tes petits pas de danseur disco vont être aussi efficaces dans cet escalier. Je vais te faire un trou dans l'œil, moi.

L'avertissement sembla porter, peut-être parce qu'il contenait une grande part de vérité. Si Garrick mettait les pieds sur les marches, il serait coincé entre le mur et la rampe. Mais si Chevie s'imaginait que l'homme du XIXe siècle allait se laisser impressionner par son arme du futur, elle se trompait.

– Vous ne m'échapperez pas, Chevron Savano, lança-t-il, la tête penchée de côté. Je vais récupérer mon garçon et les secrets de la Clé temporelle.

Chevie sentit son sang se glacer. Ce personnage savait beaucoup de choses, pour quelqu'un qui vivait au temps de la reine Victoria.

– Avance encore d'un pas et on verra qui s'en sortira, dit-elle en tenant son arme le plus fermement possible.

Pendant tout ce temps, Riley marmonnait quelque chose à l'oreille de Chevie et la tirait en arrière dans l'escalier, en direction du rez-de-chaussée.

– Il faut battre en retraite, disait-il en essayant de ne pas tourner les yeux vers Garrick, car le regard glacé du magicien aurait pétrifié, anéanti sa détermination. Il faut battre en retraite.

Ils étaient arrivés au sommet de l'escalier, à présent, tandis que Garrick était tapi au bas des marches, fléchissant les doigts dans un geste qui exprimait sa frustration de n'avoir pas un poignard à lancer. Chevie eut une idée.

«Ce type est coincé. Les renforts peuvent arriver en deux minutes.»

– Tout va bien, dit-elle à Riley. On le tient, maintenant. Il ne peut aller nulle part. Il y a un téléphone dans ma ceinture. Passe-le-moi.

Garrick aussi eut une idée. Le magicien abandonna soudain l'escalier et se précipita dans le couloir souterrain en direction des ordinateurs.

«Excellent. C'est parfait. Tout ce qu'il peut faire avec les ordinateurs, c'est taper bêtement sur les claviers. Pas de mot de passe, pas d'accès», pensa Chevie. Puis : «Vraiment? La porte de la cellule ne l'a pas beaucoup ralenti, tu te souviens?»

– Le téléphone, Riley. Passe-moi mon téléphone.

– Si ce n'est pas une arme, vous pouvez oublier votre satané *téléchose*. Pointez votre pistolet et recommencez à faire feu.

– Non, ne t'inquiète pas, il ne peut pas sortir du sous-sol.

Riley comprit que Miss Savano se croyait maîtresse de la situation et il se sentit si dépité que les larmes lui montèrent aux yeux.

– Vous ne comprenez pas, miss. Garrick est un démon. Croyez pas que c'est simplement un fendeur de crânes ou un truqueur de cartes. Vous l'avez vu avec vos deux quinquets sortir du trou de l'enfer, pas vrai?

Chevie l'avait vu, en effet, mais elle refusa de renoncer entièrement aux règles de son propre monde.

– Peut-être que s'il arrivait à ouvrir l'armoire à fusils, il pourrait faire quelque chose, mais la porte est verrouillée par un code.

Du sous-sol leur parvint un double « bip » que Chevie reconnut aussitôt. C'était le son que produisait le clavier de l'armoire à fusils lorsqu'il déconnectait le système d'alarme.

Riley comprit sans avoir besoin d'explication à quoi correspondait ce bruit.

– C'était votre armoire, miss ? Garrick a été plus rusé que votre code ?

« Une fois de plus », songea Chevie.

– Ça veut dire qu'il faut fuir, admit-elle.

Elle se hissa sur la dernière marche et recula dans le couloir.

– Tu avais raison quand tu parlais de battre en retraite, dit-elle.

– Un peu de bon sens, Dieu soit loué ! répondit Riley.

Il passa le bras de Chevie autour de son cou pour pouvoir la traîner plus facilement.

Garrick apparut, tenant un fusil d'assaut AK-47 qui avait dû être tout neuf à l'époque où Chevie était en maternelle.

« L'âge du fusil ne ralentira pas les projectiles », pensa-t-elle. Elle obligea Garrick à se baisser en tirant trois autres balles qui sifflèrent dans l'escalier. « Ça devrait nous laisser cinq secondes de battement. »

Elle avait surévalué de trois secondes ce laps de temps. Avant que ne se soit évanoui l'écho du dernier coup de feu, la tête de Garrick se montra à nouveau au bas des marches, derrière l'angle du mur. Cette fois, la crosse de l'AK était calée, avec une maîtrise d'expert, entre sa joue et son épaule.

Riley comprit alors que Garrick était sorti de la machine en métal qui l'avait transporté jusqu'ici avec des connaissances et des aptitudes qu'il ne possédait pas auparavant. D'une certaine manière, il s'était amélioré.

– Et maintenant, ma petite fille, lança Garrick, on va voir si ce que j'ai rêvé à propos de cet engin est vrai.

Garrick pressa la détente, envoyant une rafale de projectiles au plafond, au-dessus de la tête de Chevie. Pendant une seconde, le recul le déstabilisa, mais il retrouva vite l'équilibre. Dans cet espace confiné, le bruit était assourdissant, comme des coups de tonnerre précipités. Riley et Chevie s'accroupirent sur le sol, incapables de dire s'ils avaient été touchés, ni même s'ils avaient poussé un cri.

Riley n'avait pas une expérience du combat semblable à celle de Chevie, mais sa vie tout entière n'avait été qu'un long traumatisme qui l'avait habitué à survivre, même lorsque la mort rôdait tout près de lui.

Il attrapa l'agente Savano par le col et la tira en arrière comme un sac de charbon.

– Venez, s'écria-t-il. Il faut sortir dans la rue.

Ils avancèrent d'un pas trébuchant, Garrick les suivant comme un courant d'air et, après quelques instants d'une progression chaotique, ils se retrouvèrent devant la porte d'entrée, fermée par trois pênes engagés dans un encadrement d'acier.

« Il suffit de passer la carte de sécurité dans le lecteur et nous sommes dehors », pensa Chevie.

Elle chercha à tâtons le minuscule anneau fixé à un passant de son pantalon et auquel était habituellement accrochée sa carte.

« Pas de carte. J'ai dû la perdre dans l'explosion. À moins que… »

Chevie lança à Riley un regard noir.

– Rends-moi ma carte, voleur.

Riley l'avait déjà sortie.

– Vous étiez un brin trop près quand vous m'avez mis les bracelets. Et si vous voulez tout savoir, je les ai ouverts avec un crochet que j'avais dans ma chaussette. Il était resté avec moi dans la machine. Désolé, agente. Question de vie ou de mort.

Ils auraient le temps de parler de tout cela plus tard. Chevie glissa la carte dans le lecteur tandis que des balles qui ricochaient dans le couloir brisaient des vitres et fracassaient un lustre en cristal. Une pluie d'éclats s'abattit sur Riley et le lustre s'écrasa par terre, bloquant l'escalier.

– Riley ! s'écria Garrick. Tue-la, mon garçon. Je sais que tu en es capable, tu as ça dans le sang. Après, j'efface l'ardoise, tu as ma parole.

Tout en parlant, il grimpa les marches et changea le chargeur de son arme.

La porte s'entrouvrit dans un mouvement brusque et Chevie logea la dernière balle de son pistolet dans le clavier de sécurité.

Une lumière rouge se mit à clignoter et une voix revêche annonça :

– Tentative de fracture du clavier de contrôle. Verrouillage dans cinq secondes. Verrouillage dans quatre secondes.

Garrick sautilla en souplesse pour contourner les débris tordus du lustre. Il levait les genoux incroyablement haut, jusqu'au niveau de ses oreilles, tenant son arme automatique au-dessus de sa tête.

– Frappe, Riley.

Au cas où le garçon déciderait de ne pas obéir à cet ordre, Garrick tira une autre rafale en direction de l'agente Savano, mais il était trop tard. La porte s'était refermée sur sa proie et les trois pênes s'étaient à nouveau engagés automatiquement dans leurs gâches. Au même moment, la serrure de la porte de derrière s'enclencha également et des volets blindés se déroulèrent devant chacune des fenêtres. Le système de sécurité était le meilleur qu'on puisse s'offrir avec l'argent du gouvernement américain et, en moins de trois secondes, la maison de Bedford Square se trouva mieux verrouillée qu'une banque suisse.

Chevie s'adossa à la porte, le sang battant comme un tambour dans son œil enflé.

– Bon, on va pouvoir souffler un peu, maintenant. Ce monstre a peut-être réussi à arracher les codes d'accès à Smart, mais il ne sortira pas de cette maison sans l'autorisation du FBI.

Riley attrapa Chevie par la manche pour l'éloigner de la porte.

– Faut pas qu'on s'endorme, miss. Ça n'existe pas, une maison où on peut enfermer Albert Garrick très longtemps, dit-il.

Chevie se laissa entraîner au-delà du ruban de sécurité tendu entre les rampes du perron. Elle commençait à croire que ce Garrick était peut-être aussi dangereux que l'affirmait Riley.

5

UNE VISITE AU PETIT ENDROIT

Bedford Square. Bloomsbury. Londres. Aujourd'hui

Riley et Chevie marchèrent d'un pas mal assuré sous la lueur orange des réverbères qui éclairaient la place où des maisons à trois étages, de style géorgien, encadraient un petit parc. On se serait cru dans un décor de Peter Pan.

– Ça, au moins, je connais, dit Riley d'une voix haletante.

Il contempla la place, s'efforçant de ne pas regarder au-delà et d'ignorer les bruits qu'il entendait autour de lui.

– J'avais terriblement peur que toutes ces merveilles modernes fassent tourner ma pauvre caboche.

« Attends de voir Picadilly Circus », pensa Chevie.

Riley prit une profonde inspiration qui fit frémir tout son corps.

– Garrick me répète toujours que je dois respirer. Ça peut calmer le corps, si le corps a besoin d'être calmé.

Riley s'interrompit alors que son nez évaluait la qualité de l'air qui venait d'y entrer.

– Comme c'est bizarre, dit-il.

Puis il vomit sur le trottoir.

– Bravo, marmonna Chevie. On ne trouvera jamais un taxi qui accepte de nous prendre, maintenant.

Mais elle parvint à en héler un, devant un boutique-hôtel de Bayley Street, et bientôt, ils se retrouvèrent dans le flot de la circulation en direction de Leicester Square.

Riley avait mis sa tête entre ses genoux et il respira péniblement jusqu'à ce qu'il parvienne à ne plus trembler.

– L'odeur, miss. C'est comme si j'étais dans la poche d'un apothicaire. Je n'arrive pas à sentir la ville.

Chevie lui donna de petites tapes dans le dos.

– Je crois qu'elle est un peu plus propre de nos jours. Personne ne vide plus les pots de chambre par la fenêtre.

– Je ne sens pas les gens. Il y a moins de monde, aujourd'hui ?

Chevie regarda la métropole grouillante qui défilait derrière la vitre.

– Pas vraiment.

Riley releva la tête et serra étroitement les genoux.

– Je ne sens pas l'odeur des chevaux, dit-il d'une voix rauque.

– Fini, les chevaux. Sauf devant le palais de Buckingham, à l'occasion.

Riley colla son visage contre la fenêtre du taxi.

– Généralement, on a des chevaux. Mais j'ai déjà vu des automobiles, alors ça ne me fait pas si peur.

Un autobus à impériale apparut à côté de la voiture.

Riley tressaillit. Il pouvait supporter la vue d'une automobile de la taille d'un fiacre, mais cet engin était plus gros qu'une péniche.

Son regard découvrait les merveilles modernes les unes après les autres. Les enseignes au néon. Les magasins d'informatique. Les gratte-ciel. Enfin, il vit quelque chose qui lui était familier.

– Un bon vieux pub anglais ! s'exclama-t-il. On peut y aller, agente ? Une petite lampée de brandy pour mes nerfs ?

Chevie eut une exclamation dédaigneuse.

– Pas question que tu boives, Riley.

– Pourquoi ? C'est interdit par la loi ?

– Oui, c'est ça. Totalement illégal. Une seule petite *lampée* et je serais obligée de t'abattre.

Riley soupira, dessinant un nuage de condensation sur la vitre, puis il leva les yeux vers le ciel. Soudain, le rythme de sa respiration s'accéléra et son souffle saccadé recouvrit la vitre de buée.

– A... a... agente Savano ?

Chevie était en train de composer un numéro sur son portable.

– Une seconde, petit.

Riley lui posa un doigt sur la manche et Chevie sentit la peur dans sa façon de lui tapoter le bras.

– C'est pas les Martiens, hein, miss ? Comme dans le nouveau livre de Mr Wells, *La Guerre des mondes ?*

Chevie suivit son regard inquiet et vit au-dessus d'eux la silhouette d'un avion de ligne.

– Ne t'inquiète pas, petit. C'est simplement Ryanair, pas des extraterrestres, bien qu'on puisse se poser la question. Je crois qu'il vaudrait mieux qu'on ne reste pas trop dehors, sinon, ta tête va exploser.

– Oh, mon Dieu, la tête des gens explose, maintenant ? À cause des rayons ardents des Martiens ? Je vous jure que j'ai besoin d'un brandy, miss.

Chevie entra les trois derniers chiffres du numéro qu'elle composait.

– Tu n'as pas besoin de brandy, Riley, tu as besoin d'un petit endroit tranquille.

– Ah, ça, vous êtes dans le vrai, approuva le garçon. J'ai l'impression que ça fait cent ans que je suis pas allé au petit endroit.

Chevie colla le téléphone contre son oreille.

– Pas ce genre de petit endroit, dit-elle.

Le FBI disposait de plusieurs lieux sûrs où se cacher, des appartements et des chambres d'hôtel disséminés dans tout Londres, au cas où un agent dans une situation un peu chaude aurait besoin de se réfugier quelque part en attendant que la cavalerie de l'ambassade américaine arrive au galop.

Ces lieux étaient officiellement désignés sous le nom d'« installations de sécurité », mais les agents les appelaient entre eux les petits endroits (en abrégé, PENDRI pour Policier EN DangeR Imminent), depuis que l'expression avait été popularisée par une série d'espionnage des années 1970, intitulée *Péril double* avec en vedette l'acteur anglais Sir Olivier Gamgud et son fidèle yorkshire.

Le petit endroit le plus proche était une suite du Garden Hotel, un boutique-hôtel très discret, situé dans Monmouth Street, où des stars de cinéma et des mannequins venaient déguster le célèbre petit déjeuner qu'on y servait chaque matin. D'après les rumeurs qui couraient au FBI, le chef de section avait choisi le Garden parce qu'il était proche du Monmouth Coffee Company où l'on servait sans doute le meilleur expresso en dehors de Sao Paulo.

Chevie appela la réception et demanda Waldo.

– Bonjour, ici Waldo, dit une voix grave. En quoi puis-je vous être utile?

Chevie parla lentement en collant à la procédure. Waldo avait la triste réputation d'être un maniaque du règlement et il aurait aussitôt raccroché si elle s'était éloignée si peu que ce soit des phrases codées.

– Waldo, je voudrais parler à mon oncle Sam, dit-elle. Il est dans la chambre mille sept cent soixante-seize.

Waldo resta silencieux un si long moment que Chevie se demanda s'il n'avait pas coupé la communication.

– Excusez-moi. Dans *quelle* chambre avez-vous dit que se trouvait votre oncle Sam?

Chevie était furieuse et promit de donner à Waldo un grand coup de pied dans la partie la plus rebondie de sa personne dès qu'elle en aurait l'occasion.

– Désolée, Waldo. Mon oncle Sam se trouve dans la chambre dix-sept cent soixante-seize.

Nouveau silence, mais cette fois, Chevie entendit taper sur un clavier.

– Et quel est votre nom, miss?

– Je m'appelle Chevron, mais oncle Sam m'a toujours appelée…

Chevie croisa les doigts en espérant que son code était encore valable aujourd'hui.

– Spiderwick.

– Spiderwick. Oui, en effet, vous figurez sur la liste des visiteurs.

– Très bien. Génial.

– Votre oncle Sam n'est pas chez lui pour le moment. Peut-être souhaitez-vous l'attendre dans sa suite ?

– J'aimerais beaucoup l'attendre. Nous aimerions beaucoup tous les deux.

On tapota à nouveau sur un clavier.

– Ah… tous les deux. Notre hôtel dispose d'excellents équipements, voulez-vous en faire usage pendant que vous attendrez ?

Chevie regarda Riley.

– Je crois que nous aurons grand besoin d'une garde-robe et d'un nécessaire à pharmacie.

– Très bien, Spiderwick. Dans combien de temps serez-vous là ?

Chevie regarda où ils se trouvaient.

– Arrivée prévue dans deux minutes, Waldo.

Waldo raccrocha sans ajouter un mot. Il ne lui restait que deux minutes, il n'avait pas le temps de bavarder.

Un peu plus de trois minutes plus tard, le taxi s'arrêta devant le Garden Hotel et déversa sur le trottoir un couple très improbable.

« Une agente du FBI de dix-sept ans en tenue de gymnastique et un apprenti assassin du XIXe siècle, pensa Chevie. On doit offrir un spectacle de choix. Mais au moins, j'ai les deux yeux ouverts, maintenant. »

Monmouth Street elle-même était calme, malgré sa proximité de Covent Garden. Seuls quelques touristes passaient par là pour aller vers le carrefour de Seven Dials ou à Leicester Square et l'on n'entendait qu'une lointaine musique de fête foraine. La plus grande partie de la rue était barrée en raison de travaux sur la chaussée et le taxi fut obligé de repartir en marche arrière après les avoir déposés.

Le Garden Hotel était un de ces établissements qui tirent fierté de la discrétion qu'ils garantissent à leur clientèle très huppée. Il n'y avait aucune enseigne, ni portier à chapeau haut-de-forme et seul un auvent sobre et de bon goût indiquait aux chauffeurs de taxi l'endroit où ils devaient s'arrêter. Chevie avait déjà séjourné ici, lorsqu'Orange avait réquisitionné un appartement pour un entraînement de routine du WARP et elle s'était offert un massage qui l'avait soulagée des douleurs musculaires consécutives à une série d'exercices particulièrement exténuants.

Chevie coinça sous son bras le Glock dans son holster et entraîna Riley dans le hall de l'hôtel avant qu'il n'ait le temps de vomir à nouveau. L'agent spécial Waldo Gunn les attendait près de la réception.

– Deux minutes ? dit-il avec mauvaise humeur. C'était plutôt quatre.

Waldo ne correspondait pas à l'idée qu'on pouvait se faire d'un homme du FBI. C'était sans doute pour cela qu'il avait survécu si longtemps à son poste semi-clandestin d'agent de liaison au Garden Hôtel. Avec ses talons cubains, il mesurait un mètre soixante-trois et arborait une barbe grise en broussaille qui lui donnait l'air d'avoir environ mille ans. Ce physique particulier lui avait valu au FBI le surnom de *Bilbo*. Waldo connaissait sans doute le sobriquet qu'on lui avait donné, mais il ne le dérangeait pas au point d'investir de l'argent dans un rasoir.

– Bonjour, Waldo, dit Chevie. Quoi de neuf ?

L'homme se renfrogna.

– Quoi de neuf, agente Savano ? Ce qu'il y a de neuf, c'est que vous auriez dû demander qu'on vous fasse entrer avec une escorte par la porte de service. Nous essayons de garder un profil bas, ici, pour éviter d'éveiller les soupçons et vous, vous arrivez dans une tenue de gymnastique déchirée en traînant derrière vous un ramoneur modèle réduit. Comme profil bas, c'est réussi. Voilà ce qu'il y a de neuf, agente Savano.

« Au moins, il me donne le titre d'agente », songea Chevie.

Waldo tourna les talons et traversa à grands pas le hall meublé dans le style victorien tardif, ce qui représentait un immense soulagement pour Riley dont la tête éclatait devant les révélations du monde moderne.

– On doit suivre l'elfe ? demanda-t-il à Chevie.

Celle-ci eut un sourire.

– On doit, sinon, il sera très contrarié.

Waldo manifesta son irritation en accélérant le pas, ce qui obligea Chevie et Riley à se hâter pour se maintenir derrière lui. Il leur fit contourner le comptoir de la réception et les amena dans un petit ascenseur d'acier qu'il appela à l'aide d'une télécommande glissée dans le gousset de son gilet.

Riley s'efforça de paraître blasé.

– C'est comme une pièce qui monte et qui descend, voilà tout, pas de quoi faire une édition spéciale. J'ai vu ça au Savoy, il y a des années, quand Garrick m'a envoyé là-bas pour me rencarder sur la carrée d'un rupin.

Waldo leva un sourcil en regardant Chevie qui sut aussitôt quelle question il posait sans la formuler.

– Oui, c'est sa façon de parler. Avec ce petit monsieur, on est dans le style « Enfer et damnation, » et « Que le diable m'emporte ! ».

Waldo prit un smartphone dans sa poche et tapa une note. Chevie était prête à parier que le mot « délirant » figurait quelque part dans ces lignes.

Ils prirent l'ascenseur jusqu'au quatrième étage. Riley, la mine sombre, se cramponnait à la barre.

– On n'est jamais trop prudent, dit-il à Chevie. J'ai entendu dire qu'un de ces machins-là avait cassé son câble à New York. Il est tombé plus vite qu'un tire-au-flanc dans son fauteuil. Et les passagers étaient en marmelade.

– Je commence à avoir mal à la tête à force de l'entendre parler comme ça, dit Waldo. Dieu fasse qu'il ne nous inflige pas de l'argot rimé à la sauce cockney.

Lorsque la cabine s'arrêta, Riley sauta littéralement au-dehors. Ils poussèrent ensuite une porte coupe-feu et montèrent deux étages d'un escalier de service.

– On y est, annonça Waldo en montrant une banale porte grise d'un grand geste circulaire, comme si c'était l'entrée d'un palais des merveilles. Chambre dix-sept cent soixante-seize.

Il pressa un autre bouton de sa télécommande et la porte s'ouvrit en douceur.

– Entrez, agente. Vous pourrez vous barricader là-dedans jusqu'à l'arrivée d'une équipe spécialisée. Ça ne devrait pas prendre longtemps, bien que la direction m'ait dit que l'équipe avait déjà été déployée pour s'occuper d'un nid de terroristes dans le Devon. Finalement, c'était une fausse alerte. J'imagine qu'il leur faudra une heure pour revenir ici. Ça vous laisse tout le temps nécessaire à *vous* de mettre des vêtements convenables et au copain d'Oliver Twist de prendre un bain.

– Ça, c'est chouette, mon prince, vous avez du chic, on peut le dire, répondit Riley d'un air innocent et Chevie devina qu'il savait très bien qui étaient Oliver Twist et ses copains.

Waldo fronça les sourcils d'un air soupçonneux et poursuivit ses explications :

– Il y a pas mal de vêtements dans la garde-robe, vous devriez trouver quelque chose qui vous ira. Il y a aussi un frigo avec de quoi faire un repas froid. N'ouvrez la porte à personne d'autre que moi et si quelqu'un entre sans être moi, ne vous gênez pas pour lui tirer dessus. Bien que nous ne soyons pas à l'ambassade et donc, techniquement, pas en territoire américain, cette suite est quand même rattachée à notre ambassade et donc, on a des arguments. De toute façon, le statut juridique de cet endroit est une zone d'ombre, ce qui devrait suffire à vous rapatrier si les choses tournaient mal.

Waldo ouvrit le tiroir d'un bureau.

– Au cas où vous seriez à court de munitions, nous en avons tout un choix là-dedans, derrière le papier à lettres.

– Ooh, dit Chevie. Du papier à lettres. La classe.

Waldo se hérissa.

– Agente Savano, j'aurais pensé, après le fiasco de Los

Angeles, que vous prendriez ce métier un peu plus au sérieux.

– Je suis très sérieuse, assura Chevie. L'une de mes mères adoptives collectionne le papier à lettres.

– Je vais établir un rapport complet, poursuivit Waldo, et tout ce qui concerne votre attitude sera en italique souligné.

Chevie choisit un chargeur pour son Glock.

– Désolée, Waldo. C'est la pression qui a tendance à me faire tourner la tête. Il y a quelqu'un qui nous poursuit. Quelqu'un qui sort un peu de l'ordinaire.

Waldo n'était pas impressionné.

– Eh bien, votre quelqu'un ne pourra pas entrer ici sans un commando derrière lui. Et même dans ce cas-là, il aura besoin de la télécommande qui ne peut fonctionner qu'avec mes données biométriques.

Riley releva le nez de la coupe de fruits dans laquelle il était plongé.

– Merci pour la tortore et tout le reste, l'ami, mais vous deux, les Yankees, vous parlez sans savoir. Je peux vous dire que Garrick va venir me chercher.

Chevie ouvrit la bouche pour protester mais seul un vague soupir s'échappa de ses lèvres. Garrick avait traversé un trou de ver pour retrouver Riley. Il avait vaincu l'équipe de ninjas des HAZMAT. Il semblait peu probable qu'un Hobbit et une porte verrouillée puissent le tenir à distance.

Elle consulta sa montre.

– Donc, Bil… heu… Waldo, dans cinquante-cinq minutes, maintenant, d'accord ?

Waldo émit un son proche d'un véritable *grumf* puis

reprit contenance et lui adressa un aimable sourire avant de tendre la main, paume en l'air.

– Ne me dites pas que vous attendez un pourboire? demanda Chevie, incrédule.

Le sourire de Waldo disparut et il referma les doigts en les serrant très fort, comme s'il écrasait l'âme d'un ennemi.

– La force de l'habitude, dit-il.

Puis sa télécommande émit un *bip* et il sortit de la chambre.

Chevie et Riley passèrent la demi-heure suivante à essayer de se détendre, mais ni l'un ni l'autre ne parvenait à chasser l'impression qu'une menace glaçante pesait sur eux. Et ce n'était pas le vague sentiment que quelque chose de désagréable se préparait. C'était la conviction très particulière qu'à tout instant, Albert Garrick pouvait défoncer la porte blindée et leur tirer à tous deux une balle dans la tête.

Chevie se demanda si elle devait appeler quelqu'un et si oui, que dirait-elle?

«Le FBI dispose de machines à remonter le temps que nous utilisons pour cacher des témoins dans le passé.»

Ou : «Un magicien assassin est venu du XIXe siècle pour tuer un gamin des rues.»

Ou encore : «Le plus grand scientifique du monde s'est transformé en singe mort après être passé dans un trou de ver.»

De quelque façon qu'on puisse le présenter, tout cela paraissait dément. Mieux valait attendre que les renforts arrivent et espérer que l'agent responsable avait quelques notions de ce qui se passait, sinon, Chevie aurait l'air coupable de quelque chose.

Riley sortit de la chambre à coucher vêtu avec élégance de ce qui ressemblait à un uniforme de collégien, pris dans les affaires de Waldo. Il jeta un coup d'œil à son reflet dans le miroir et sembla surpris par ses propres traits.

– Ça, c'est un bon miroir, agente Savano. Je me suis jamais vu aussi bien. Regardez, il y a à la fois du brun et du noir dans mes cheveux. Ça alors, ça me coupe le sifflet.

Le garçon s'examina pendant un long moment, tirant la peau de son visage au teint pâle, rejetant les longues mèches brunes qui lui tombaient sur le front. Il aperçut alors dans la glace l'écran plat de la télévision accroché à son support.

– C'est quoi, cet appareil vissé au mur ? Une œuvre d'art, peut-être ? *Nuage noir par une nuit sans lune,* ou quelque chose comme ça ? Les rupins sont prêts à acheter n'importe quelle vieille croûte s'ils pensent qu'elle a été gribouillée par un maître.

– En fait, c'est une télévision. Des images qui bougent sur un écran.

Riley se tourna pour contempler la TV.

– Des images qui bougent.

Une pensée le frappa.

– Quand je me suis réveillé ce matin, c'était l'an de grâce 1898. Combien de temps j'ai voyagé ?

– Plus de cent ans, répondit Chevie avec douceur.

Riley s'enfonça profondément dans un canapé, les yeux baissés, et s'entoura le torse de ses bras.

– Cent ans ? Tant que ça. Alors, tous les gens que je connais sont morts et tout ce que je voyais a disparu.

Chevie ne savait que répondre. Elle essaya de s'imaginer dans la situation du garçon, mais elle en fut incapable. Le choc devait être inimaginable.

– Je me sens perdu en pleine mer, avoua Riley.

Il réfléchit puis ajouta :

– Mais Garrick n'est pas perdu du tout. Il est différent. Quelque chose a changé en lui. Il connaît vos armes et vos codes. Qui sait s'il n'a pas déjà les codes de cette piaule ?

Chevie s'assit sur une table basse, face à lui.

– Garrick serait fou de venir ici. Il a tout Londres pour se cacher, pourquoi prendre la peine de traquer un môme ?

– C'est difficile d'expliquer comment il raisonne, répondit Riley en fronçant les sourcils. Il m'appelle son fils, pour me noyer ou me sauver, ça dépend de son humeur. Mais je suis pas du tout son fils et je le déteste. Ça m'est déjà arrivé de me débiner mais il m'a suivi dans toute la ville.

Riley montra du doigt son œil droit.

– J'ai filé à Saint-Giles, l'année dernière. Je me suis planqué avec les gamins du coin, mais les cafards de Garrick m'ont repéré. Ce démon est venu me sortir de mon trou et m'a mis une jolie raclée. Mon œil n'a plus jamais été comme avant, mais j'arrive quand même à voir assez bien avec. Et voilà que Garrick m'a même suivi jusqu'ici, comme le voyageur du temps de Mr Wells.

– Ici, Mr Garrick n'a pas de cafards, répondit Chevie. Et pour ton information, je te signale que des gens ont déjà essayé pendant des années de trouver ce petit endroit. Des gens de *ce* siècle. Et s'ils n'ont pas pu le trouver, lui non plus n'y arrivera pas. Tu n'imagines pas tout ce qui a changé depuis ton époque.

Chevie pensa à quelque chose.

– Mais je peux t'en donner une idée. Assieds-toi là.

Chevie montra un confortable canapé violet, devant l'écran plat et noir de la télévision. Elle se connecta à Internet et choisit un site qui proposait des documentaires sur les grands changements politiques, scientifiques et culturels des années passées. Elle sélectionna une vidéo et la fit démarrer.

– Maintenant, installe-toi et tu vas apprendre quelque chose, promit-elle au jeune sujet de la reine Victoria.

Riley avait déjà été ébahi tant de fois au cours de cette soirée qu'il ne fit aucune remarque sur la qualité de l'image HD, mais la musique qui accompagnait la vidéo l'émut presque aux larmes.

– C'est comme si on était assis à côté de l'orchestre, dit-il à mi-voix. Une machine à musique avec des images.

Chevie se dirigea vers la salle de bains.

– Une machine à musique avec des images. J'aime bien cette formule. Bon, alors, absorbe tout ce que tu pourras pendant que je fais un brin de toilette. Mais ne touche pas l'écran.

Riley détourna les yeux de la télévision.

– Pourquoi ? Je serais transporté au pays de la machine magique ?

Chevie eut la tentation de répondre oui, mais ce garçon avait été suffisamment éprouvé pour aujourd'hui.

– Non, on n'est pas dans *Tron*. Mais tu ferais des taches sur l'écran et l'elfe serait fou de rage.

Riley tourna à nouveau la tête vers la télévision. L'idée

d'un *elfe fou de rage* lui semblait terrifiante. Il se contenterait donc de regarder sans toucher.

Bedford Square. Bloomsbury. Londres. Aujourd'hui

Au début, Albert Garrick éprouva une immense colère en se voyant enfermé dans la maison de Bedford Square, mais ses nouveaux pouvoirs étaient tels qu'une douzaine de solutions à son problème affluèrent aussitôt, tel un baume qui apaisa son humeur irascible. Le magicien se calma et s'assit devant son ordinateur portable, dans le bureau du rez-de-chaussée.

« Non, pas mon ordinateur. Celui de Felix Smart. »

Ce qui d'ailleurs revenait à peu près au même. L'esprit de Felix Smart était en lui et laissait échapper des informations comme une gourde percée.

« Plus encore, l'explosion dans le trou de ver m'a transformé. Je suis davantage qu'un simple humain, à présent. Je suis le premier homme quantique de l'univers. Les règles de l'espace-temps ne s'appliquent plus à moi. Mon corps même est fluide et mon esprit déborde de précieuses pépites. »

Il ne fallut que quelques minutes à Garrick pour annuler le verrouillage de la maison et il entendit avec satisfaction les volets coulissants se relever devant les fenêtres.

Le magicien poussa de petits cris de joie.

« Les ordinateurs ! Merveilleuses machines. »

Il était libre maintenant de sortir d'ici et de répandre la panique dans ce nouvel âge, sans que personne ne puisse l'arrêter ni même comprendre ce qu'ils essayaient d'arrêter.

« Alors, pourquoi ne pas renoncer à poursuivre Riley et disparaître dans la multitude ? »

Garrick savait à présent pourquoi il éprouvait le besoin de se lancer sur les traces de ce garçon. Son propre père l'avait abandonné d'une manière dramatique lorsqu'il avait dix ans, ce qui lui avait inspiré une véritable terreur de l'abandon.

« J'ai bien arrangé ton sort, mon fils, lui avait dit son père un matin. Mais moi, je ne pourrai plus vivre sans boire après ce que ma main a été obligée de faire pour que tu aies un plus bel avenir. J'ai tranché la gorge de mon meilleur copain et quelques autres aussi pour que tu sois sûr d'avoir un lit loin de l'Old Nichol. »

Le petit garçon de dix ans avait vu les affaires de son père ficelées dans une taie d'oreiller, au pied du lit étroit qui occupait leur chambre.

– Tu t'en vas, p'pa ?

Des larmes ruisselaient sur les joues rougeaudes de son père lorsqu'il lui répondit :

– Oui, mon garçon. Tu sais, toute ma vie, je me suis battu contre une sale habitude de boire un peu trop. Mais maintenant, avec du sang dans mes rêves et tes pauvres frères et sœurs qui sont toujours dans ma tête, j'arrive plus à me battre. Alors, j'ai l'intention de retourner dans l'Old Nichol et de boire jusqu'à la tombe. Ça devrait pas durer plus d'un mois. N'essaye pas de me retrouver parce que je serai toujours soûl et violent. Je crierai bonjour à ta mère en passant devant les portes du paradis et je garderai un œil sur toi quand je serai sur l'épaule du diable.

Et il était parti, franchissant la porte d'un pas trébuchant, à demi aveuglé par les larmes. Albert n'avait jamais revu son père mais avait entendu dire qu'il était mort d'une fracture du crâne après qu'un flic lui eut donné un coup de matraque devant la Taverne de Jérusalem.

«J'ai été abandonné, c'est pour ça que j'ai si peur de l'abandon, conclut la créature qu'était devenu Albert Garrick. Je le sais et pourtant, je ne peux m'empêcher de le ressentir.»

Mais il y avait plus que la peur de l'abandon dans les raisons qui le poussaient à poursuivre Riley. Quel que soit le lieu dans lequel le garçon se trouvait, Chevron Savano était avec lui. Et Garrick avait un désir impérieux d'établir le contact avec cette jeune personne car elle était en possession de la dernière Clé temporelle. Et s'il parvenait à s'en emparer, il pourrait revenir dans son propre temps pour y régner en maître.

Garrick savait que dans ce monde-ci, il était une sorte de prodige. Il pouvait réussir de grandes choses, mais il se sentirait toujours scruté par les satellites, tapis comme des araignées électroniques loin au-dessus de la terre. S'ils disposaient de ressources suffisantes, ses ennemis pourraient le retrouver et le tuer puisque, dans le temps présent, ils étaient nombreux à avoir les mêmes connaissances que lui. Mais, à sa propre époque, Albert Garrick serait comme un dieu. Dans le Londres de la reine Victoria, un homme qui aurait son savoir et sa vision du futur deviendrait prophète en son pays.

«Je pourrais mener une révolution contre le gouvernement. Je pourrais découvrir les antibiotiques et inventer le panneau solaire. Je pourrais construire le premier aéroplane capable de voler et lancer des bombes à hydrogène sur mes ennemis. Mes possibilités seraient infinies.»

« Mais d'abord, il faut ouvrir le trou de ver. C'est sur cela que je dois concentrer mes efforts. »

Si on lui donnait dix ans, des crédits illimités et le soutien du gouvernement d'une grande puissance, Garrick savait qu'il pourrait fabriquer une Clé temporelle, mais il existait déjà une telle clé et elle était accrochée au cou de l'agente spéciale Chevron Savano.

« Cette fille étrange et stupide, songea Garrick. Elle suivra la procédure du FBI et je la prendrai au piège de sa propre bureaucratie. Dès que j'aurai la clé, il me suffira de passer cinq secondes dans la capsule du WARP. »

Garrick posta très vite un avis d'alerte générale sur le réseau interne et testa l'étendue de ses connaissances informatiques nouvellement acquises en insérant le nom de Chevie sur la liste des personnes les plus recherchées par le FBI. Les hommes du HAZMAT avaient été tués, alors, pourquoi ne pas rejeter sur Miss Savano la responsabilité de leur élimination ?

« HAZMAT, quel nom merveilleux », songea Garrick.

Il ôta son chapeau melon et prit sur le portemanteau le chapeau de Smart. De ses longs doigts en pattes d'araignée, il en caressa le bord souple sur toute sa longueur et le mit sur sa tête.

« Il n'y a au FBI que six personnes qui aient rencontré Felix Smart depuis son arrivée à Londres. Quatre sont mortes, une autre est en fuite et la dernière se trouve en mission en Irak. »

– Bonjour, Waldo, dit-il en essayant de prendre la voix de Smart. J'ai beaucoup entendu parler de vous.

Il s'éclaircit la gorge et recommença.

– Agent Gunn, nous avons enfin l'occasion de nous

rencontrer. Je crois que vous avez deux fugitifs pour moi dans la suite du dernier étage.

C'était une assez bonne imitation de l'agent écossais et il pourrait peut-être encore l'améliorer. Après tout, il était un maître de l'illusion et le premier homme quantique du monde.

Garrick vérifia sa tenue dans le miroir du portemanteau. Son visage avait toujours été aussi terne qu'un bol de tapioca, ce qui était une bénédiction dans son métier, car les gens avaient tendance à ne pas le remarquer ou à l'oublier instantanément. À l'époque où il donnait ses spectacles, il arrivait à peindre littéralement une personnalité sur son visage et à en changer selon les besoins de son numéro.

Garrick se regarda dans la glace et observa ses traits qui se mirent à bouillonner.

Car il avait rapporté de son voyage dans le trou de ver plus que des connaissances. Il avait acquis la maîtrise de son propre fonctionnement intérieur, jusqu'à la plus petite particule. Alors que la plupart des êtres humains n'utilisaient qu'une petite tranche de leur cerveau, Garrick pouvait se servir du gâteau tout entier. Cela n'allait pas jusqu'à la télékinésie, mais il pouvait communiquer plus efficacement avec chaque fibre de son corps. Il pouvait contrôler les boucles de ses empreintes digitales ou l'équilibre de sa thyroïde pour donner une teinte grise à ses cheveux. Avec un peu d'effort, il avait même la faculté de communiquer avec la moelle de ses os ou avec les couches de graisse situées sous son épiderme pour modifier entièrement son apparence. Il lui était impossible de devenir qui il voulait ou de trop s'éloigner de sa propre masse corporelle mais il pouvait sans aucun doute permettre à une forme physique déjà présente en lui de se manifester au regard des autres.

Garden Hotel. Monmouth Street. Londres. Aujourd'hui

Chevie prit une douche rapide, fixa un masque gel sur son œil pour le faire dégonfler puis chercha dans l'armoire quelque chose à mettre à la place de la tenue de gymnastique qui semblait tant scandaliser Riley. Elle avait le choix entre de nombreux vêtements, protégés par des housses en plastique transparent, y compris des combinaisons blanches pour scène de crime, une robe façon peau de panthère et un costume bouffant représentant une souris de dessin animé.

« Pour porter ça, il faut vraiment être très très profondément infiltré », pensa-t-elle en choisissant un tailleur Armani et une paire de mocassins Bally qui lui auraient coûté un mois de salaire. »

« Enfin, un petit extra. »

Le tailleur lui allait bien et, après s'être contemplée dans le miroir en pied, elle alla s'asseoir devant l'ordinateur de la chambre pour rédiger un rapport, en essayant de présenter les événements de la journée comme une réalité et non pas comme un épisode d'une minisérie de science-fiction.

« Me suis rendu compte que je surveillais une machine à remonter le temps pour être là au cas où son inventeur en sortirait en venant du XIXe siècle. »

Non, impossible de faire croire à un rapport sérieux, même en utilisant la terminologie en usage au FBI, telle que « sujet non identifié », « informateur extérieur » et « zone d'opération ».

Après avoir péniblement tapé cinq cents mots sur le clavier, Chevie ressentit une douleur au fond de l'œil droit et fut soulagée d'entendre retentir la sonnette de la porte d'entrée. Elle ôta son masque gel.

« La cavalerie. Enfin. »

Lorsqu'elle passa devant lui, Riley était toujours collé devant l'écran et s'empiffrait de viande froide.

– J'espère que tu ne bois pas de brandy, lança Chevie.

– Absolument pas, répondit Riley en brandissant une bouteille marron.

– Que de la bière, agente. Je fais ce qu'on me dit, moi.

Chevie dévia de sa trajectoire pour lui arracher la bouteille.

– Pas d'alcool, Riley.

Elle montra la télévision d'un signe de tête.

– Alors, ça te plaît, le XXIe siècle ?

Riley émit un rot.

– Les *Take That* ont de belles mélodies. Et Dieu bénisse Harry Potter, c'est tout ce que j'ai à dire. Sans lui, Londres aurait été ravagé par les forces du mal.

– Continue de manger, conseilla Chevie en pensant que, la prochaine fois, il vaudrait mieux qu'elle regarde les vidéos avec lui. Et puis, tu n'as plus à t'inquiéter, petit. Les renforts arrivent.

– On a bien besoin de se renforcer, agente. Vous devriez vous remplir la panse pour qu'on puisse affronter ce qui nous attend le ventre plein. Ça vaut mieux que d'avoir des charançons dans la chemise, pas vrai ?

Chevie ne savait pas très bien ce qu'était un charançon, mais elle était certaine de ne pas en vouloir dans sa chemise.

– Pas de charançons, répondit-elle. Je suis d'accord avec toi là-dessus.

Elle laissa Riley devant la télé et s'avança vers la porte. Elle se plaqua contre le mur, comme on le lui avait appris, dégaina son arme et la pointa sur le judas. Un petit interphone vidéo était fixé au mur, à côté de la porte, et Chevie fut soulagée de voir le visage de Waldo s'afficher sur l'écran. Il avait l'air encore plus grognon qu'avant, ce qui était rassurant, d'une certaine manière. La caméra de sécurité montrait que l'agent de liaison au physique de Hobbit était seul dans le couloir.

Chevie appuya sur le bouton de communication.

– L'équipe du FBI est arrivée ? demanda-t-elle.

– Elle est en route, répondit Waldo. Je dois vous débriefer, apparemment. Bien que ce ne soit pas dans mes fonctions. Ils me prennent pour qui ? Une secrétaire ?

– Ne vous mettez pas la barbe au court-bouillon, dit Chevie.

Elle glissa le Glock dans son holster et ouvrit la porte.

– C'est une affaire importante. Nous devons travailler ensemble.

Waldo se tenait debout dans le couloir, les mains derrière le dos, et ne semblait pas disposé le moins du monde à coopérer.

– Travailler ensemble, vous dites ? Et avec l'équipe HAZMAT, vous avez travaillé ensemble ?

Chevie sentit son estomac se contracter et fit un geste pour prendre son arme. Elle parvint même à la dégainer avant que Waldo, d'un geste vif comme un coup de fouet, sorte de derrière son dos un pistolet paralysant. Il lui tira deux fléchettes dans la poitrine, envoyant dans tout son corps une décharge fulgurante de cinquante mille volts. Chevie eut l'impression qu'un millier de marteaux frappaient chaque centimètre carré de sa peau, la forçant à tomber à genoux, puis sur le dos.

– J'ai lu l'avis d'alerte de l'agent Orange, entendit-elle Waldo déclarer.

Sa voix était épaisse, lente, comme si elle flottait très loin de là.

– C'est vous qui avez tué ces hommes et l'un d'entre eux me devait de l'argent.

« Non, aurait voulu dire Chevie. C'est un piège. Vous vous êtes fait piéger. »

Mais elle avait l'impression d'avoir un énorme steak cru à la place de la langue et ses membres étaient flasques, comme si on les avait à moitié remplis de ballons d'eau. Elle aperçut Waldo qui la dominait et cette image lui rappela un film de Godzilla dans lequel le monstre enjambait un pont.

– Il me reste une cartouche, dit le Hobbit à l'air inoffensif, de cette voix lointaine qui semblait venir du fond de l'eau.

« Va-t'en, Riley ! File ! » aurait voulu crier Chevie mais il ne sortit de sa bouche qu'un souffle d'air sec.

Riley entendit le dialogue qui se tenait dans l'entrée, puis ce son très reconnaissable d'un corps qui tombe à terre.

« Garrick ! » pensa-t-il et il se leva d'un bond, debout sur le canapé. Il aurait voulu aider, mais cela aurait scellé son sort autant que celui de Chevie.

«Je dois me cacher», songea-t-il. Mais il n'eut pas le temps d'essayer car Waldo entra dans le living-room en brandissant un tube de métal.

– Je ne me servirai de ça, dit-il, que si tu tentes de t'enfuir, si tu m'attaques ou si tu persistes à parler de cette manière ridicule.

Riley éprouva la résistance des ressorts du canapé, sous ses pieds.

«Avec tout ce que j'ai appris à faire, je pourrais bondir par-dessus la tête de ce petit homme, comme Jack le Sauteur, pensa-t-il. Son bâton ne lui servira pas à grand-chose si je reste à distance.»

Riley sauta deux fois sur place, puis il se jeta dans les airs, décrivant un arc au-dessus de la tête de Waldo et ne laissant d'autre choix à l'agent du FBI que de lui tirer dans le ventre la deuxième cartouche de son pistolet paralysant.

La tête de Riley heurta le plancher avec un bruit sourd et, dans son rêve, ce bruit était produit par les jointures pointues d'Albert Garrick qui lui tapait sur le front, au cours d'une de leurs leçons.

– Attention, fils, disait-il. C'est un des principes de base de la magie au music-hall, la seule que nous puissions pratiquer pour le moment.

Ils se trouvaient sur la scène du théâtre d'Orient où Riley recevait ses leçons. Sur ces planches, il avait étudié l'escrime, le tir, la strangulation, l'art des poisons, aussi bien que la pratique plus exotique de l'évasion ou du camouflage.

– Je pose à nouveau la question : où est la guinée ?

Riley regardait les trois gobelets retournés, posés sur la scène où il s'agenouillait en montrant d'un geste hésitant celui du milieu. Mais il savait déjà que la guinée lui échapperait.

– Non, Riley, disait Garrick. Mais tu étais plus près, cette fois.

Il soulevait alors le gobelet de gauche, révélant au-dessous une pièce de monnaie brillante.

– J'ai trompé ton regard entre la deuxième et la dernière manipulation en donnant un coup d'ongle sur le gobelet du milieu. Je t'ai égaré, tu comprends ? J'ai détourné ton attention vers un gobelet vide.

« Je comprends », songeait Riley qui aurait bien voulu détourner à son tour l'attention de Garrick afin de pouvoir lui échapper.

« Un jour, je t'enverrai dans un endroit où je ne suis jamais allé. Et cette fois, je me débinerai pour de bon. »

Chevie se réveilla avec des menottes en plastique aux poignets et aux chevilles, qui l'attachaient au siège des toilettes. Sa tête palpitait d'une douleur lancinante et des gouttes de sang coulaient du bout de son nez, formant une flaque entre ses pieds.

Elle s'apprêtait à lâcher un chapelet de jurons lorsqu'elle remarqua la présence de Riley, attaché dans la baignoire à la barre de sécurité.

– Tu es blessé ? demanda-t-elle.

Elle eut l'impression que les mots lui poignardaient le cerveau en sortant de sa bouche.

« Waldo ! Ce crétin ! Je vais lui raser la barbe dans son sommeil ! »

– Non, miss, répondit Riley. Mais son paratonnerre m'a sacrément tricoté les côtes. Et ces bracelets m'épatent. Ils sont plus fins qu'un lacet de chaussure et pourtant, j'arrive même pas à les étirer.

Riley continua à parler des menottes et de leur fabuleuse solidité, mais Chevie ne l'écoutait plus. Elle avait besoin d'un moment de calme pour retrouver ses esprits après la séance de fléchettes électriques que Waldo lui avait infligée par surprise.

« Je ne m'attendais pas à ça. Et comment est-il possible que Felix Smart ait posté un avis d'alerte sur le réseau interne alors qu'il n'est pas revenu du passé ?

À moins qu'il ne soit revenu et qu'il me tienne pour responsable de tout ce désastre ? »

Cela ne semblait guère probable ni même plausible.

« Orange était avec l'équipe HAZMAT. Il sait bien que je ne les ai pas tués. »

Riley disait quelque chose. Son ton était insistant, pressant même.

Chevie battit des paupières, éloignant les étoiles qui brillaient devant ses yeux.

– Quoi ? Qu'est-ce qu'il y a, petit ?

– Vous avez le nez qui saigne, miss. Reniflez un bon coup et crachez le tout en une seule fois. C'est ce qu'il y a de mieux.

« Renifler et cracher. »

Chevie fit ce qu'il lui disait et cracha un caillot de sang dans le lavabo. Elle s'aperçut avec surprise que le saignement s'était arrêté, même si, en reniflant, elle avait aggravé son mal de tête.

– Est-ce que Waldo t'a envoyé une décharge ?

– Ah oui, répondit Riley. Son pistolet électrique m'a secoué comme un gâteux qui danse la gigue. Je me suis réveillé juste avant vous.

– Il faut qu'on sorte d'ici, petit. Tu as réussi à ouvrir tes menottes, à Bedford Square. Tu n'aurais pas un autre tour de magie dans ta chaussette ?

Riley lança un regard intense à ses propres poignets entravés, comme s'il avait pu les libérer par la seule force de sa volonté.

– Rien du tout, miss. Comment on peut ouvrir des bracelets qui n'ont pas de serrure ?

On ne peut pas était la seule réponse à cette question.

Chevie suivit la logique de ses pensées, sans prêter attention à ses vagues de douleur.

– Bon, on est attachés, mais en sécurité. Waldo voit les choses à l'envers, mais la cavalerie est en route et nous pourrons éclaircir la situation quand elle sera arrivée. Peu importe combien de temps ça prendra. Tant qu'on sera ici, on restera vivants.

Riley fronça les sourcils.

– Alors, pour vous, être troussé comme une volaille au marché, c'est une bonne chose ?

– D'une certaine manière, oui.

– Sans vous offenser, miss, c'est peut-être parce que vous êtes du genre féminin que vous avez le jugement un peu embrumé. Si on traîne trop longtemps, Garrick va venir nous couper la gorge et nous regarder saigner.

Il n'aura même pas besoin de passer la serpillière après moi, Dieu du ciel, vu que je suis déjà dans la baignoire.

Chevie jeta un regard perçant au garçon, surprise qu'il fasse une plaisanterie, même abominable, à un tel moment et elle décela alors de la peur dans ses yeux.

« Ce malheureux vit dans la terreur au quotidien », comprit-elle.

De l'intérieur de l'appartement leur parvint le bruit caractéristique d'hommes armés entrant dans une pièce. Chevie entendit des pas sur la moquette et le cliquetis des crans de sûreté. Des ordres étouffés furent lancés et elle imagina les agents du FBI qui prenaient position devant toutes les issues et les possibles points d'accès.

– Hé ! s'écria-t-elle. Hé, les gars ! Ici !

Quelques secondes plus tard, un agent apparut à la porte de la salle de bains, habillé dans la version FBI du « mâle relax », qui avait déjà trente ans de retard quand elle avait été mise au point vingt ans auparavant. Jean kaki, coupe-vent bleu, chemise avec pointes de col boutonnées et mocassins à semelle de caoutchouc. Il aurait pu tout aussi bien avoir FBI écrit sur le dos en grosses lettres jaunes, ce qui était d'ailleurs le cas quand on enlevait la bande Velcro. L'homme ne put réprimer un sourire quand il vit Chevie assise sur le siège des toilettes. Il sortit un cran d'arrêt de sa poche et fit jaillir la lame, comme s'il s'apprêtait à couper les menottes en plastique, mais il replia la lame en appuyant sur le poussoir et rangea le couteau.

– Repos, Savano. Pas la peine de te lever.

Chevie se renfrogna. Elle avait connu ce type aux

États-Unis. Il s'appelait Duff et avait été très proche de Cord Vallicose, son instructeur préféré à Quantico. Vallicose avait tout de suite vu le potentiel de sa jeune élève et avait pris Chevie sous son aile.

– Très drôle, Duff. Tu rigoleras un peu moins quand je sortirai d'ici et que je t'arrangerai un peu la mèche.

Duff se renfrogna à son tour. De toute évidence, il était très fier de sa mèche parfaitement coiffée.

– Boucle-la, Savano. Toi et ton petit copain mystère, vous êtes dans les ennuis jusqu'au cou. J'ai entendu dire que nos copains du HAZMAT sont portés disparus. Le directeur adjoint va revenir d'une réunion en Écosse et tant qu'il n'est pas là, tu la fermes.

Chevie ravala sa colère. Elle aurait le temps de s'expliquer avec ce personnage quand tout serait terminé.

– D'accord, agent Duff. Je comprends que tu fasses ton boulot et à ta place, j'aurais sans doute la même attitude et les mêmes chaussures des années 50, sauf que moi, je serais un peu plus compréhensive et je laisserais tomber le jargon. Mais il y a ici un jeune garçon terrorisé qui a de bonnes raisons de l'être. On est poursuivis par un type redoutable qui a sans doute éliminé l'équipe HAZMAT au complet avec un mousquet.

Duff soupira, comme s'il était attristé par ce discours insensé.

– Ouais, je comprends, l'avis d'alerte disait que tu étais en plein délire. Ça arrive quand on reste à Londres un peu trop longtemps. Impossible de trouver une pizza convenable dans toute la ville.

Il claqua des doigts.

– Tiens, tu sais à qui je devrais parler de cette histoire?

Chevie se raidit.

– Ne t'avise pas de faire ça !

Duff sortit un téléphone de sa poche et dirigea avec soin l'objectif de l'appareil photo sur Chevie.

– Oh si, tu sais, il faut que Cord soit au courant. Il disait que tu étais sa meilleure élève. Ça va lui fendre le cœur.

Duff prit deux photos de Chevie menottée au siège des toilettes et les envoya à Cord Vallicose, de l'autre côté de l'Atlantique.

– Je ne plaisante pas ! lança Chevie en se forçant à ne pas élever la voix.

Elle connaissait le personnage. Si elle avait crié, il serait tout simplement parti en claquant la porte derrière lui.

– Des gens meurent et ce n'est pas fini. Enlève le cran de sûreté de ton pistolet et dis à tes hommes d'ouvrir l'œil.

Duff semblait sur le point de la prendre au sérieux lorsqu'un jingle lui annonça qu'il avait un texto. Il regarda l'écran de son téléphone et eut un large sourire.

– C'est Cord. Tu devrais lire ça. Il est effondré.

Avec un petit rire mauvais, Duff sortit de la salle de bains et referma la porte derrière lui.

Albert Garrick arriva au Garden Hotel quelques secondes après l'équipe de secours et il ne put rien faire d'autre que froncer les sourcils en voyant les hommes du FBI s'engouffrer dans l'entrée. Ils étaient six, vêtus de blousons coupe-vent, et se mêlaient aux clients de l'hôtel aussi discrètement qu'une demi-douzaine de pingouins dans une soirée chic.

Garrick maudit ces imbéciles puis s'offrit un café dans un bar proche tandis qu'il établissait son plan. Son alerte générale avait provoqué une réaction presque immédiate de Waldo Gunn et Garrick avait espéré arriver dans la cachette avant l'inévitable bande de gros patauds du FBI surarmés et prêts à tuer. Sauf qu'en l'occurrence, ce n'était pas une question de nombre. Une garnison entière d'agents n'aurait pas suffi à l'empêcher de retrouver Riley et la Clé temporelle.

Si Garrick avait été sur les lieux avant l'équipe d'intervention, il aurait pu tout simplement prendre ce qu'il voulait et se débarrasser de Waldo Gunn, mais avec six agents armés en faction, on ne pouvait pas compter sur la violence improvisée. Les chances étaient encore en faveur de Garrick, mais Riley avait été à bonne école, il était très fort en arts martiaux et Garrick n'allait pas risquer de se faire mettre hors de combat par un enfant.

Pendant un moment, il se laissa vaguement distraire par les changements qu'avait subis Monmouth Street depuis ce qu'il commençait à appeler « son temps ». Les souvenirs de Smart l'avaient préparé aux étincelantes splendeurs de l'époque moderne, mais ce n'était pas la même chose de les voir en direct.

De « son temps », Monmouth Street était connue pour ses logements à trois sous et, à cette heure de la soirée, les habitants descendaient dans la rue pour s'amuser en écoutant les blagues des jeunes mendiants qui essayaient d'arracher quelques pièces aux foules rassemblées devant les théâtres. Maintenant, il n'y avait plus de mendiants dans la rue mais Garrick repéra un détritus dans le caniveau.

« J'aurai peut-être quelque chose à dire à ce sujet, songea-t-il. Quand je serai roi. »

Il plaisantait, bien sûr. Il n'avait aucun désir d'être roi. C'était le Premier ministre qui détenait le réel pouvoir.

Garrick termina son café qui était vraiment excellent, remercia le serveur puis traversa la rue d'un pas nonchalant en direction du Garden Hotel.

Dans la suite sécurisée, Waldo Gunn n'était pas très heureux. Cet endroit était désormais grillé et il le savait. Après deux décennies au cours desquelles il avait pris le plus grand soin de cette merveilleuse cachette qui avait abrité plus de deux cents sujets à risque, l'équipe d'intervention du FBI avait débarqué dans ses 4x4 noirs et pénétré en rangs serrés dans ce havre discret. C'en était fini de la discrétion.

Et, bien que Waldo fût légèrement contrarié à la pensée que son poste douillet puisse être menacé, son souci principal était d'ordre professionnel.

« Je ne sais même pas avec certitude qui est le méchant dans cette histoire, pensa-t-il. L'agent Orange porte de graves accusations contre l'agente Savano, mais rien dans son dossier n'indique une nature aussi violente. Il y a eu ce déplorable incident à Los Angeles mais, à mon avis, elle a eu un comportement héroïque qui a sauvé des vies. »

Et maintenant, elle serait responsable d'un assassinat collectif ? Cela n'avait aucun sens. Aujourd'hui, tout était sens dessus dessous. Au lieu de protéger des fugitifs, il détenait des suspects. Ce qu'il y avait de plus irritant encore, c'était de voir ces gros agents balourds piétiner ses magnifiques tapis italiens et à présent, ils essayaient même des vestes de sa garde-robe.

« Si j'en vois un qui pose simplement son regard sur le costume Zegna, je le descends moi-même », se promit Waldo.

– Pour l'amour du ciel, lança-t-il à un grand agent dégingandé qui se vautrait sur le canapé. Ne mettez pas vos pieds sur les meubles. C'est un Carl Hansen !

Le téléphone de Waldo vibra dans sa poche, indiquant qu'on lui envoyait un texto sur le canal codé réservé aux communications professionnelles. Il regarda l'écran et vit que le message venait de l'agent Orange. Bref et aimable : « J'arrive. »

« Parfait, songea Waldo en tortillant sa barbe jusqu'à en faire une pointe. Une mouche de plus dans le potage. »

La sonnerie de la porte retentit et la demi-douzaine d'agents présents dans la suite prirent aussitôt diverses postures de combat, pointant leurs armes sur la moindre petite ombre.

– Repos, les commandos, dit sèchement Waldo en traversant le petit vestibule pour se diriger vers l'interphone. C'est quelqu'un de chez nous.

Waldo savait qu'il choisirait probablement de prendre sa retraite quand son poste serait supprimé. Il ne se voyait pas intégrer un bureau plein d'excités de la gâchette après avoir passé vingt ans dans le raffinement du Garden Hotel.

L'écran de l'interphone montra une unique silhouette de l'autre côté de la porte.

Waldo pressa le bouton qui établissait la communication.

– Identification, s'il vous plaît.

L'homme lança un regard noir à la caméra comme si plonger la main dans sa poche était un geste désagréable qu'il n'avait pas le temps d'accomplir. Enfin, il soupira et sortit sa carte en la plaçant tout près de l'objectif.

C'était bien l'agent Orange. Pas une très bonne photo, mais il s'agissait indubitablement du même homme.

« Peut-être, pensa Waldo. Mais le FBI ne se contente plus de photos pour les autorisations d'accès. Pourquoi devrions-nous être moins vigilants, alors que nous avons un lecteur de données biométriques ? »

– Votre pouce sur le scanner, s'il vous plaît, ordonna-t-il d'un ton abrupt.

– Vraiment ? répondit l'homme qui portait le badge de l'agent Orange. Je suis très pressé. Je ne vais pas rester dans le froid simplement parce qu'un bout de ferraille est incapable de reconnaître mon doigt.

– Votre pouce sur le scanner, insista Waldo sans se donner la peine de discuter.

Si Orange était pressé, il n'avait qu'à mettre son pouce sur le carré de verre et ce serait fini.

– C'est vous le chef. Pour l'instant, dit Orange.

Et il plaça son pouce droit sur le scanner qui prit environ cinq secondes de plus que d'habitude pour vérifier que l'empreinte était bien conforme à celle enregistrée dans les fichiers.

– Vous voyez ? dit Waldo. Ce n'était pas si difficile. Simple protocole.

Waldo ouvrit la porte et frissonna en éprouvant une sensation de froid autour des jambes.

« Une fenêtre ouverte, sans doute, pensa-t-il. Pourtant, j'aurais juré avoir tout fermé. »

– Voici donc le légendaire Waldo Gunn, dit l'agent Orange en lui tendant la main. Protecteur des brebis égarées.

– Légendaire dans certains milieux, répondit Waldo.

Il serra la main offerte et pensa involontairement : « Cette main ne m'inspire pas confiance. »

Il ne put s'empêcher de baisser le regard. Il remarqua alors que les doigts d'Orange étaient aussi fins que ceux d'une femme et ses ongles aussi longs.

« Pourquoi cette antipathie instinctive ? » se demanda Waldo.

Il se souvint d'un de ces dictons interminables qu'affectionnait sa mère : « Ne jamais faire confiance à un homme qui a les ongles longs, sauf s'il joue de la guitare folk. Un homme aux ongles longs n'a jamais travaillé de sa vie, honnêtement en tout cas. »

Orange relâcha la main de Waldo et son regard se porta à l'intérieur de la suite.

– Il y en a du monde, ici, Waldo, dit-il.

Avec son accent écossais, il avait mis cinq secondes de plus qu'il n'aurait été nécessaire pour prononcer cette phrase.

« Cet accent me rend fou, songea Waldo. Il faudrait une journée entière pour arriver au bout d'une conversation. »

– Que puis-je faire pour vous, agent Orange ?

Orange eut un large sourire qui étira ses lèvres minces.

– C'est évident, me semble-t-il. Vous devez me confier la garde des suspects.

Waldo se hérissa. L'idée était si bizarre qu'il crut d'abord à une plaisanterie.

– Vous confier leur garde ? Ce n'est pas très conforme à la procédure. Ces suspects font l'objet d'une enquête. Vous n'êtes pas enquêteur.

Orange sembla attristé par cette attitude.

– Peut-être pas, mais je suis d'un grade supérieur au vôtre, Waldo.

Soudain, Waldo n'apprécia pas que cet homme l'appelle par son prénom.

– Mon titre officiel, c'est agent special Gunn, si ça ne vous fait rien. Et pour votre information, je vous signale que personne n'a un grade supérieur au mien dans cette suite. En tant qu'officier responsable, je peux avoir autorité sur le président lui-même si je l'estime nécessaire. De toute façon, le directeur adjoint est en route et il a donné l'ordre que personne n'ait de contact avec les suspects jusqu'à son arrivée.

– Mais ils ont tué tous les hommes de mon équipe HAZMAT ! protesta Orange. Il n'y a pas eu de quartier alors qu'ils avaient demandé à être épargnés. J'ai eu de la chance de pouvoir m'enfuir en gardant la vie sauve.

« Il n'y a pas eu de quartier, curieux choix de mots, songea Waldo. »

– Vous me paraissez tout ce qu'il y a de plus *vivant*, fit-il remarquer. Et même sans la moindre égratignure. Où sont les corps ?

Orange toussa dans son poing.

– C'est délicat à expliquer et réservé à ceux qui ont besoin de cette information. Cela concerne notre opération qui est à peu près quinze crans au-dessus de votre niveau d'accès. Je pourrais vous le dire, mais alors...

– Vous seriez obligé de me tuer, dit Waldo, complétant la vieille formule bien connue.

– Vous et votre famille, ajouta Orange, le visage impassible.

La répugnance instinctive de Waldo à l'égard de cet Écossais devint plus vive.

– Il est inutile d'être malpoli. Nous avons une procédure à respecter et c'est tout. Vous pouvez attendre au salon si vous le souhaitez, mais vous n'approcherez pas des suspects. Après tout, nous n'avons que votre parole pour croire que les personnes détenues sont coupables de quoi que ce soit.

Le sourire d'Orange ne s'effaçait jamais.

– C'est un excellent argument. Malheureusement, je ne suis pas d'humeur à me laisser enfermer pour le moment et, comme vous l'avez souligné, vous ne m'êtes supérieur en grade qu'à l'intérieur de la suite. Or, je suis à l'extérieur. Je vais donc aller m'offrir une autre tasse de l'excellent café que l'on sert dans l'établissement situé de l'autre côté de la rue. Je reviendrai plus tard, lorsque le grand patron des argousins se sera joint à la fête.

Orange se tut brusquement et ses yeux brillèrent comme éclairés de l'intérieur.

– Est-ce possible ? s'écria-t-il, l'accent soudain beaucoup moins écossais. Ma parole, j'en jurerais.

Malgré lui, Waldo se montra intrigué.

– Qu'est-ce qui est possible ? Vous jureriez de quoi ?

Orange regarda la pièce qui se trouvait derrière le gardien des lieux.

– Que je sois damné si je ne suis pas déjà venu ici.

– Je crois que vous vous trompez, répondit Waldo du ton le plus condescendant qu'il pût prendre. J'ai la liste de toutes les personnes sans exception qui ont franchi ce seuil au cours des vingt dernières années et je peux vous dire que vous n'y figurez pas.

Orange était tellement réjoui qu'il en claqua des mains.

– Cela se passait il y a des années, Waldo. De *nombreuses* années. Si je m'en souviens bien, en ce temps-là, c'était à un personnage extrêmement douteux que le propriétaire venait réclamer son loyer.

– Une histoire fascinante, sans aucun doute. Mais si vous ne voulez pas entrer, vous devez partir. À cause de la sécurité, et tout ça.

Orange enleva sa casquette, révélant des cheveux qui semblaient gris ou bruns selon l'inclinaison de sa tête.

– Et tout ça, bien sûr, Waldo. Je vais me tremper les dominos dans un bon petit bain de café et je reviendrai après. Guettez mon retour, d'accord ?

Aucun des deux hommes ne tendit la main à l'autre lorsqu'ils se séparèrent, mais Waldo Gunn fit défiler sur l'écran de contrôle toutes les caméras de sécurité pour suivre Orange depuis le couloir jusqu'à Monmouth Street.

– Je vais vous guetter, agent Orange, dit-il entre ses dents. Allez donc donner leur bain de café à vos dominos et je vous guetterai comme un oiseau de proie.

Waldo posa une main sur son ventre rond, résultat d'une consommation excessive de saucisses de campagne et, le soir avant de se coucher, de chocolats chauds à la crème Chantilly.

« Quelle drôle d'impression », songea-t-il en se demandant à quelle émotion associer la soudaine acidité de son estomac.

Waldo Gunn comprit alors que, pour la première fois en vingt ans, il ne se sentait plus en sécurité dans sa propre forteresse.

« Ne sois pas ridicule, se dit-il. Orange est un personnage déconcertant, c'est tout. Il n'est pas dangereux. »

Mais l'inconscient de Waldo essayait de lui dire quelque chose et le petit homme corpulent aurait vraiment dû l'écouter.

Garrick ne prit pas la direction du café et bondit littéralement dans l'allée de service de l'hôtel, croyant à peine sa bonne fortune qui l'avait amené, longtemps auparavant, à s'introduire dans ces lieux.

Il s'aperçut qu'il pouvait tout retrouver dans sa mémoire, comme s'il voyait un spectacle de cinématographe dont chaque image serait aussi claire que la réalité, avec les odeurs en prime.

Il se souvenait très bien de cette maison. De son temps, la boutique florissante d'un bookmaker se trouvait au rez-de-chaussée et exhibait dans sa vitrine une plaque de cuivre assurant que Charles Dickens lui-même avait été client de l'établissement, ce qu'il était difficile de contester puisque, à cette époque, le grand romancier était mort depuis près de dix ans.

Au-dessus du bookmaker habitait le personnage douteux au nom bizarre. Biltong… non… c'était plutôt Bill*toe*. George Billtoe avait écoulé à la foire aux chevaux de Barnet une liasse de livres sterling faites maison, s'attirant le courroux d'un gang qui n'avait pas apprécié qu'on vienne braconner sur ses terres sans en avoir demandé l'autorisation. Le courroux du gang s'était incarné en la personne d'Albert Garrick.

« Vengeance d'en haut, pensa Garrick. Puisque je suis descendu par la cheminée. »

George Billtoe avait entendu dire qu'un tueur était à ses trousses et il se montrait de plus en plus secret et prudent, se barricadant dans son appartement, payant un gamin des rues pour faire ses courses. Garrick avait dû faire appel à tous ses talents de contorsionniste pour se glisser dans la cheminée.

Il eut un petit rire. Cette nuit-là, il avait réveillé Billtoe avant de lui trancher la gorge, pour que la cible se rende compte que toutes ses précautions n'avaient servi à rien.

Jour heureux. La folie du faux-monnayeur les avait bien fait rire, Riley et lui.

Garrick se souvenait avoir rejoué au jeune garçon tout l'épisode jusqu'au moment final où Billtoe avait imploré sa pitié avant de se faire raser de près à hauteur de la pomme d'Adam.

Le magicien sourit à l'évocation de ce souvenir alors qu'il escaladait l'escalier de secours jusqu'au troisième étage, glissant silencieusement, telle une ombre, sur les marches de fer. Le sommet de l'escalier se trouvait à deux mètres cinquante au-dessous d'un toit de cuivre plat, avec un bord suffisamment large pour offrir une bonne prise à un homme aussi habile que Garrick. Il se fia à la force de ses doigts et bondit en l'air après être monté sur la rampe. S'agrippant à la surface froide du cuivre, il se balança latéralement et projeta son corps sur le toit plat.

Il courut sur la surface mate du cuivre, plié en avant pour éviter le regard inquisiteur des écarteurs de rideaux. Il se penchait tellement que son torse était à l'horizontale et que le nez pointu d'Orange fendait l'air de la nuit comme le museau d'un beagle.

« C'est ça, la vie des champions, songea Garrick. Une petite brise fraîche qui monte de la Tamise, des pouvoirs quantiques surnaturels et une pièce remplie de brutes yankees pour mettre mon habileté à l'épreuve. La magie existe et elle vit en moi. »

La cheminée était là, il s'en souvenait, une souche en briques rouge et jaune assemblées avec un mortier qui s'effritait, usée par les intempéries, sans doute, mais quasiment inchangée. Même au temps ou Billtoe habitait là, la cheminée était hors-service, couverte d'une rangée de tubes en terre cuite craquelée qui n'avaient pas diffusé de fumée depuis de nombreuses décennies. Garrick balaya les tubes d'un geste désinvolte et souleva la dalle posée sur le conduit.

« Pas même une petite couche de mortier pour la maintenir en place, pensa-t-il, presque déçu. Et ces agents fédéraux sont censés être les meilleurs du monde. »

Le conduit de la cheminée s'étirait au-dessous de lui, passant du très sombre au noir absolu. Il ne s'en dégageait aucune odeur rassurante de suie qui aurait pu évoquer pour Garrick la chaleur d'un foyer mais, on ressentait une impression de profondeur, de vide, et une exhalaison aigre d'humidité se répandait dans l'air. Le magicien balança les jambes sans effort à l'intérieur de la souche et s'assit sur le bord, scrutant l'obscurité.

« Je me souviens combien c'était étroit. »

Les larges épaules de Garrick pouvaient à peine se glisser dans le conduit, même en diagonale.

« La dernière fois, descendre dans ce boyau m'a demandé beaucoup de temps et une bonne dose de témérité, songea Garrick. Aujourd'hui, ce sera différent. »

Il utilisa ses ressources quantiques pour ordonner aux ligaments de ses épaules de se relâcher et de permettre ainsi à la tête de ses humérus se sortir de leur cavité.

« Pas de douleur, commanda-t-il à ses neurones sensitifs. J'ai besoin de toute l'acuité de mes sens et quand j'ai descendu ce conduit la première fois, la souffrance a été le défaut de ma cuirasse. »

Garrick avait toujours été un petit peu myope, mais il bénéficiait d'une excellente vision nocturne qu'il attribuait aux cataplasmes de légumes bouillis qu'il appliquait sur les orbites de ses yeux deux nuits par semaine et mangeait au petit déjeuner du lendemain.

« Malgré tout, pensa-t-il en se suspendant à son bras le plus fort pour s'enfoncer dans le conduit, ça ne me fera pas de mal d'ouvrir un peu mes pupilles pour percevoir la lumière ambiante. »

Garrick sourit et ses dents brillèrent dans l'obscurité comme de petites gouttes de sucre cristallisé.

« La lumière ambiante ? Smart, mon ami, je ne te remercierai jamais assez d'avoir étudié aussi profondément tes multiples sujets d'intérêt. »

Les pupilles de Garrick s'élargirent jusqu'à remplir ses iris et il put voir les araignées noires qui se cachaient en pleine nuit dans les trous obscurs d'une cheminée sombre.

« Voilà ce qu'est la vraie magie, pensa-t-il. Un esprit ouvert. »

Garrick écarta les genoux pour leur faire supporter le poids de son corps, puis il se laissa descendre dans les ténèbres, tel un démon dans les profondeurs de l'enfer.

Dans la salle de bains de la suite sécurisée, Riley se demanda si son cerveau n'avait pas été d'une certaine manière embrumé par son voyage. Ou s'il ne souffrait pas d'une forme de maladie mentale causée par une vie de terreur continuelle.

«Je ne sens rien. Même ma peur s'émousse. Peut-être que je suis dans un asile, quelque part, et que je porte la blouse des fous.»

Pourtant, cette fantaisie futuriste lui apparaissait dans tous ses détails. Miss Sav-a-no était à présent plus réelle à ses yeux que tous les gens qu'il avait rencontrés jusqu'alors. Il apercevait les gouttes de sueur sur son front tandis qu'elle s'efforçait de s'arracher aux liens qui immobilisaient ses poignets. Il entendait ses dents grincer de rage et voyait les muscles de son long cou se tendre comme le gréement d'un schooner.

– Tu regardes quelque chose en particulier? demanda Chevie.

Riley commença à marmonner une réponse négative, mais Chevie l'interrompit.

– Tu veux que je t'explique l'ironie de la situation, petit?

– Oui, miss. Comme vous voudrez.

Elle tira sur ses menottes qui l'attachaient étroitement aux tuyaux.

– L'ironie, c'est que j'aurais bien envie d'aller aux toilettes.

Riley essaya de ne pas sourire.

– Et c'est de l'ironie parce que vous êtes ligotée au siège sans pouvoir l'utiliser ?

– Exactement.

– Merci, Chevie. J'ai souvent lu le mot « ironie » dans des livres, mais je ne l'avais jamais vraiment compris jusqu'à maintenant.

– Éduquer et protéger, dit Chevie. Mais j'ai un peu raté le côté protection.

– Vous avez eu une sacrée déveine de tomber sur Albert Garrick. De tous les lascars que vous auriez pu ramasser dans le passé, c'est le pire, pas de doute là-dessus.

– Tu sais, Riley, ce n'est qu'un homme. Quoi que tu penses de lui, il n'est rien de plus.

Riley s'affala dans la baignoire.

– Non, il y a des hommes qui sont plus que des hommes, je ne sais pas pourquoi. Garrick a toujours été de ceux-là et c'est pire maintenant. À cause de ce voyage dans le temps, il a de nouveaux dons, je serais prêt à le jurer.

« Des dons, pensa Chevie. Ou des mutations. »

– Vous n'avez jamais connu quelqu'un comme Garrick, poursuivit Riley. Et moi non plus.

– À t'entendre, on croirait que c'est Jack l'Éventreur.

Cette référence lancée sans intention particulière sembla vider de son sang le visage de Riley. Un souvenir était revenu le frapper comme un marteau et il eut soudain l'esprit ailleurs. Pendant ce temps, Chevie se concentra sur ce qui se passait dans la chambre attenante. Depuis un quart d'heure, les seuls sons qu'on entendait étaient ceux que produisent typiquement des *agents du FBI en mission de « babysitting » :* échange de vannes, rires gras, fonctionnement d'un percolateur et bruits de chasse d'eau quasi incessants en provenance de la deuxième salle de bains.

– Hé ! cria-t-elle. Waldo ! Duff ! Vous voulez bien ouvrir la porte ? On se sent un peu mal aimés, ici.

En réponse, quelqu'un alluma la télévision. La basse puissante d'une musique de discothèque ébranla la porte.

– Je déteste ces types-là, marmonna Chevie. Je vais travailler très dur, monter en grade et virer chacun d'eux jusqu'au dernier.

Elle remarqua alors le visage hébété de Riley.

– Ça va, petit ? Hé, Riley ?

Il sembla revenir dans le moment présent.

– Garrick m'a raconté une histoire un jour, à propos de Tablier de Cuir. C'est comme ça qu'on appelait Jack l'Éventreur. Il m'a rejoué toute la scène quand il est rentré chez nous.

– Ne me dis pas que Garrick est Jack l'Éventreur.

Chevie avait parlé sur le ton de la plaisanterie mais, au point où elle en était, elle n'aurait pas du tout été surprise si Albert Garrick et le tueur légendaire n'avaient été qu'une seule et même personne.

Riley rejeta la tête en arrière, comme si Garrick avait pu entendre cette accusation.

– Oh non, certainement pas. Garrick *détestait* Jack l'Éventreur.

Chevie tendit une oreille vers les bruits qui provenaient de la chambre et écouta de l'autre le récit de Riley.

– Il détestait l'Éventreur ? Ces types-là étaient comme les deux doigts de la main, non ?

Riley se redressa dans la baignoire autant qu'il le pouvait.

– Non, oh non ! Le vieux Jack faisait des choses que Garrick n'aurait jamais faites. Il courtisait les argousins et ces messieurs de la presse. Leur envoyait des mots et tout ça. S'était donné un surnom. Garrick, lui, était fier d'être aussi discret qu'un spectre dans son travail, alors que ce boucher de la nuit semait des reins et des cœurs un peu partout dans Whitechapel.

Le regard de Riley devint lointain, comme s'il s'absorbait dans son histoire.

– L'Éventreur était déjà à l'œuvre quand Garrick m'a pris en charge, mais son cas l'a obsédé pendant des années. Je savais qu'il valait mieux que je me fasse tout petit quand les journaux publiaient un article sur Jack. Jusqu'à ce qu'un soir, Garrick revienne à la maison, au moment où le soleil flottait entre les clochers. Il m'a secoué très doucement, comme si nous étions vraiment de la même famille, avec un geste si gentil que je suis sorti de mon rêve en pensant que mon père était revenu. Et j'ai dit : « Papa ? »

Riley s'interrompit pour cracher vers la bonde de la baignoire.

– Il y avait tout juste huit ans que j'étais venu au monde et je ne savais rien, mais le mot a été magique pour Garrick et il a souri comme le chat d'Alice. « Je pense que je dois l'être, il a répondu. C'est ma responsabilité. » À ce moment-là, j'étais complètement réveillé. J'avais peur et pas qu'un peu. Garrick était couvert de sang de la tête aux pieds, comme s'il avait nagé dans la cuve d'un abattoir. Même ses dents étaient rouges. Il a dû voir que j'étais terrorisé parce qu'il a dit : « Ne t'inquiète pas, fils. Ce n'est pas mon sang. Jack n'éventrera plus personne. » Et il a attendu que ça fasse son effet.

» Ça m'a pris un moment, mais j'ai fini par comprendre. « Vous avez tué Tablier de Cuir ? L'éventreur Jack, lui-même ? Mais il sort tout droit de l'enfer », je lui ai dit.

» Garrick s'est mis à rire. « C'est maintenant qu'il est en enfer, il a répondu. Son âme en tout cas. Son corps, lui, repose avec les cadavres des autres malfrats qui pourrissent au fond de la Tamise. »

» Je savais que Garrick n'aimait pas les questions, mais il y en a une qui est sortie avant que je puisse la ravaler. « Comment avez-vous pu trouver ce démon, m'sieur ? » Mais ça ne l'a pas mis en colère, il semblait d'humeur à répondre aux questions.

« Ha, ha, il a dit en se tapotant le front. Grâce à l'arme la plus mortelle de l'homme : son cerveau. Jack était une créature qui avait ses habitudes et c'est ce qui l'a perdu. Il a tué les cinq premières filles dans la frénésie, mais après, il s'est calmé et a utilisé la lune comme horloge. Depuis trois ans, maintenant, je sillonne Whitechapel et Spitalfields les nuits de pleine lune et il s'est enfin montré devant le pub des Ten Bells. » Garrick s'est mis à rire. « C'est à peine croyable, ce soi-disant génie avait l'intention de tuer une autre fille des Bells. Je l'ai tout de suite repéré, un aristo habillé en homme du commun, et tout agité de tics. »

» Garrick s'est penché sur moi. Je me souviens des gouttes de sang qui coulaient sur mon front et j'ai pensé : « C'est le sang de Tablier de Cuir. »

Chevie était tellement ensorcelée par ce récit qu'elle n'aurait pas bougé, même si ses menottes en plastique lui étaient miraculeusement tombées des poignets.

– «Je l'ai laissé emmener une fille, pour être sûr, m'a raconté Garrick. Et je l'ai suivi en passant par les toits jusqu'à Buck's Row. Je les ai entendus parler et plaisanter sur la pauvre Polly Nichols qui avait été tuée à cet endroit même. Le vieux Jack avait un petit rire étonnamment féminin, quelque chose dont il ne s'est jamais vanté auprès des journalistes. Pendant tout ce temps, j'étais caché au-dessus de lui avec ma dague Cinquedea préférée, la lame noircie pour empêcher les reflets et prête à plonger dans le sang.» Il m'a montré la dague. Il ne l'avait pas nettoyée et le sang qui la recouvrait était très épais, avec des caillots.

Si Chevie n'avait pas été aussi absorbée par ce récit, elle aurait peut-être remarqué que les sons provenant de la chambre n'étaient pas les mêmes. On n'entendait plus les plaisanteries des agents fédéraux et le bruit sourd qui résonnait dans les murs ne pouvait être attribué à la musique diffusée par les haut-parleurs de la télévision.

– «Dès qu'il a sorti sa propre lame, un scalpel des plus communs, j'ai sauté de mon perchoir et je l'ai ouvert du cou au nombril. C'était une plaie bien nette, comme au théâtre. Il s'est effondré comme n'importe qui, sans faire preuve d'aucun pouvoir particulier, sans paroles mémorables. La fille a été très reconnaissante, elle est tombée à genoux en m'appelant "Monseigneur". J'aurais dû la tuer, je sais, mon garçon. Mais la rue était sombre et je m'étais noirci le visage, alors j'ai seulement dit : "Tu peux aller raconter à tes amies que Londres est débarrassé de Jack le Sanglant" et je l'ai laissée partir. C'était un moment de faiblesse, mais je me sentais bien disposé à l'égard du monde. Et soudain, qu'est-ce qui se passe ? Un faible gémissement sur le pavé. Mon copain Jack respirait encore. Pas pour longtemps, je me dis, et je me suis mis au travail. Avant de partir, Jack m'a avoué dix-neuf meurtres, avec comme une lueur dans les yeux. "Dix-neuf ? je lui dis. J'en ai fait le double rien que l'année dernière." Après ça, son cœur a lâché. »

Riley respira profondément, le corps parcouru d'un frisson.

– C'est à ce moment-là que j'ai compris qu'Albert Garrick était vraiment le diable.

La porte de la salle de bains se courba soudain sous l'impact d'un corps violemment projeté contre elle. Le choc tira Riley de sa rêverie. La porte se déforma à nouveau et, cette fois, elle fut arrachée de ses gonds, tombant à l'intérieur sous le poids du corps inerte de l'agent Duff.

Une silhouette sombre apparut dans l'encadrement et sembla glisser en douceur dans la salle de bains.

– Orange ? dit Chevie, mais elle vit presque aussitôt que, même si la silhouette ressemblait à celle de l'agent du FBI, ce n'était pas lui.

Riley regarda les yeux morts, cruels, de l'homme qui venait d'entrer.

– Non, non, c'est mon maître. Vous comprenez, maintenant ?

Albert Garrick fit un peu de spectacle pour Chevie, prenant une pose théâtrale, puis il s'inclina profondément.

– Albert Garrick, illusionniste du West End et assassin

sur demande, à votre service, jeune dame. Descendu par la cheminée pour venir me présenter dans les règles.

Tandis qu'il s'inclinait, une goutte de sang de quelqu'un d'autre tomba de son nez et atterrit sur le front de Chevie. Elle fut alors frappée jusqu'au plus profond d'elle-même par une terreur qu'elle avait peine à maîtriser.

– Je comprends, maintenant, dit-elle.

6

VICTORIANA

Londres. Années 1860

Albert Garrick avait été l'apprenti du Grand Lombardi pendant plus de dix ans et le petit Italien était devenu un deuxième père pour l'orphelin. Mais le jeune Albert n'avait jamais oublié son premier père, qui avait tué pour lui, et il lui avait fallu des années pour que les cauchemars de l'époque du choléra dans l'Old Nichol s'estompent et qu'il cesse de s'inquiéter chaque fois qu'il voyait un peu de peau sèche sur son coude ou que ses yeux semblaient enfoncés dans leurs orbites.

Lombardi le faisait travailler dur, mais il n'était pas cruel et ne le frappait jamais, sauf quand il le méritait. Ils avaient voyagé de long en large dans toute l'Angleterre, de théâtre en théâtre, et avaient même pris un jour le ferry de Boulogne pour aller faire la saison d'été au théâtre Italien de Paris où une partie du numéro de Lombardi était intégrée dans une scène de rue d'un opéra de Verdi. Chaque soir, Lombardi pleurait lorsque le rideau tombait et il disait souvent au jeune Albert qu'à ses yeux, se produire dans un opéra de Verdi constituait le couronnement de sa carrière.

«Toute ma vie, j'ai cherché la vraie magie, lui avait-il confié quelques années plus tard, alors que, frappé par la tuberculose, il agonisait sur son lit de mort, dans le logement qu'ils occupaient à Newcastle upon Tyne. Et je l'ai trouvée dans la musique de Verdi. Un Italien. *Dio lo benedica.*»

Lombardi était mort cette nuit-là, obligeant son apprenti à assurer à sa place le spectacle prévu au Journal. La soirée n'avait pas été un succès mémorable, mais bon nombre de colombes avaient survécu, ce qui encouragea le jeune Albert à adopter le nom de Lombardi et à honorer les engagements de son maître.

Garrick hérita ainsi non seulement des contrats du magicien mais également de son assistante. Sabine était la créature la plus belle, la plus exotique qu'Albert eût jamais connue et il avait été amoureux d'elle dès le premier jour où il l'avait vue, bouche bée, émerger indemne du mystérieux coffre égyptien dans lequel Lombardi l'avait sciée en deux.

Garden Hotel. Monmouth Street. Londres. Aujourd'hui

Et à présent, alors qu'il regardait Chevron Savano avec plus d'attention, Garrick ressentait un écho de la passion éprouvée dans sa jeunesse.

«Elle ressemble à Sabine», pensa-t-il en contemplant la jeune femme.

Il prit le menton de Chevie dans sa main et lui inclina la tête en arrière. «C'est troublant, cette ressemblance.»

Mais une autre partie de son cerveau lui disait : « En fait, elles n'ont que de très vagues points communs, rien de plus. » Garrick n'en était pas moins ébranlé. Sa volonté de percer le cœur de cette fille s'était évaporée comme la brume du matin.

« Qu'est-ce qu'il m'arrive ? »

Garrick s'inclina à nouveau devant Chevie.

– Vous demande pardon, Miss Savano, j'ai besoin d'un instant pour reprendre mes esprits.

Garrick sortit de la salle de bains et se dirigea à grands pas vers la kitchenette où se trouvait ce qui ressemblait à un petit réfrigérateur de style américain. Il ouvrit la porte et, au lieu de nourriture et de boissons fraîches, il vit l'agent Waldo Gunn assis derrière une vitre à l'épreuve des balles.

Garrick savait grâce à la mémoire d'Orange que ce faux réfrigérateur était un abri prévu en cas de panique et qu'il était aussi bien protégé que le bunker du président, sous la Maison-Blanche.

Derrière sa vitre, Waldo frissonnait comme s'il s'était trouvé dans un véritable réfrigérateur. Les doigts tremblants, il composait un numéro sur son téléphone.

– Ce refuge ne fait pas partie du système de sécurité, n'est-ce pas, Waldo ? dit Garrick. C'est vous qui l'avez fait installer pour plus de sûreté.

Garrick claqua la porte avec une telle force que le loquet cassa et que la porte se rouvrit sous le choc. Le fait que Waldo ait pu se protéger rendait plus urgente la fuite de Garrick. Le FBI serait informé de son existence et bientôt, il aurait... quelle était l'expression, déjà ? Les flics au derrière. Ce siècle devenait dangereux. Il était temps de revenir à la maison.

« Fini de jouer les fleurs bleues ! se dit-il. Retourne là-dedans, mon vieux. Et tue-la. Elle est faible et sans défense. Un petit coup de lame en travers de la gorge fera largement l'affaire. Le bruit sera désagréable, mais c'est comme ça – trop tard pour te laisser arrêter par tes scrupules. »

Garrick se figea sur place.

« Mes scrupules ? Mais je n'ai aucun scrupule. »

Et dans un éclair de compréhension, l'explication lui apparut.

« Ce sont les scrupules de Smart. Il aimait beaucoup cette petite Savano et son affection pour elle déborde dans mes neurones en renforçant la fausse identification à Sabine. Cette fille n'est pas plus la réincarnation de Sabine que celle de Sa Majesté la reine Vic. Je vais la tuer et ce sera un bon débarras. »

Garrick alla se servir dans l'arsenal laissé par les hommes du FBI, prenant au passage le cran d'arrêt de Duff qu'il avait fait sauter sans difficulté de la main de l'agent.

« Très agréable, pensa Garrick. Le niveau moyen des armes a vraiment augmenté. Tuer aujourd'hui sera nettement plus simple. »

Cette idée l'égaya considérablement et il retourna dans la salle de bains pour accomplir sa sinistre besogne.

Chevie avait un pied coincé sous le menton de l'agent Duff, toujours inconscient. Elle essayait de le hisser vers elle lorsque la silhouette de Garrick apparut dans l'encadrement de la porte.

– Très ingénieux, agente. Peut-être a-t-il un quelconque couteau sur lui ? On ne sait jamais, hein ?

Chevie jeta un regard belliqueux à l'assassin.

– Vous les avez tous tués, n'est-ce pas? Smart, l'équipe HAZMAT et les hommes qui étaient ici?

Garrick fit tourner la lame entre ses doigts.

– Pas tous, dit-il en désignant Duff d'un mouvement de tête. Pas encore.

Chevie enleva son pied, espérant que Duff, au moins, serait épargné.

– Riley avait raison à votre sujet.

– Ah? dit Garrick, se préparant à écouter ce que cette fille avait à dire avant de la faire taire à jamais. Et qu'a donc raconté mon incontrôlable assistant?

– Il a dit que nous ne pourrions jamais vous arrêter. Que vous seriez capable de traverser le ciel et l'enfer pour le retrouver.

Garrick ébouriffa les cheveux de Riley et le garçon se força à ne pas pencher la tête pour éviter son contact.

– Plutôt le temps et l'espace, pour être précis, répondit Garrick. Et j'ai ramassé quelques petites choses utiles au cours de mon voyage.

En prononçant ces mots, il s'agenouilla et plaça la pointe du cran d'arrêt sur la poitrine de Duff.

– Mais une des leçons que j'avais déjà apprises avant cette excursion, c'est de ne jamais laisser de témoins derrière moi. Sauf si j'ai envie de me balancer au bout d'une corde pour avoir été trop gentil.

– Laissez-moi m'en occuper, maître, lança Riley. Pour réparer mes bourdes et tous les ennuis que vous avez eus à cause de moi.

Garrick se montra touché mais méfiant.

– Tu veux te faire la main? Tout de suite?

– Il n'y a pas d'autre chemin que le vôtre, dit Riley. Je le vois bien, maintenant. Le moment est venu pour moi de suivre ma destinée. De soutenir le cheval gagnant.

Garrick se tapota le menton avec la lame puis il se pencha pour trancher les liens de Riley.

– Je n'aurai pas la patience de supporter les fredaines ou les hésitations, Riley. Frappe vite et essaye de te faire une place dans mes petits papiers. Sinon, je te traiterai comme un ennemi.

Riley prit le couteau qu'il lui tendait.

– Je vous suis reconnaissant de me donner ma chance, maître. Vous pouvez compter sur moi.

Chevie pouvait simplement espérer que Riley jouait la comédie, car s'il était vraiment prêt à tout pour rester vivant, il les tuerait sans doute tous les deux, Duff et elle. En tout cas, il fallait qu'elle paraisse scandalisée.

– Ne fais pas ça, petit, le prévint-elle. Si tu descends un flic du FBI, tu ne pourras plus te cacher nulle part.

Garrick eut un sourire rusé.

– Oh mais si, il y a un endroit, chère agente. Ou plutôt un *temps*.

Riley tenait le couteau dans son poing et il fut si rapide que même Garrick haussa les sourcils. Le garçon fit tournoyer le couteau sur lui-même, puis il enfonça la lame entre la troisième et la quatrième côte de Duff, juste au-dessus du cœur. Une tache de sang en forme de fleur de coquelicot s'étala à l'endroit de la blessure et imprégna très vite le tissu propre et frais de la chemise que portait l'agent du FBI.

– Et voilà, dit Riley, la voix légèrement tremblante. C'est fait. Et ce n'était pas si difficile. Est-ce que j'expédie l'autre aussi ? En poussière, comme vous le répétez toujours, maître.

– Assassin ! s'écria Chevie en essayant de donner à Riley un coup de pied que Garrick détourna du plat de la main.

– Bien joué, mon garçon. Tu l'as joliment percé. La lame est entrée comme un tison brûlant dans la neige.

– Et la fille, maître ?

– Non, dit Garrick en reprenant le cran d'arrêt. Bien que chaque coup porté te lie à moi par le sang, je dois m'occuper d'elle moi-même.

Garrick prit le menton de Chevie entre ses doigts. Elle eut l'impression d'avoir des pinces d'acier autour de la mâchoire. Il lui rejeta la tête en arrière, ôta avec précaution la Clé temporelle accrochée à son cou et appuya la lame contre sa gorge.

Chevie grimaça tandis qu'elle revoyait toute sa vie défiler devant ses yeux, comme il était dit dans les films.

Elle revit le visage de son institutrice, doux et inquiet, alors qu'elle sauvait son élève des griffes d'un buisson de ronces sur un sentier du canyon de Topanga. Elle revit la moto de son père accélérer dans un virage de la Pacific Coast Highway et, cette fois, elle savait qu'il ne reviendrait jamais, que son réservoir d'essence exploserait quand il traverserait Venice Beach. Elle revit son amie Nikki surfer sur une grosse vague de la plage de Cross Creek, les mains tendues vers le ciel comme si elle essayait d'attraper un nuage.

Les images s'effacèrent et Chevie fut surprise de découvrir qu'elle était toujours vivante. Garrick se pencha sur elle, l'échine courbée, une grimace flottant aux coins de ses lèvres. Un homme en lutte contre ses démons.

« C'est toi qui dois emporter la décision, Albert Garrick, pensa-t-il. Ton esprit t'appartient. »

Chevie avait peur de respirer. Le plus petit mouvement presserait la peau tendre de sa gorge contre la lame tranchante comme un rasoir.

« Fais-le, se dit Garrick. Coupe dans le vif. Qu'elle retourne en poussière. »

Riley essaya de profiter des hésitations de Garrick.

– Maître, laissez vivre la fille. C'est moi que vous cherchez. Laissez-la et partons.

Garrick se tourna vers le garçon, pointant la lame vers son œil.

– Tu as mis dans le mille, mon garçon. C'est toi que je voulais et tu as prouvé que tu en étais digne. Maintenant, rends-toi utile et va voir dans la pièce à côté si un de ces *gentlemen* a encore un peu de vie en lui.

Riley hésita sur le seuil de la porte.

– La voie n'est pas encore libre, maître. Un otage nous serait peut-être utile ?

Garrick sauta sur cette idée qui lui donnait une raison légitime de ne pas tuer la jeune femme.

– Un otage pourrait peut-être nous servir, en effet. Mais j'ai peur que celle-ci ne se rebelle à la première occasion.

– Je réponds d'elle, assura Riley.

– Tu comprends le sens de ce que tu dis ? demanda Garrick. Tu te proposes de payer pour ses crimes ? Sa punition sera la tienne. Et toi-même tu es au bord du gouffre après ta tentative d'évasion, même si tu as tué cet homme. Je ne tolérerai pas la moindre petite trace d'insubordination.

– Je comprends, maître. Peut-être qu'elle peut nous aider.

Garrick ferma un œil et l'autre flamboya.

– Nous ? Vraiment ? Il y a un « nous », maintenant ?

Riley retint son souffle en attendant la réponse de son maître. Il savait que Garrick n'hésiterait pas à tuer Chevie, simplement pour affirmer son autorité, mais quelque chose le retenait.

« J'avais raison, Garrick a changé, remarqua Riley. Sa façon de se tenir, la chair de son corps. Même le son de sa voix paraît différent. »

– Très bien, dit Garrick après un silence éprouvant. On emmène la fille. Mais si elle me trahit… vous en paierez le prix *tous les deux*.

Riley soupira, soulagé que Chevie ait la vie sauve, même s'il était probable qu'elle le tuerait à la première occasion.

Garrick baissa son regard sur elle.

– Pour moi, vous êtes aussi transparente que la vitrine de Fortnum and Mason, jeune fille. En cet instant, vous pensez que, tant que vous êtes vivante, vous avez une chance de vous échapper.

Garrick se pencha tout près de Chevie, suivant de la pointe de sa lame le dessin de ses sourcils.

– Abandonnez tout espoir, murmura-t-il. Car l'espoir vous a abandonnée.

Chevie crut ce qu'il disait et le garçon aussi.

Garrick exultait d'avoir retrouvé Riley. Il avait à nouveau un public qui était même multiplié par deux.

– Le nombre d'entrées a augmenté de cent pour cent, dit-il à Riley, alors qu'ils roulaient en direction de Bedford

Square à l'arrière d'un taxi londonien. Ce doit être un bon spectacle.

Chevie et Riley étaient assis en face de lui, sur les strapontins. Chevie était traumatisée d'avoir dû enjamber la demi-douzaine de cadavres du FBI dans la suite sécurisée.

« Duff était un abruti, songea-t-elle. Mais c'était un abruti humain. »

Jamais elle n'avait vu autant de morts et jamais elle n'aurait imaginé qu'elle puisse être aussi bouleversée dans une situation de combat. Sa seule consolation avait été d'apercevoir Waldo Gunn à l'abri dans son refuge blindé.

« Au moins, Waldo sait que je ne suis pas une criminelle. »

Mais ce mince réconfort ne parvenait pas à dissiper l'état de choc qui paralysait son esprit.

Riley, pour sa part, avait toujours vécu dans le Londres de la reine Victoria, où les meurtres étaient rares mais la vie sans grande valeur. Dans les familles pauvres, de nombreux enfants mouraient à la naissance. S'ils survivaient à ce premier jour, il y avait de grands risques que le choléra, la variole, la scarlatine ou la coqueluche les emportent avant leur cinquième anniversaire. Riley avait vu la grande Faucheuse à l'œuvre tant de fois qu'il n'aurait pu les compter.

« La vie et la mort sont les deux bouts du même voyage, lui avait un jour dit Garrick. Rien à célébrer, rien à pleurer. »

Et Riley songea qu'il faudrait garder l'esprit vif, sinon, Miss Savano et lui risquaient d'arriver au bout de leur propre voyage.

« Un jour je pleurerai peut-être toutes les âmes qu'Albert Garrick a envoyées dans l'au-delà, pensa-t-il. Mais pas aujourd'hui. Aujourd'hui, il faut se battre. »

On était aux premières heures du jour. Les noctambules endurcis et les travailleurs matinaux animaient les rues, serpentant le long de Tottenham Court Road, sous les yeux des policiers qui faisaient leur ronde deux par deux. Des balayeuses récuraient la chaussée avec leurs brosses rotatives hérissées de crins raides, vomissant des traînées d'eau boueuses dans leur sillage, et les employés d'une douzaine de magasins d'électronique allumaient dans les vitrines des centaines d'écrans de télévision et d'ordinateur.

– La température est très agréable, remarqua Garrick en tapotant le couteau dans sa poche poitrine pour que Chevie n'oublie pas qu'il était là, prêt à l'emploi. Nous sommes en quelle saison ?

– En été, répondit-elle d'un air sombre.

Garrick soupira et son visage sembla couler comme du beurre fondu jusqu'à ce qu'il retrouve ses propres traits.

« Une tête de comptable, pensa Chevie. Ou de prof d'histoire-géo. Pas celle d'un assassin impitoyable. »

Garrick donna un petit coup de poing amical sur l'épaule de Riley.

– Ah… l'été à Londres, sans les odeurs de pourriture dans nos narines. Et puis, nous sommes devenus frères d'armes, tous les deux. Que demander de plus ? C'est presque dommage qu'on doive revenir à la maison, hein, mon garçon ?

– Pourquoi voulez-vous revenir ? demanda Chevie.

Garrick tira sur la Clé temporelle accrochée à son cou.

– Malgré les compétences que j'ai pu acquérir, ce monde est nouveau pour moi. Je suis désavantagé, ici, et en plus réduit à l'état de fugitif. Quand je retrouverai mon époque, Londres m'appartiendra. Vous imaginez ce que je pourrais accomplir avec ma connaissance du futur ? Rien que dans le domaine de l'armement, j'aurais le pouvoir de changer le monde.

– Un malade mental qui veut dominer la planète. Comme c'est original.

Riley retint son souffle, prévoyant une punition immédiate pour ce commentaire impudent, mais il vit avec surprise que son maître prenait presque plaisir à cet échange.

Garrick se donna une claque sur la cuisse.

– Chevron, vous êtes rafraîchissante. Vos chances de vous en sortir sont si minces qu'elles n'arriveraient pas à remplir un dé à coudre et pourtant, vous nagez jusqu'au cou dans l'outrecuidance. Je comprends maintenant pourquoi Felix avait le béguin pour vous.

Chevie eut une exclamation de dédain.

– Felix ? Le béguin pour moi ? Vous êtes mal informé.

– Félix et moi, nous étions… *proches* avant qu'il meure, répondit Garrick d'une manière énigmatique. Felix vous aimait sans le savoir vraiment.

– Alors, vous, vous le saviez, mais lui pas ?

Garrick cacha à moitié derrière sa main un sourire suffisant.

– C'est un peu ça.

Le sourire du magicien s'effaça lorsque le taxi tourna le coin de la rue pour s'engager dans Bedford Square et que la maison de Bayley Street apparut. Des rubans de sécurité étaient tendus pour en interdire l'accès et deux agents du FBI en blouson bleu se tenaient à l'entrée, flanqués par des policiers londoniens avec des mitraillettes en travers de la poitrine. De toute évidence, Waldo avait dirigé des équipes d'intervention du FBI vers Bedford Square et fait appel en plus à la police locale.

– On aurait dû y aller à pied, dit Chevie, on serait arrivés plus vite.

Garrick se mordilla les jointures.

– Taisez-vous, jeune fille. Ne me forcez pas à commettre un meurtre simplement pour avoir un moment de silence.

Garrick considéra les policiers lourdement armés.

« Même un expert tel que moi ne peut affronter toute la police à lui seul, conclut-il, surtout quand elle est armée de mitraillettes. Bien que, à en croire l'expérience de Smart, les flics de Londres soient entravés par leur propre règlement. Apparemment, ils n'ont même plus le droit de jeter les vagabonds dans la Tamise. Mais malgré tout, ils n'auraient aucun scrupule à abattre un assassin qui essaierait d'entrer dans cette maison. »

Pendant que Garrick réfléchissait, Riley lança un coup d'œil à Chevie. Elle avait le visage tendu et les muscles contractés tout en s'efforçant de paraître à l'aise et il était manifeste, aux yeux de Riley, qu'elle avait l'intention de tenter sa chance avec Garrick dans cet espace confiné.

« Elle croit que je suis du côté de Garrick, pensa-t-il. Et je ne peux pas lui dire la vérité sans qu'il s'en aperçoive. »

Garrick avait sûrement remarqué l'attitude de Chevie car il pointa l'index sur le garçon.

– Riley, dis à ta nouvelle amie de revoir sa stratégie. Si

elle se montre agressive, je vais l'éventrer avant qu'elle ait pu détacher sa ceinture de sécurité et je percerai le chauffeur en prime.

Heureusement, l'homme qui conduisait le taxi était séparé d'eux par une cloison en plexiglas et n'entendit pas que sa vie était devenue un élément de marchandage.

– On y est, l'ami, dit le chauffeur en faisant coulisser un petit panneau pour leur parler. Bayley Street. Vous verrez peut-être quelques célébrités dans le coin. La maison à l'angle de la rue a été vendue quarante millions de livres le mois dernier. La crise, on connaît pas, dans cette baraque, vous pouvez me croire.

Garrick leva les yeux au ciel.

– Apparemment, les chauffeurs de taxi sont aussi bavards que les cochers de fiacre.

Il frappa contre la cloison de plexiglas.

– J'ai une nouvelle destination, chauffeur. Emmenez-nous au Wolseley. Un *ami* m'a parlé de ce café et comme on a très faim, ça devrait être un bon endroit pour nous. Passez par Piccadilly, s'il vous plaît, je ne veux pas prendre le chemin des touristes.

– Pas de problème, répondit le chauffeur. Je connais cette ville mieux que ma femme ne connaît le contenu de mon portefeuille. Et je me ferais tuer plutôt que de vous arnaquer.

Garrick se cacha le visage lorsqu'ils passèrent devant les policiers en armes.

– Il ne croit pas si bien dire, ajouta-t-il.

Lorsque le taxi s'arrêta devant le Wolseley, le restaurant était déjà ouvert pour le petit déjeuner. Garrick choisit un box près de la vitrine et examina le menu en poussant des roucoulements de plaisir qui attirèrent l'attention des autres clients.

– Qu'en dis-tu, fils ? Harengs fumés ou curry de haddock ? Et pourquoi pas les deux ? Après tout, c'est la fête, non ?

Chevie, bloquée par la table, était assise entre la vitre et l'apprenti du magicien.

« Il faut que je fasse quelque chose, pensa-t-elle. La dernière instruction que m'a donnée Orange était de conserver la Clé temporelle. Je ne vais pas encore rater une mission. Je dois récupérer cette clé. Et je ne peux pas compter sur Riley pour m'aider. »

Toute trace de Smart avait disparu, à présent. La personne qui était assise en face d'elle était un véritable magicien venu du passé et, comme pour le prouver, il essayait de charmer la serveuse, faisant apparaître une salière derrière l'oreille de la jeune femme ou la MasterCard Platinum de Felix Smart derrière la sienne.

– Je crois que c'est ça qui sert d'argent, ces temps-ci, dit-il, avec un accent qui semblait venir d'un vieux film de Sherlock Holmes en noir et blanc. Ajoutez donc dix pour cent pour vous, chère demoiselle, jolie comme vous l'êtes.

La serveuse était habituée aux gros pourboires.

– Je crois être suffisamment jolie pour mériter vingt pour cent, répliqua-t-elle sans même se donner la peine de sourire.

Garrick fit un geste magnanime de la main.

– Pourquoi pas trente, dit-il. Nous autres, les Smart, nous sommes généreux.

La serveuse prit un stylo accroché à la ceinture de son tablier et nota la commande. Le magicien choisit trois sortes d'œufs : pochés, sur le plat et brouillés. Un curry de haddock et des harengs fumés. Des toasts, des petits pains et des pancakes américains au sirop. Des saucisses, du lard et des galettes de pomme de terre. Des flocons d'avoine et du muesli. Jus d'orange et de pamplemousse, ainsi qu'un grand pot de café. Riley préféra un chocolat chaud et un petit déjeuner complet à l'anglaise, tandis que Chevie demandait un simple verre d'eau.

« Apparemment, ça donne faim de tuer », pensa-t-elle.

– Vous ne mangez pas, agente ? s'étonna Garrick.

Chevie eut un sourire crispé.

– Je ne me sens pas très bien. À cause de tous ces cadavres, sans doute.

Garrick lança un clin d'œil à Riley.

– On s'y habitue. Regardez mon partenaire, qui n'est plus un apprenti, il va dévorer son lard frit comme si le bourreau l'attendait dehors.

– C'est peut-être le cas, répondit Chevie. Ça arrive quand on tue tout le monde sur son passage.

– Je ne vous ai pas encore tuée, Miss Savano. Peut-être après le petit déjeuner, qui sait ?

Riley avait gardé le silence pendant cet échange. Il aurait simplement voulu dormir et peut-être rêver d'une plage et du garçon aux cheveux roux.

« Méfie-toi du ressac, ça t'emporte les jambes. »

Le garçon avait-il vraiment dit cela ou était-ce son esprit qui lui avait inventé un passé ? Riley secoua la tête pour en déloger le brouillard habituel qui s'installait dans son cerveau lorsqu'il se trouvait en compagnie de Garrick. En général, il laissait ses pensées vagabonder, mais aujourd'hui, c'était différent. La vie de Chevie autant que la sienne étaient en jeu.

Riley n'avait pas la moindre envie de manger les choses frites qu'on allait lui apporter, mais son corps était affamé et Garrick répétait toujours : « Mange mon garçon. Ton prochain repas sera sans doute le dernier. »

– Vous devriez manger, Chevie.

La main de Garrick jaillit au-dessus de la table et claqua l'oreille de Riley.

– Chevie ? Pour qui tu te prends, fils ? Le prince de Galles ? On doit s'adresser aux dames en respectant leur titre. Tu dois dire « agente Savano » ou « miss ».

Chevie ne fut guère impressionnée.

– Wouaoh, des bonnes manières. La classe. Je croyais que vous étiez un fou assassin, mais maintenant, vous m'avez conquise.

Garrick soupira, lassé des répliques de la jeune femme.

– Ce mélodrame constant est fatigant. Je ne peux donc rien faire pour vous convaincre d'être simplement polie, au moins quand nous sommes à table ?

Principe élémentaire de psychologie : laisser le sujet parler de lui. Tout élément d'information ainsi recueilli peut se révéler utile plus tard, s'il y a un plus tard.

– Et si vous m'expliquiez qui vous êtes, exactement ?

Garrick étudia sérieusement la question. Raconter les détails de sa transformation paraissait tentant mais, une fois encore, trop en dire donnait trop de pouvoir, aussi valait-il mieux esquisser la situation à grands traits.

– Je sais que Felix partageait avec vous les informations de base. Les trous de ver pour voyager dans le temps et tout ça. Lorsque Felix et moi avons parcouru ensemble le tunnel temporel, nous avons fusionné. C'est toujours moi qui tiens la barre, mais Felix est devenu une part de moi-même.

– Vous l'avez tué ?

– En grande partie. Et c'était de la légitime défense. Il a fait exploser une bombe.

– Alors, vous pouvez faire des choses avec ce qu'il reste de Felix. Des illusions ?

– Ah, oui, bien sûr. Un tour, si vous voulez. Les dames adorent les tours de magie. Pensez à une carte.

Chevie leva les yeux au ciel.

– Non, pas ça, je vous en prie.

– Mais si, mademoiselle, je suis sérieux. Représentez-vous une carte. Ou plutôt *visualisez-la,* comme vous dites, vous, les Américains.

Chevie ne put s'en empêcher. La reine de cœur surgit dans son esprit. C'était le nom du bar préféré de son père sur la Pacific Coast Highway.

Garrick claqua des doigts.

– Ça y est, j'ai trouvé. Vous pensiez à l'as de pique. Cette carte annonce une mort imminente et douloureuse.

– Non, je ne pensais pas à celle-là, protesta Chevie.

Garrick fit tourner son couteau à beurre dans sa main.

– Eh bien, maintenant, vous y pensez, dit-il.

C'était un dialogue digne d'un magazine policier à bon marché, Garrick le savait, mais il avait grandi sur la scène et il avait le mélodrame dans le sang.

*

Leur commande arriva et Garrick attaqua son petit déjeuner avec un plaisir manifeste. Il riait en mangeant, prenant des morceaux dans différentes assiettes – il trempait des saucisses dans le sirop et versait du chocolat chaud sur les galettes de pomme de terre. On aurait dit un enfant à un goûter d'anniversaire.

– Tout est propre, pas la moindre saleté, déclara-t-il. Les odeurs sont toutes très agréables et ce qui doit être chaud l'est vraiment.

Chevie observa le magicien avec attention, se représentant mentalement chaque détail de son visage, chaque particularité physique afin de tout inscrire dans sa mémoire.

« Âge moyen. La quarantaine, sans doute, difficile à dire. Teint pâle. Les dents semblent un peu longues. Jaunies. Yeux sombres. Bleus, peut-être, bien enfoncés dans leurs orbites. Front proéminent. Cheveux très bruns commençant à grisonner. Longs et lisses. Corps mince mais noueux. Rien de très menaçant dans son apparence. Ce type n'obtiendrait jamais un rôle de méchant victorien, même dans un film sur lui. »

« Ma chance viendra sûrement », pensa Chevie, mais chaque fois qu'elle était sur le point de se jeter sur le magicien, il devinait l'intention sur son visage. C'était presque comme si Garrick arrivait à lire dans ses pensées.

– Vous vous demandez si j'arrive à lire dans vos pensées, dit-il soudain en pointant vers elle un morceau de saucisse. J'avoue que non, mais j'ai une certaine expertise dans la science des mouvements, ce que vous pourriez appeler la kinésique ou le langage du corps. Vos intentions violentes m'apparaissent aussi clairement que la manchette du *Times*.

Chevie le fusilla du regard.

– Ah oui ? Et que vous dit mon visage, en ce moment ?

– Le FBI emploie souvent l'expression « dommage collatéral acceptable », poursuivit Garrick d'une voix calme. Si nous engagions le combat ici, je puis vous garantir qu'il y aurait au moins une demi-douzaine de morts dans le public. Le nombre pourrait même atteindre huit ou dix, si vraiment vous vous montriez récalcitrante. Felix m'assure que vous avez une certaine compétence en matière d'arts martiaux, mais vous n'avez pas d'arme et je porte sur moi trois pistolets et un couteau. Croyez-vous que le FBI vous récompenserait si vous me provoquiez dans un restaurant ?

Garrick avait raison et Chevie le savait. Elle ne pouvait se permettre de l'attaquer dans un endroit où il y avait autant de monde.

À nouveau, Garrick déchiffra le visage de Chevie.

– Vous avez pris la bonne décision, agente Savano. Tous ces gens autour de nous sont réels. Ils ont une famille, des êtres chers.

Garrick tressaillit comme si on l'avait frappé. Ses propres paroles l'avaient brusquement relié à la mémoire de Smart.

– Des êtres chers, répéta-t-il, sortant la Clé temporelle de sous sa chemise. Felix savait que son père avait une compagne quelque part à Londres depuis la mort de sa mère. Charles Smart n'avait jamais révélé son nom et Felix supposait qu'après la disparition de son père dans le passé, tout était fini. Mais j'ai espionné bien des cibles qui languissaient d'amour pour quelqu'un et la passion peut conduire un homme à presque toutes les extrémités.

Garrick s'interrompit, retournant la Clé temporelle entre ses doigts agiles.

– Son père a construit une deuxième capsule à Londres, mais Felix n'a jamais pu la retrouver. Aussi, en tant qu'observateur des faiblesses et des défaillances humaines, je me dis : quelle meilleure raison pour construire une capsule de secours que de vouloir revenir subrepticement en ce siècle afin d'y retrouver une ancienne passion ?

Garrick activa le petit écran de la clé et fit défiler les menus jusqu'à ce qu'il arrive à un journal de voyage.

– Nous avons ici plusieurs petits sauts, à partir de Bedford Square, comme on peut s'en douter, le dernier datant du début des années 1980. Ça devrait s'arrêter là, mais non, j'ai aussi d'autres coordonnées. Plus d'une douzaine d'excursions aller-retour pour le même endroit. Smart, vieux coquin éperdu d'amour. Quelle que soit cette femme, tu ne pouvais pas t'en passer.

Garrick glissa la Clé temporelle à l'intérieur de sa chemise.

– Riley, mon fils. Nous avons trouvé le chemin du retour.

Le garçon resta silencieux mais son regard parlait pour lui : « Je ne suis pas ton fils. »

Il était étonnant que le magicien n'ait pas réussi à déchiffrer cela.

Garrick utilisa le GPS du portable de Smart pour se rendre à l'endroit correspondant aux coordonnées de la

Clé temporelle. Les souvenirs de Felix Smart jouaient un rôle de guide vivant. Chaque fois que Garrick arrivait à un nouvel écran, il se concentrait un moment jusqu'à ce que les détails géographiques lui viennent en tête.

Ils s'éloignèrent du Wolseley côte à côte, telle une famille en promenade, passèrent devant le Ritz et continuèrent dans Piccadilly. Garrick aimait sentir le soleil du matin sur sa peau, tandis que Chevie, tendue, avançait à grands pas raides et que Riley marchait d'un air hébété, comme s'il était épuisé. En fait, il surjouait sa fatigue pour que Garrick ne l'oblige pas à lui faire la conversation et qu'il puisse se réserver un moment de réflexion.

« J'aimerais bien trouver un moyen de faire un signe à l'agente Savano, songeait-il. Nous ne pourrons nous échapper qu'en pagayant dans le même sens. »

Il essaya de croiser le regard de Chevie, mais elle était perdue dans ses propres pensées.

« À l'heure qu'il est, un avis de recherche a sûrement été lancé contre Garrick, se disait-elle. Peut-être que quelqu'un va le reconnaître. »

C'était peu probable car Garrick ne ressemblait plus à l'agent Orange. Les deux seules personnes qui connaissaient son vrai signalement étaient en train de marcher en sa compagnie et Riley semblait décidé à rester définitivement de son côté. Elle ne lui en aurait pas voulu d'avoir fait ce choix, s'il n'avait pas assassiné son collègue.

Le centre-ville s'animait à mesure que les commerçants ouvraient leurs boutiques. En dépit de la zone à péage qui était censée réduire le nombre de voitures, les rues se remplirent bientôt de véhicules divers, collés pare-chocs contre pare-chocs. La journée s'annonçait agréable, avec un ciel d'argent bien dégagé qui tournerait bientôt au bleu et une brise énergique qui aurait vivifié le plus fourbu des voyageurs temporels. Le trio improbable traversa Mayfair d'un pas tranquille, Chevie espérant contre tout espoir que les hommes du FBI les avaient suivis et qu'un tireur d'élite pointait son viseur sur le crâne de Garrick pendant qu'ils marchaient.

« On peut toujours rêver. Mais même si quelqu'un tire sur cette créature, il n'est pas sûr que ça lui fasse du mal. Ça le mettra en colère, c'est tout. Qui sait de quoi ce type est capable ? »

Chevie se persuada de ne pas abandonner. L'une des maximes de Cord Vallicose était qu'il existe toujours une occasion qui attend d'être saisie. Un agent devait se tenir prêt lorsqu'elle se présentait.

« Il faut tout faire pour éviter un voyage dans le passé, pensa-t-elle. Je refuse de revenir en arrière. »

Mais l'inconscient de Chevie savait, même si son esprit conscient l'ignorait encore, qu'elle était prête à sauter, bondir, plonger tête la première dans le passé en sifflant l'hymne national américain si cela pouvait l'éloigner du magicien fou.

Ils arrivèrent à l'endroit dont les coordonnées étaient programmées dans la Clé temporelle sans qu'aucun tireur d'élite ne se manifeste et sans qu'aucun incident ne se produise. Garrick tenait étroitement ses deux otages par la nuque, ses ongles longs s'enfonçant dans le col de leurs vêtements.

– Savez-vous, agente Savano, dit-il sur le ton de la

conversation, que je pourrais vous tuer à l'instant même avec n'importe lequel de ces doigts ?

Pour illustrer son propos, il remua chacun d'eux, l'un après l'autre, pianotant sur la peau de Chevie de manière à lui donner la chair de poule.

– L'un des secrets de mon métier, c'est que depuis dix ans je passe sur mes ongles de la laque à bois. Ils sont devenus durs comme l'acier et plus tranchants qu'un coupe-chou de barbier. Je peux ouvrir n'importe quel paquet avec l'ongle de mon pouce et en explorer le contenu derrière mon dos pour mon célèbre numéro de double vue. Je n'ai jamais révélé cela à quiconque, mais il y a quelque chose en vous qui pousse à se confier.

Chevie n'apprécia guère que le magicien lui dévoile un de ses secrets, cela lui donnait l'impression qu'elle n'en avait peut-être plus pour très longtemps à vivre.

Riley observa la rue sur toute sa longueur.

– Nous y sommes, maître ? C'est ici, le chemin du retour ?

Ils étaient arrivés dans Half Moon Street qui ressemblait exactement à l'image que le cinéma se faisait d'une rue de Mayfair en été, avec ses deux rangées de ravissantes maisons anciennes à quatre étages reconverties en petits commerces et agrémentées de quelques cafés et pubs. À cette heure de la matinée, la rue était encore calme et le trottoir recouvert d'une barricade de cartons et de déchets qui attendaient d'être ramassés par le camion des éboueurs. Une vieille dame chaussée de bottes Wellington nettoyait avec un jet d'eau les détritus accumulés au cours de la nuit devant l'entrée d'une boutique d'antiquaire.

– Où faudrait-il aller pour trouver les plus belles antiquités ? se demanda Garrick à haute voix.

« Dans le passé », songea Chevie et elle eut soudain peur pour la vieille dame.

Elle sentit l'étreinte de Garrick se relâcher légèrement en même temps que ses doigts semblaient diminuer de longueur. Elle leva les yeux et vit qu'il s'était voûté. Il fut parcouru de spasmes comme s'il était secoué d'un accès de toux silencieux. À chaque soubresaut, son apparence physique se modifiait jusqu'à ce qu'il ressemble une nouvelle fois à Felix Smart.

« C'était là que j'avais une chance, réalisa Chevie, et je suis restée à le regarder bouche bée. »

Les doigts de Garrick se resserrèrent à nouveau sur son cou.

– Vous auriez dû tenter quelque chose, agente, dit-il, le visage moite de transpiration. Ces métamorphoses fatiguent leur bonhomme, croyez-moi. Excusez-moi, lança-t-il à la vieille dame. Vous pourriez peut-être m'aider ?

La dame poursuivit sa tâche sans lever les yeux.

– Je pourrai vous aider à neuf heures. C'est l'heure d'ouverture de la boutique. La plupart des objets que je vends sont très vieux, alors, vous attendrez bien une demi-heure de plus.

Garrick montra la vitrine.

– Je vois que vous êtes spécialisée dans le style victorien.

La dame relâcha la poignée de son pistolet d'arrosage et tourna la tête pour considérer Garrick.

– Oui et je serai toujours spécialisée dans le style victorien à neuf heures.

Elle avait sans doute d'autres sarcasmes typiquement britanniques en réserve, mais elle changea de ton lorsqu'elle reconnut le visage d'adoption de Garrick.

– Attendez... Est-ce que... ?

Son regard se perdit comme si elle essayait de retrouver un souvenir qui lui échappait.

– Votre visage. Il me semble le connaître.

Le sourire de Garrick parut des plus authentiques.

– On dit que je ressemble à mon père.

La dame laissa tomber le tuyau d'arrosage.

– Oh... Oh, mon Dieu, Felix ? Vous êtes Felix, n'est-ce pas ?

– Oui, je suis Felix, répondit Garrick, d'un ton qui donnait l'impression qu'il était le nouveau messie.

– Oh, est-ce possible ? Bonté divine. Felix.

Le visage de la vieille dame s'était transformé du tout au tout. La commerçante caustique avait disparu, remplacée par une femme aux yeux écarquillés, visiblement bouleversée.

– Votre père m'avait dit que vous me retrouveriez peut-être un jour.

Garrick posa une main sur son épaule.

– Et me voilà.

– Oui, vous voilà. Clair comme le jour.

Un peu inquiète, elle prit une profonde inspiration.

– Vous avez peut-être faim ? Vous devez avoir soif ? Et vos jeunes amis ? Eux aussi ont sans doute faim et soif.

Garrick haussa les épaules, comme pour dire : « Nous avons terriblement faim et soif, mais je suis trop poli pour y faire allusion. »

– Entrez donc. Entrez, s'il vous plaît.

La dame alla pêcher dans son corsage une clé accrochée à une chaîne et l'enfonça dans la serrure de la porte d'entrée du magasin.

– Mais madame, dit Garrick avec un sourire, il n'est pas encore neuf heures.

La vieille dame savait très bien qu'il la taquinait.

– Avec vous, les Smart, tout est toujours une question de temps.

Elle tendit une main gantée.

– Je suis Victoria. La... l'amie de votre père.

Pendant un instant, le regard de Garrick flamboya dans les yeux de Felix Smart.

– Je pense que nous sommes venus au bon endroit, dit-il en se penchant pour embrasser la joue de Victoria.

Non seulement la dame se prénommait Victoria mais sa boutique s'appelait Victoriana. Lorsqu'elle les entraîna à l'intérieur du magasin, Riley en eut le souffle coupé. C'était comme s'il était revenu à son époque, mais sans l'habituelle pestilence que dégageaient les animaux, les égouts et la mort proche et qu'il n'avait aucun désir de retrouver, en dépit de sa situation présente.

« J'ai toujours vécu à l'ombre de la mort », pensa-t-il, en sentant son cœur battre comme le piston d'une machine à vapeur lorsqu'il regarda à la dérobée une paire de chenets presque identiques à ceux qui ornaient leur propre cheminée, à Holborn, là où il habitait avec Garrick.

« Et c'est ici, quelque part, que se trouve la porte qui permet de revenir en arrière. »

À la différence de son maître, Riley n'était pas pressé de retourner au XIXe siècle, dans le Grand Four de Londres. Il avait connu bien des merveilles au cours de la nuit et aussi la liberté, même si elle avait été éphémère, et il y avait pris goût.

«Je pourrais vivre ici, dans cet avenir prodigieux, si seulement Garrick me libérait.»

Mais Riley savait que si son maître le libérait, ce serait d'une seule et unique façon.

La vieille dame leur fit traverser une salle d'exposition baignée de la lueur douce et de la tiédeur ambrée du soleil qui éclairait le bois ancien. Sa petite boutique se présentait comme un salon victorien dont tous les meubles étaient à vendre. De discrètes étiquettes étaient fixées sur chacun d'eux, mais sans aucun chiffre. Si on demandait le prix d'un objet, c'est qu'on l'avait déjà à moitié acheté.

Ce que Chevie savait en matière d'antiquités aurait tenu sur le dos d'une carte postale. La chose la plus ancienne qu'elle eût jamais possédée était une planche de surf des années 1970 qui avait un jour appartenu au champion du monde PT Townend, mais elle se rendait quand même compte que les meubles exposés ici coûtaient très cher. Toutes ces pièces étaient imprégnées d'histoire et notamment un secrétaire qu'il était impossible de regarder sans se demander qui avait bien pu autrefois écrire sur son abattant.

– Quel merveilleux magasin, dit Garrick, tout en charme et en grâce. Ces meubles sont dans un remarquable état de conservation.

Il caressa le coussin de cuir d'un fauteuil à dossier inclinable, au dessin moins contourné que les autres.

– Dites-moi, Victoria, s'agit-il d'un William Morris ?

La vieille dame revint vers le fauteuil, prit le coussin et le serra contre elle comme s'il s'agissait d'un bébé.

– Oui, un des tout premiers. C'est la dernière chose que votre père m'ait envoyée.

– Il paraît vieux, fit remarquer Garrick en passant les doigts sur le grain du cuir. Pourtant, il devrait être presque neuf, non ?

Victoria remit le coussin en place.

– Ah, voyez-vous, c'est là que réside le génie de votre père. Le surcroît d'énergie nécessaire pour transporter ce fauteuil du XIXe siècle à nos jours serait énorme. Alors, Charles a simplement acheté à Greenwich un champ dont il savait qu'il resterait toujours couvert d'herbe et il y enterre des meubles qui traversent le temps. Quand il vient me voir, il m'apporte une petite étiquette avec un plan pour retrouver la cachette. C'est sa version du champagne et des roses.

Elle donna une pichenette à l'étiquette attachée au fauteuil.

– Comme vous le voyez, je conserve les étiquettes. Tout ce qui peut m'aider à tenir jusqu'à sa prochaine visite.

– Il y a vraiment quelque chose de très particulier entre vous, dit Garrick et Chevie, qui avait l'oreille entraînée, trouva que l'assassin paraissait sincère, et même ému.

Victoria caressa son visage, les doigts contre sa barbe naissante et râpeuse.

– En effet, et la prochaine fois qu'il viendra je repartirai avec lui définitivement. Je prends des biphosphonates depuis six mois, maintenant. Nous allons nous marier.

Les yeux de Victoria brillaient d'excitation, mais c'était une femme délicate et elle comprit combien cette nouvelle pouvait mettre mal à l'aise le fils de son bien-aimé.

– Je sais que ce n'est pas facile pour vous, Felix, d'apprendre les choses de cette manière. Mais votre père se sentait si seul. Vous lui manquiez. Il vous regardait de loin, mais il aurait été trop dangereux d'établir un contact. Charles disait que si vous me trouviez un jour, cela signifierait peut-être que vous étiez prêt à comprendre les raisons de son départ. Il espérait que ce serait le cas.

Victoria franchit une porte à l'arrière du magasin et ils la suivirent dans un appartement sans cloison, avec un living-room et une cuisine minimaliste ultramoderne. La vieille dame remplit la bouilloire pour le thé et les fit asseoir à une longue table baignée par les rayons du soleil qui zébraient la pièce à travers les lamelles des stores. Des photos de Charles Smart en compagnie de Victoria s'alignaient sur les murs. Apparemment, ils s'étaient bien amusés à Londres pendant un bon nombre d'années.

Chevie repéra les issues de l'appartement et en conclut que le meilleur moyen d'en sortir était de repasser par le même chemin, si toutefois Garrick n'avait pas l'idée de se placer entre elle et la porte. Tout au fond se trouvait une autre porte qui ne semblait plus utilisée, car elle était obstruée par une pile de boîtes à thé anciennes. La dégager ferait perdre de précieuses secondes. À côté des boîtes, on voyait pointer l'extrémité d'une rampe, sans doute celle d'un escalier qui descendait au sous-sol. Il était probable qu'à la cave, des fenêtres ou des soupiraux donnaient sur la rue, mais Chevie n'était guère tentée par l'idée de se précipiter dans ce qui pouvait facilement se révéler un cul-de-sac.

Victoria s'assit à un bout de la table et s'efforça de cacher ses émotions. Chevie devina qu'elle devait avoir dans les soixante-dix ans – c'était une petite femme mince, au physique qu'on remarquait aussitôt, avec des traits fins comme de la porcelaine et des yeux si verts, si grands, qu'ils avaient quelque chose de félin. Ses cheveux étaient bruns, parsemés de quelques mèches blondes ou grisonnantes et elle portait une robe à bustier d'un autre âge qui n'aurait pas été déplacé dans un téléfilm historique de la BBC.

– Alors, dites-moi, commença-t-elle. Sommes-nous tous dans le secret ? Le secret temporel ?

Garrick devenait anxieux. Il jetait des regards autour de la pièce et son front était moite. Riley ne comprenait pas pourquoi. Il n'y avait pas de danger, ici. Si Garrick s'était trouvé dans un endroit rempli de Tartares armés, il les aurait affrontés sans que la moindre goutte de sueur ne coule le long de son nez crochu. Et voilà qu'à présent, la compagnie d'une vieille dame le plongeait soudain dans un état d'agitation. Que se passait-il ?

Garrick répondit au nom des autres :

– Oui, oui, nous sommes tous au courant de ce que Charles Smart… enfin, des expériences et découvertes de mon père. Nous avons des raisons de croire qu'il court un grave danger et nous devons remonter le temps pour lui porter secours. Alors, s'il y a une capsule du WARP, ici, nous en aurons besoin.

Victoria pinça les lèvres.

– Hum… Charles espérait que vous me trouveriez pour

que nous puissions nous connaître mais, d'un autre côté, il avait peur que vous tentiez de découvrir les secrets de la capsule. Il disait que le FBI était une bande de fouineurs et que je devrais rester sur mes gardes.

– Je comprends, dit Garrick, les dents serrées. Mais Charles était mon... père. Je suis son fils et vous n'avez pas besoin d'être sur vos gardes avec moi.

Victoria pointa deux doigts vers lui, comme si elle tenait un revolver.

– Vous avez beau être son fils, Charles affirmait que vous étiez potentiellement le pire de la bande. « Felix s'intéresse davantage aux contrats de l'État qu'à la science », m'a-t-il dit. Vous vouliez toujours aller plus vite avant même que les choses soient prêtes. Votre père m'a tout raconté sur les mutations du trou de ver. Il m'a prévenue que les voyages dans le temps peuvent provoquer des cancers si on ne prend pas de biphosphonates.

Le bras de singe et le sang jaune de Charles Smart revinrent à l'esprit de Chevie. « Les mutations. »

– Mais papa a des ennuis. Nous devons le sauver.

Victoria eut un regard perçant. On ne peut tenir longtemps un commerce au centre de Londres sans disposer d'une sérieuse intelligence.

– Comment savez-vous que Charles a des ennuis ? Il a dit que vous ne pouviez pas le retrouver. Aucune des autres capsules ne mène à l'endroit où il est et vous ne pouvez pas construire un autre engin de ce type. Sans Charles, en tout cas.

Garrick fronça les sourcils et frissonna comme si son corps était soumis à l'attaque d'un virus.

– Et ça, qu'en pensez-vous ? répliqua-t-il en posant

d'un geste brusque un gros pistolet devant lui. Alors, qu'est-ce que vous attendez pour me dire où se trouve cette capsule ?

Victoria tapa sur la table de ses petites mains délicates tandis que la bouilloire sifflait derrière elle.

– Quel genre de fils êtes-vous ? demanda-t-elle d'un ton impérieux. Vous avez brisé le cœur de votre père et maintenant, vous menacez la femme qu'il aime. Espèce de voyou.

Garrick couvrit ses yeux que la lumière gênait.

– Oui, voyou, je le reconnais. Et maintenant, où est la capsule ?

Victoria se leva.

– Jamais, Judas. Vous n'obtiendrez rien de moi.

– Dans ce cas, je vais vous tuer, dit Garrick. Comme j'ai tué Charles, votre bien-aimé.

La vieille dame pâlit, puis recula d'un pas en vacillant sur ses jambes.

– Vous n'êtes pas Felix Smart, lança-t-elle.

– Non, madame, répondit Garrick. C'est vrai. Felix Smart a connu le même sort que son père.

Victoria émit un son semblable au hurlement d'un animal et bondit sur Garrick avec une rapidité surprenante.

– Idiote ! s'exclama Garrick et il lui donna une claque violente sur le côté de la tête.

Le coup leur fit perdre l'équilibre à tous les deux car, à peine la vieille dame s'était-elle effondrée par terre que Garrick lui-même se courbait en deux et tombait en travers de la table.

Chevie saisit sa chance. Elle se retourna sur sa chaise,

l'attrapa par le dossier et l'abattit sur le crâne de l'assassin avec toute l'agressivité et la force qu'elle avait acquises en s'exerçant dans les salles de sport du FBI.

Garrick parvint à lever une main, mais la chaise se fracassa sur son bras et sa tête, le projetant au sol. L'assassin s'écroula et son front glissa contre le parquet en laissant une traînée sanglante.

Chevie ne se relâcha pas une seconde. Garrick était peut-être à terre, mais pas hors de combat, loin de là, et en plus, il fallait faire attention à Riley, son complice, celui qui avait changé de camp et commis un meurtre.

– Ne te mêle pas de ça, petit ! cria-t-elle au garçon qui s'avançait dans sa direction.

– Chevie, vous ne comprenez pas, dit Riley.

Elle n'avait pas le temps de *comprendre* pour l'instant. Dans la situation présente, c'était Garrick qui comptait, il fallait trouver un moyen de le neutraliser. Plus tard, on pourrait consacrer tout le temps qu'on voudrait à la compréhension.

Garrick lui-même renforça la détermination de Chevie lorsqu'il roula sur le dos et lui lança un regard à travers une cascade de sang en s'exclamant d'un ton haletant avec la voix de Smart :

– Chevie. La clé.

– Felix ? C'est vous ?

Il lui tendit la Clé temporelle.

– Prenez-la.

D'un geste du bras, Chevie attrapa la lanière. Elle la passa à son cou, mais avant qu'elle ait eu le temps de s'éloigner, Smart redevint Garrick.

– Non. Elle est à moi, gronda l'assassin.

Il saisit la clé et la tira vers lui. Pour un homme aussi mince, il avait une grande force. Chevie perdit l'équilibre et ne put se retenir de tomber.

Riley la sauva en faisant basculer la table sur son maître. Le garçon, lui aussi, était plus fort qu'il ne le paraissait. Le bord de la table tomba en plein sur le tibia de Garrick, lui fracturant l'os.

– Quoi ? dit Chevie. Tu es de mon côté, maintenant ?

Riley leva la main gauche et Chevie distingua sur son pouce du sang coagulé.

– Depuis toujours, répondit-il et Chevie comprit.

Le garçon était un apprenti magicien. Il avait entaillé sa propre chair, pas celle de Duff, risquant la colère de Garrick pour sauver la vie de l'agent du FBI.

– Faudrait qu'on y aille, agente Savano, dit Riley d'un ton pressant.

– Oui, approuva Chevie.

Elle se massa la gorge, là où la lanière s'était enfoncée dans sa peau, et toussa.

– Ouais. Ce serait une bonne chose d'y aller.

Elle glissa la Clé temporelle à l'intérieur de son chemisier et poussa Riley vers la porte d'entrée du magasin. Des balles de pistolet traversèrent alors le plateau de la table et s'enfoncèrent dans le mur, les forçant à prendre la direction opposée. Garrick n'avait pas abandonné le combat malgré la terrible douleur qu'il devait éprouver.

– On aurait dû le tuer, dit Riley. Tuer le diable ne peut pas être un péché.

Jusqu'à une période très récente, Chevie aurait traité par le mépris ce genre de remarque à cause de son caractère superstitieux et de sa moralité douteuse, mais à présent, elle ne trouvait pas l'idée si mauvaise.

– Plus tard, dit-elle. Plus tard.

Il n'y avait plus d'autre choix maintenant que de prendre l'escalier du fond et ils en étaient tout près lorsqu'une demi-douzaine de balles vinrent se loger dans la rampe en projetant sur eux une pluie de copeaux de bois. Chevie saisit Riley par le col et le poussa derrière un sofa.

Le garçon tomba et, entre les pieds du sofa, il vit que la vieille dame retrouvait ses esprits et se redressait sur ses coudes.

– Victoria est vivante.

– Très bien. Je doute que Garrick gaspille une cartouche pour la tuer alors que c'est nous qui lui brisons les os à coups de meubles.

L'os fracturé était moins douloureux pour Garrick qu'il ne l'aurait été chez une personne normale. Le magicien quantique ordonna à ses terminaisons nerveuses d'atténuer les messages qu'elles transmettaient au cerveau, ce qui diminua un peu la souffrance aiguë provoquée par sa blessure. Il était parfaitement conscient des dégâts que sa jambe avait subis. L'intérieur de son corps était aussi clair pour lui que les photographies au tungstate de calcium prises par les frères Frost pour voir à l'intérieur des souris. Il avait une fracture ouverte du tibia, infligée par son propre assistant. Il essaya de se guérir lui-même, mais le processus était d'une lenteur exaspérante et le vidait de son énergie.

Garrick ressentit cette injustice à la manière d'une soudaine nausée.

– Riley ! s'exclama-t-il. Riley.

Le jeune homme se blottit derrière le sofa comme si le simple fait d'entendre crier son nom pouvait lui faire mal.

– Il faut qu'on s'en aille, murmura-t-il à l'oreille de Chevie. C'est vous l'experte dans ce genre d'histoire, puisque vous êtes une espèce de policier. Alors, allez-y, montrez le chemin.

Chevie ne se sentait pas très experte.

« Je n'ai que dix-sept ans, aurait-elle voulu dire. Je ne devrais pas être ici. Je ne suis même pas une agente du FBI à part entière et le programme auquel j'étais affectée a été annulé. »

Mais elle ne formula pas ses pensées. L'agente Chevron Savano se considérait comme une professionnelle, même si elle était encore adolescente, et Riley dépendait d'elle.

Elle se faufila devant lui en veillant à garder la tête baissée.

– Nous devons aider Victoria.

– Attirez l'attention de Garrick et ça lui sauvera la vie. Il se fiche d'elle comme d'une figue. C'est nous et la clé qu'il veut. Garrick suit toujours sa cible.

Riley avait raison.

– OK. On va sortir par-derrière.

Il y avait sûrement une cour ou une issue. Si elle trouvait un téléphone, Garrick serait mort et enterré, quel que soit le nombre de visages dont il disposait.

« Et alors, je rentre en Californie où le soleil brille et où un magicien jeteur de mort ne risque pas de surgir du XIXe siècle. »

Garrick tira encore quelques coups de feu, mais à l'aveuglette, essayant simplement de les pousser vers la cuisine.

Chevie s'accroupit sur ses talons et rapprocha le visage de Riley du sien.

– Voici le plan. On court vers l'escalier du fond et on voit où il mène.

– C'est un plan, ça ? s'étonna Riley. On dirait plutôt le début d'un tout petit bout d'idée. Dans un plan, il y a des étapes, c'est bien organisé, avec des coups tordus, des choses comme ça.

– Boucle-la, pas de bavardages. Prêt pour le plan ?

Riley approuva d'un signe de tête.

– Bon. À trois, tu cours comme si tu avais le diable à tes trousses.

Ce qui était le cas d'une certaine manière.

Chevie compta jusqu'à trois puis elle prit un vase qui était à portée de main et le jeta contre le mur, espérant que le choc détournerait l'attention de Garrick.

Elle se trompait.

Garrick était devenu un tireur d'élite au cours des années passées dans l'armée de Sa Majesté et une balle bien placée fracassa le vase en plein vol.

« Peut-être que mon plan n'est pas très brillant », pensa Chevie, mais il était trop tard car Riley s'était déjà rué vers l'escalier. Heureusement, le garçon était resté penché en avant, hors de la ligne de tir de Garrick.

« Son champ de vision ne restera pas limité très longtemps, se dit-elle. Dès qu'il aura libéré sa jambe, nous serons morts. »

Chevie se précipita sur les talons de Riley et sentit

l'impact des balles dans le mur, au-dessus de sa tête, avant d'entendre les détonations. Écartant les boîtes à thé, ils dévalèrent les marches en tombant l'un sur l'autre. Dans leur précipitation, ils parvenaient tout juste à se tenir debout. L'escalier était étroit et sombre, mais Chevie aperçut des câbles d'alimentation d'apparence familière qui couraient le long de la plinthe.

« Non, pensa Chevie. Non, non, non. »

Les marches menaient à un petit sous-sol. Chevie et Riley dégringolèrent dans la pièce, cherchant instinctivement une issue. Il n'y en avait pas. La seule lumière du jour provenait de soupiraux munis de barreaux, à hauteur du trottoir. Les jambes des passants projetaient des ombres raides sur le mur.

Chevie trépigna littéralement.

– Aucun moyen de sortir d'ici ! Je n'arrive pas à le croire.

Du plat de la main, Riley donna de petits coups sur les murs, espérant découvrir un passage secret.

Chevie regarda autour d'elle, à la recherche de quelque chose, n'importe quoi, qui puisse leur être utile.

Riley montra dans un coin une forme massive, dissimulée sous une bâche.

– Je parie que si on enlève ce gros drap épais...

– Je sais ce que c'est ! s'écria Chevie. Je le sais. Mais...

Riley jeta un regard inquiet en direction de l'escalier. Des grognements et des jurons de l'époque victorienne retentissaient au-dessus d'eux.

– Mon maître n'est pas content.

– Je l'avais deviné.

– Il descend.

Chevie commença à faire les cent pas.

– Oui, je sais. Le magicien de la Mort arrive.

– Il faut que *je la boucle ?*

– Oui… Non.

De rage, Chevie serra les poings.

– Je ne suis même pas une agente à part entière, petit. Je devais simplement guetter, ouvrir mes oreilles, pendant que j'étais de garde dans la salle à manger, c'est tout. Personne ne m'avait jamais rien dit sur les voyages dans le temps.

Chevie se frappa la tête de la main.

– C'est de la folie. Je ne peux pas faire ça.

Une balle se logea dans la rampe, puis il y eut un rugissement guttural, rien d'intelligible, un simple débordement d'émotion.

Riley arracha du mur un morceau de la rampe fracassée par le coup de feu et le brandit comme un pieu.

– Chevie, je garde l'escalier, peut-être qu'avec un peu de chance, j'arriverai à l'assommer. Vous, vous mettez la machine en route.

Chevie savait qu'il avait raison. Elle tira la bâche, révélant la capsule du WARP, qui se trouvait au-dessous.

En haut de l'escalier, une voix :

– Riley ! Tu m'as cassé la jambe !

– Cet homme-là n'a pas l'air heureux, dit Riley en montrant les marches avec son pieu improvisé.

De sa main libre, il saisit un autre coin de la bâche et bientôt, la capsule fut entièrement découverte.

– Faites-la marcher, Chevie.

Riley décida de commencer le spectacle lui-même et se mit à taper sur les touches de l'ordinateur attaché à l'engin.

– Non, non, protesta Chevie en l'écartant d'un coup de coude. Il faut d'abord mettre ça.

Elle prit la Clé temporelle accrochée à son cou et la glissa dans le lecteur d'une console plus petite que celle de Bedford Square.

« Peut-être que ce sera trop compliqué, espéra-t-elle à moitié. Peut-être que je n'arriverai pas à la faire démarrer. »

Elle n'eut pas cette chance : dès que la clé fut en place, la capsule se mit à vibrer, projetant de la vapeur par divers orifices, déclenchant le ronronnement de ses câbles d'alimentation. Des cylindres amortisseurs vibrèrent sur le sol.

« Celle-ci est plus petite, constata Chevie. Version 2.0. »

La Clé temporelle activa un minuscule écran avec des graphiques jaunes qui tremblotaient de temps en temps. L'écran émit des craquements.

« On dirait des fils électriques qui brûlent. »

« Non. Ne pense pas à ça. La machine est simplement en train de chauffer. »

Pour confirmer cette pensée, un petit oiseau en dessin animé apparut sur l'écran. L'oiseau n'avait pas de plumes et il frissonnait. Une bulle de BD jaillit de son bec et la phrase suivante s'y inscrivit : JE SUIS EN TRAIN DE CHAUFFER.

Chevie leva le pouce en direction de Riley.

– Tout fonctionne. Pas de problème.

Lentement, des plumes apparurent sur le corps de l'oiseau. Il semblait que Smart avait un certain sens de l'humour.

Du haut de l'escalier leur parvint un bruit semblable à une grande claque, tandis qu'une forme surgissait dans l'encadrement de la porte.

– Riley ! rugit une voix rauque qui paraissait ravagée par une grande douleur, à la fois physique et morale. Tu n'es plus mon fils. Mon partenaire, plus jamais.

Quatre balles de pistolet firent jaillir des éclats du mur de briques. Une série de bruits sourds et de jurons suivirent. Si Garrick se laissait glisser le long des marches, il serait bientôt en mesure de leur tirer dessus avec une bonne visibilité.

– Ramène ta carcasse, cria Riley qui essayait de faire le bravache. J'ai un joli cadeau bien pointu qui ferait merveille dans tes organes.

Pour toute réponse, Garrick tira un nouveau coup de feu et des fragments de brique criblèrent la joue de Chevie.

« C'est comme *Star Wars*, pensa-t-elle. Nous sommes la base rebelle et Garrick est l'Étoile de la Mort. »

De nouvelles plumes poussèrent sur l'oiseau.

– Chevron ? Dépêchez-vous, agente Savano, dit précipitamment Riley.

– J'arrive.

Chevie dut se retenir de donner des coups à l'ordinateur tech-alt.

– Monte dans la capsule.

– À l'intérieur ?

– Oui, vas-y, monte.

Riley n'aimait pas l'idée de se réfugier dans un espace encore plus petit, mais pour s'en sortir, il fallait y entrer.

Dehors, des jambes défilaient sur le trottoir. D'autres

bruits sourds résonnèrent dans l'escalier. Chevie crut voir du coin de l'œil une main tâtonner frénétiquement sur le mur.

– Riley ! Tu ne peux pas m'échapper.

Dans la capsule, le garçon s'assit sur la banquette, les mains crispées sur les genoux.

Sur l'écran, l'oiseau était à présent recouvert d'un beau plumage et la bulle disait : MAINTENANT, J'AI BIEN CHAUD.

Puis il disparut et un menu s'afficha.

– D'accord, d'accord, qu'est-ce que j'ai comme choix ? s'écria Chevie, comme si cela pouvait accélérer le vieil ordinateur.

Il y avait deux options : VÉRIFICATION DU SYSTÈME ou ACTIVATION DU TROU DE VER.

Elle sélectionna ACTIVATION DU TROU DE VER. Un sifflement retentit pendant quelques secondes sans qu'il se passe grand-chose, puis la couronne de lumière orange désormais familière se répandit à l'intérieur de l'engin.

– Non ! Je l'interdis ! lança une voix dans l'escalier.

Deux balles tracèrent un sillon dans le sol de béton en projetant des éclats pointus.

« Nous sommes presque dans sa ligne de tir », pensa Chevie et elle se rendit compte que, pour pouvoir elle-même atteindre la capsule, elle devrait essuyer le feu de Garrick. Pendant deux secondes, l'assassin l'aurait dans l'axe de son viseur.

« Plus j'attends, plus vite il me tirera dessus. »

Chevie retira la clé et l'oiseau réapparut, un compte à rebours s'inscrivant dans la bulle. Trente secondes. Elle disposait d'une demi-minute pour se propulser dans le passé.

« Trente secondes. Pas le temps de réfléchir. »

– Courez ! cria Riley au milieu de la lueur orange. Courez !

Ce qu'elle fit, plongeant dans le ventre de la capsule pour couvrir le dernier mètre. À l'intérieur, elle fut aussitôt saisie par le froid. Un froid glacial. Son souffle s'échappait de ses lèvres en nuages de vapeur qui se cristallisaient immédiatement. Du givre s'était formé sur les cheveux et les sourcils de Riley.

– On s'en va quand ? demanda-t-il. Pourquoi on est encore là ?

Chevie ne répondit pas, elle se retourna simplement, face à la porte de la capsule. À travers la lueur orange, elle vit Garrick descendre les marches en se traînant, tel un cadavre qui aurait refusé de s'allonger et de mourir.

– Quelle machine infernale ! déclara Riley en donnant des coups sur la banquette. Qu'on s'en aille, à la fin !

Garrick avait la tête penchée et son visage squelettique était tourné vers eux. Du fond de leurs orbites, ses yeux les regardaient fixement, lançant à l'intérieur de l'engin deux rayons maléfiques.

Chevie se leva et cria de toute la force de ses poumons :

– Réveillez-vous, Victoria ! Réveillez-vous et fuyez !

Garrick leva son arme pour tirer, puis il se ravisa, ne voulant pas endommager la capsule du WARP. Mais il continua de se traîner vers eux, dans sa descente inexorable.

La capsule commença à émettre des sons. Une série complexe de sifflements et de bips suraigus, accompagnés de petites lumières qui s'allumaient sur le fuselage.

Chevie se rappela soudain ce qu'Orange lui avait

dit quand il lui avait révélé l'existence de la machine à remonter le temps. « Les tests se sont révélés très positifs. Il y a eu un petit nombre d'aberrations, généralement au cours du voyage de retour, mais dans une proportion inférieure à un pour cent, donc acceptable d'un point de vue scientifique. »

« Mon Dieu, pensa-t-elle. On n'a pas pris de biphosphonates. Je ne sais même pas ce que c'est. On va peut-être arriver de l'autre côté avec un bras de singe ou une tête de dinosaure. »

Mais elle ne dit rien à Riley car la lumière orange lui avait ôté la voix. Elle ne posa pas non plus une main sur son épaule pour l'avertir, car sa main aussi avait disparu, emportée comme si elle avait été constituée de sable.

« Je ne suis plus que sable dans le vent », pensa-t-elle.

« Moi aussi », lui répondit Riley dans sa tête.

La vue fut la dernière chose à leur être enlevée et au moment où s'achevait leur dématérialisation, ils virent Garrick atteindre le pied de l'escalier et se lancer vers la capsule en sautillant sur une jambe.

« Il va y arriver, pensa Chevie. Nous ne sommes pas encore débarrassés d'Albert Garrick. »

Elle aurait voulu fermer les yeux et incliner la tête, mais elle n'avait plus de tête. Et maintenant, elle n'avait même plus d'yeux.

7
LES BÉLIERS

Half Moon Street. Soho. Londres. 1898

Riley se sentit partir et pensa tout d'abord que ce départ serait semblable à son expérience antérieure dans le tunnel du temps. Ce ne fut pas le cas. Ce voyage était en fait le contraire du précédent dans presque tous ses aspects. À la base, déjà, il allait en arrière et non pas en avant comme la première fois. Le voyage quantique était comparable à un déplacement physique dont la sensation change selon le sens dans lequel on se trouve. La première fois, il s'était senti propulsé vers le futur, à présent, il avait l'impression d'être, pour ainsi dire, aspiré vers son propre passé.

Riley avait entendu parler de souvenirs primitifs qui revenaient à la surface lorsqu'un sujet était soumis à une séance d'hypnotisme. Garrick l'avait hypnotisé à l'occasion, mais Riley n'avait gardé aucun souvenir de ce qui s'était passé pendant sa transe, sans doute parce que Garrick avait renforcé ses propres pouvoirs en passant sur la lèvre supérieure du garçon une éponge imbibée d'éther.

Mais en cet instant, des images de sa vie passée apparaissaient devant lui, comme projetées sur la surface changeante du trou de ver.

«Le garçon aux cheveux roux. Son nom est Tom. Ginger Tom, Tom le Rouquin, comme l'appelait m'man. Nous sommes des demi-frères, je m'en souviens maintenant.»

Le jeune Tom, adolescent, regardait Riley, plus petit que lui, et lui tendait la main. «Viens, frère. J'ai un sou pour acheter de la citronnade. On va partager une bouteille.»

Tom courait sur une plage et Riley avait l'impression de trotter derrière lui, en suivant ses pas sur le sable. Les deux frères couraient ainsi vers une jetée et Riley entendait la musique tintinnabulante d'un orgue de barbarie.

«Brighton. C'est ici que j'habite.»

Tom tournait la tête et lançait par-dessus son épaule : «M'man aime bien les bonbons à la menthe. On lui en rapporte?»

L'image changeait. Maintenant, le petit Riley était un bébé dans les bras d'une dame et il regardait son visage doux et bienveillant. Sa mère était vêtue d'un corsage très simple et ses cheveux étaient tressés en nattes.

«Tom a reçu le nom de son père qui malheureusement n'est plus là et lui aussi brisera des cœurs, disait-elle en lui chatouillant le menton. Mais toi, mon petit bonhomme, tu t'appelleras Riley, comme ton papa. Et tu porteras comme prénom le nom de ma famille, le plus fier des clans du comté de Wexford.»

Riley en aurait pleuré s'il l'avait pu.

«Elle était irlandaise, je m'en souviens, maintenant, pensa-t-il, puis : Le nom? Quel est mon nom?»

Mais l'image se transforma à nouveau et Riley vit

son père dont la silhouette massive et chaleureuse se penchait sur lui. Sa ressemblance avec Riley était immédiatement perceptible.

« C'est un secret, lui disait son père. Je vais te le révéler parce que tu ne peux pas encore parler et que tu ne te souviendras de rien. »

Il ouvrait sa main et dans sa paume apparaissait un écusson doré avec des lettres en relief. Un F, un B et un I.

« Ces trois lettres signifient que je dois protéger les gens. Une personne en particulier. Ce drôle de petit Mr Carter. Regarde, il attend dehors. »

Riley bébé suivait des yeux le doigt de son père qui montrait un homme faisant les cent pas à l'entrée de leur maison. Ses jambes passaient rapidement devant l'encadrement de la porte et tout ce que Riley avait pu apercevoir, c'était des bottines noires et brillantes et une grosse bague en forme de fer à cheval.

Le père de Riley hochait la tête. « Ce type est pénible. Le roi des pénibles. Après tout ce temps, il essaye de se défiler pour ne pas témoigner. Mais même si c'est le pire des abrutis, je dois le remercier car, sans Carter, je ne t'aurais pas, toi, ni ta mère, ni ton demi-frère Tom. Sans lui et ce truc-là. »

Le truc dont parlait le père de Riley était une Clé temporelle attachée autour de son cou par un épais cordon.

« Avec ça, je peux t'emmener chez moi. Nous irons un jour. C'est un nouveau monde, mon fils chéri. »

Il y eut un nouveau changement de scène et, cette fois, Tom était à côté de lui, dans le lit qu'ils partageaient, et lui murmurait à l'oreille :

– Je m'en vais à un rendez-vous galant sur la jetée, disait-il. Ça reste entre nous, hein, Riley ? Aucune raison de le répéter à Mater et Pater. Quand je reviendrai, je te rapporterai du sucre d'orge et je te raconterai peut-être comment j'ai embrassé la belle Annie Birch.

Riley regardait son demi-frère se glisser à travers une fenêtre ouverte, puis il entendait un grognement et le bruit sec des pieds de Tom qui atterrissait au-dessous, dans la rue.

Quelques instants plus tard, le petit Riley sentait une présence dans la pièce et l'odeur de poisson pourri de la marée basse se répandait par la fenêtre. Un homme se tenait dans la pénombre, une lame sortant de son poing. Aux yeux de l'enfant, il semblait avoir surgi de nulle part.

– Magique, disait Riley. Monsieur magique.

L'intrus se déplaçait si vite que l'ombre projetée par la lampe de l'entrée semblait traîner derrière lui.

C'était Garrick, venu faire son travail, et il se penchait sur le petit enfant, son couteau levé au-dessus de sa tête, sur le point d'assurer le silence de Riley, mais celui-ci disait à nouveau :

– Monsieur magique.

Quelque chose d'étrange se produisait alors sur le visage de Garrick : il semblait lutter contre lui-même jusqu'à ce qu'un sourire apparaisse. Pas un sourire joyeux, plutôt une détente momentanée de ses traits.

– Monsieur magique, murmurait-il, répétant les mots que l'enfant avait marmonnés. Il était une fois...

En entendant cette phrase, le petit Riley gazouillait joyeusement, convaincu qu'une histoire allait suivre. Et cet innocent babillage lui sauvait la vie car Garrick, voyant qu'il était devenu pour ce petit bonhomme un raconteur d'histoire magique, avait décidé de le laisser en vie jusqu'à ce qu'il ait terminé le plus gros de son travail.

Lorsque Garrick revenait, à peine une minute plus tard, avec du sang sur sa lame, le petit Riley s'attendait toujours à ce qu'il lui raconte une histoire et il lui adressait un large sourire qui découvrait ses dents de lait.

– Histoire, monsieur magique, exigeait le garçon de trois ans. Histoire.

Garrick soupirait, hochait la tête et clignait des yeux en songeant à la drôle d'idée qui lui était venue en tête sans qu'il s'y attende. Puis, au bout d'un bref moment d'hésitation, il glissait l'enfant sous son gros manteau avant de ressortir en enjambant le rebord de la fenêtre par laquelle il était entré.

Dans le trou de ver, Riley aurait pleuré s'il l'avait pu.

« Garrick a tué mes parents et m'a volé, comprit-il et il savait que c'était la vérité. Pendant toutes ces années, il a juré m'avoir sauvé d'une bande de cannibales dans les ruelles de Bethnal Green. Alors que c'est lui qui avait fait de moi un orphelin. »

Riley se répéta cette phrase au fond de sa conscience, pour ne pas l'oublier quand il se réveillerait.

« Garrick a tué mes parents. Garrick a tué mes parents. »

Il ne voulait pas oublier car ce souvenir renforcerait la résolution qu'il avait prise.

« Un jour prochain, il faudra que j'amène Garrick devant la justice, ou alors je serai privé de ma propre personne. »

*

Leur voyage dans le trou de ver se termina progressivement tandis que l'espace-temps se dissipait autour d'eux comme les fragments nébuleux d'un rêve profond et détaillé. Riley et Chevron Savano se retrouvèrent dans un sous-sol londonien de l'époque victorienne. Ils avaient tous les deux un large sourire, saisis par ce que Charles Smart avait appelé le Dixième Zen.

– Garrick a tué toute ma famille, sauf mon frère Tom, dit Riley. Je suis un vrai orphelin.

Chevie serra le garçon contre elle.

– Eh oui, moi aussi. Nous sommes deux orphelins, tous les deux contre le reste du monde.

– Et mon père était un policier, comme vous.

– Comme moi ?

– Un agent du FBI. Il m'a montré son insigne étincelant et sa Clé temporelle.

– J'ai aussi eu cette vision, d'une certaine manière, répondit Chevie. Ton père était un agent fédéral. Comment cela a-t-il pu arriver ?

C'était, estima-t-elle, un détail important sur lequel elle allait certainement revenir lorsqu'elle aurait l'esprit un peu plus vif.

– Il protégeait quelqu'un qui avait une bague en forme de fer à cheval, poursuivit Riley.

– Une bague en fer à cheval, répéta Chevie d'un ton un peu pâteux, comme un patient qui sort d'une anesthésie.

« Et ni lui ni moi ne nous sommes transformés en singe. »

Le sous-sol avait la même forme qu'il conserverait dans le futur, sauf que les murs étaient nus et le sol en terre battue, avec des piliers en brique pour supporter le plancher de l'étage supérieur.

Chevie tapa du pied et le sol produisit un son creux.

– Une plaque de métal. C'est indispensable pour arriver en un seul morceau. Cette plaque est spécialement conçue pour servir de guide au trou de ver, comme un paratonnerre.

– Moi, je dis qu'il faut la démonter, déclara Riley en levant la main comme s'il votait à la Chambre des communes. Comme ça, peut-être que Garrick se retrouvera avec les mains qui lui sortiront du derrière s'il arrive à nous suivre.

Chevie essayait de réfléchir, par-delà la distorsion temporelle, et les plaisanteries de Riley ne l'aidaient pas.

– Arrête les blagues, dit-elle avec un petit rire. Il faut qu'on vérifie si on est bien entiers. Ne nous laissons pas tourner la tête.

– Je n'ai pas la tête qui tourne. Vous ne me laissez jamais rien boire, même pas de la bière.

Chevie s'écarta de la plaque de métal.

– Nous devrions sortir d'ici. Pour mettre un peu d'espace entre nous et Garrick. Il faut que je me procure un pistolet. Tu connais quelqu'un ? Un pistolet… *Bang, bang?*

– *Bang,* répéta Riley. *Bang, bang.*

Chevie écarta Riley de la plateforme enterrée et remarqua un disque de lumière qui flottait dans l'air, comme une pièce d'argent d'un dollar qui aurait tourné sur elle-même.

– Un dollar d'argent, dit-elle sur le ton de la conversation en montrant le trou de ver dont le diamètre diminuait.

Riley fit un signe de tête.

– Des hommes avec des sacs, dit-il.

Il montra deux hommes qui venaient d'entrer dans la cave et s'avançaient sans bruit sur le sol de terre, portant deux sacs à farine grands ouverts.

Chevie repéra un troisième homme qui émergea d'un coin de la pièce, la bouche pleine.

– Pas tous. Celui-là a une cuisse de poulet... et une matraque.

– Moi, je veux la cuisse de poulet, dit Riley.

Chevie riait encore lorsque le sac lui passa par-dessus la tête.

Half Moon Street. Soho. Londres. Aujourd'hui

Garrick tomba dans la capsule moins d'une minute après que sa proie eut disparu et pas plus de dix secondes avant que l'entrée du tunnel quantique se soit elle aussi effacée. Juste avant qu'il ne se dématérialise, Victoria, la vieille dame, avait descendu l'escalier d'un pas trébuchant et avait logé une balle de faible calibre dans sa jambe valide à l'aide d'une petite carabine qui semblait presque fragile, et Garrick était si concentré sur le trou de ver dont le diamètre diminuait qu'il en avait oublié d'émousser la sensibilité de ses terminaisons nerveuses. Le choc soudain et douloureux comme un coup de marteau avait failli lui faire perdre conscience, ce qui aurait été un désastre à l'intérieur du trou de ver. Dans le tunnel temporel, il fallait au contraire avoir la conscience en alerte et être constamment sur ses gardes.

« C'est ma faute, pensa-t-il, je n'aurais pas dû laisser cette femme vivante derrière moi. »

Avant de disparaître, le dernier son qu'il entendit en provenance du XXIe siècle fut l'amère malédiction de la vieille dame qui le vouait à l'enfer en le traitant d'horrible assassin.

Garrick se doutait qu'avoir épargné Victoria n'était pas le fait de sa seule décision. Le spectre de ce rogaton de Felix Smart exerçait sa malfaisance dans sa propre matière grise. Les photographies du père de Smart et l'idée de faire du mal à Victoria étaient la cause d'une poussée d'émotions fantômes qui avaient retenu la main de Garrick pour la deuxième fois.

« Fini, songea Albert Garrick. Je ne serai plus jamais le petit caniche d'un mort. »

Dès que l'énergie orange métamorphosa ses atomes, l'enveloppant dans une mer de mousse quantique, Garrick sentit une impression de calme descendre sur lui.

« Je ne suis plus qu'une âme, maintenant. Immortelle. »

Le magicien baignait dans le contentement, mais il sentit alors la peur de Riley qui avait laissé une trace et il reprit brusquement ses esprits. Il la suivit jusqu'à l'extrémité du trou de ver en se laissant porter aussi aisément qu'un cadavre dans la Tamise. Lorsqu'approcha la fin de son voyage, il rassembla les différentes parties de son corps et se reconstitua, guérissant ses blessures et extirpant de ses pensées les lambeaux de volonté de Felix Smart, tout en conservant ses multiples connaissances. C'était une manœuvre délicate et Garrick sentit qu'il n'avait pas entièrement réussi mais, en tout cas, il avait expulsé une partie suffisante des faiblesses de l'Écossais pour que l'idée de mettre un terme à la vie de l'agente Chevron Savano ne le dérange pas le moins du monde.

«Tuer cette fille ne me causera aucun chagrin d'aucune sorte», pensa-t-il.

Avec une catastrophique déperdition d'énergie, ses particules s'agrégèrent, passant de l'état gazeux à l'état solide, comme le désirait Garrick qui se fia à la mémoire de ses muscles pour rajeunir son corps.

«Mes os et mes tendons sont jeunes mais j'ai l'esprit plein de sagesse.»

Ses pouvoirs n'étaient pas infinis, il le savait. Il n'y aurait plus de guérison ni de transformation possibles pour Albert Garrick, mais il se sentait jeune à nouveau, avec un cerveau rempli d'un savoir du XXIe siècle qui serait plus que suffisant pour lui assurer une vie longue et confortable.

Garrick émergea du trou de ver avec un large sourire...

Half Moon Street. Soho. Londres. 1898

... et se retrouva dans un cachot vide. Son sourire pâlit mais sa déception s'envola bientôt comme du cognac sur une tarte flambée.

«Je suis chez moi.»

Il n'y avait aucun doute qu'il était revenu à sa propre époque. Même au-dessous du niveau de la rue où il se trouvait à présent, le mélange d'odeurs typiques de Londres imprégnait l'atmosphère. Les excrétions combinées de trois millions d'âmes et d'un autre million d'animaux créaient la puanteur la plus infecte que l'homme eût jamais connue. Une puanteur que tout le monde respirait, depuis la reine dans son palais jusqu'aux fous de l'asile de Broadmoor. Nul ne pouvait y échapper.

Garrick inspira profondément, emplissant ses poumons d'air vicié et, pour la deuxième fois de sa vie, rendit grâce à *l'immonde brouillard de Londres,* comme on l'appelait.

– Je suis rentré à la maison ! s'écria-t-il en direction du plafond, avec une joie sauvage qui emplissait sa poitrine.

Et la « maison » sentirait bien assez tôt la présence d'Albert Garrick. Peu importait que Riley et l'agente Savano aient joué la fille de l'air. Où pouvaient-ils aller sinon dans les taudis et peut-être se prendre un coup de couteau au vu de leur visage bien propre ? Il était vrai que Riley pouvait mener les argousins dans le quartier de High Holborn et à l'Orient, le théâtre hypothéqué que Garrick avait acheté et transformé en repaire pour lui et son apprenti. Mais il semblait plus probable que le garçon et sa protectrice essaieraient de rester à l'écart et de ne pas attirer l'attention sur eux.

« Je vais suivre leurs traces, ce sera du gâteau, songea Garrick, très sûr de lui. Riley avance à l'aveuglette tandis que moi, je connais chaque ombre de cette ville et chaque surineur qui s'y cache. Je vais cuisiner tous ces malfrats, refiler un peu d'oseille s'il le faut, et avant l'heure où on vide les seaux hygiéniques, il y aura deux anges de plus au paradis. »

Il n'y avait ni locataire ni squatter dans la maison de Half Moon Street, bien que Garrick sentît une odeur de poulet cuit et eût découvert la preuve que quelqu'un avait fait le guet. Des mégots de cigarette et des bouteilles de bière vides. Du papier paraffiné et, dans un coin, des latrines de fortune.

« Quelqu'un a gardé l'œil ouvert, ici. »

Albert Garrick n'aimait pas être vu à moins d'être sur scène. Il aurait préféré prendre un peu de temps pour démonter l'installation, mais la maison étant sous surveillance, il décida qu'il valait mieux revenir quand les choses se seraient un peu calmées. Il monta l'escalier quatre à quatre, fouillant dans les poches de son grand manteau à la recherche d'armes. Il fut enchanté de constater que les trois pistolets du FBI avaient traversé le trou de ver avec lui, l'un d'entre eux équipé d'un viseur à laser.

« Ces armes à elles seules feront ma fortune, pensa-t-il. Je vais engager un armurier pour en fabriquer des versions plus rudimentaires et ensuite, je filerai au service des brevets. L'année prochaine à cette heure-ci, je prendrai le thé à New York avec les Vanderbilt. »

Garrick compta ses cartouches et se promit d'honorer ses contrats à l'arme blanche chaque fois que ce serait possible pour conserver ces précieuses munitions.

– Trente coups, voilà ce qu'il me reste, marmonna-t-il.

La maison de Half Moon Street était dans un état acceptable mais, à en juger par les taches d'humidité étalées sur les murs jusqu'à hauteur des genoux, l'endroit avait dû rester dans l'oubli pendant un certain temps.

Garrick sortit en se glissant par la porte de service et monta sur le coffre à charbon pour sauter sur le mur d'enceinte de la cour. De là, il se laissa tomber en souplesse dans une ruelle, prenant plaisir à sentir le choc dont la vibration traversa ses os rajeunis. Toutes ses anciennes douleurs, ses faiblesses, avaient été effacées par le passage dans le trou de ver.

Garrick s'accroupit dans une embrasure de porte et se tint parfaitement immobile pour voir s'il avait quelqu'un à ses basques. Lorsqu'il eut constaté avec satisfaction qu'il n'était pas suivi, il se releva et tourna le coin d'un pas tranquille, le nez pointé vers Piccadilly.

« Dans cent ans, pensa-t-il, je n'aurai plus la possibilité de m'échapper aussi facilement. Il y aura l'ADN, les empreintes digitales et la détection d'UV, sans parler des caméras de surveillance à chaque coin de rue et dans l'espace. Mais aujourd'hui, de mon temps, dès que je disparais de quelque part, il n'y a plus de trace et personne ne peut prétendre que j'étais là s'il ne m'a pas vu de ses propres yeux. »

Le soleil brillait comme il le ferait encore dans cent ans mais, pour le moment, il lui était plus difficile de percer l'épaisseur du smog. Garrick repéra un jeune garçon qui portait la jaquette rouge familière de la Brigade des Cireurs et l'appela.

– Toi ! Toi, là-bas ! Quel jour sommes-nous ?

Le garçon traversa la rue en traînant les pieds, sans se soucier d'éviter les flaques que laissaient échapper les égouts. À mesure qu'il approchait, Garrick voyait que sa jaquette était effilochée et plus proche d'un rose sale que d'un rouge éclatant, à cause des dizaines de lavages rudimentaires qu'elle avait subis.

Le garçon se renfrogna en regardant Garrick.

– En tout cas, ce n'est pas Noël. Et vous n'êtes pas Mr Scrooge.

Un jour normal, Garrick aurait zébré la joue de ce rustaud avec une bonne claque de sa main gantée, mais aujourd'hui, il éprouvait de l'indulgence pour toute l'Angleterre ou presque.

– Oui, bien vu, petit garnement lettré. Va donc me chercher un fiacre pour Holborn. Dépêche-toi et il y aura un shilling pour toi.

Le garçon tendit la main.

– Le shilling d'avance, mon prince.

Garrick éclata de rire.

– D'avance ? Tu seras payé quand je te verrai sur le marchepied de mon fiacre. Comme tu l'as fait remarquer si intelligemment, je ne suis pas Ebenezer Scrooge.

Lorsque le garçon fila en sifflant les trois notes habituelles par lesquelles on hélait un fiacre, Garrick s'aperçut qu'il avait perdu son portefeuille dans le trou de ver.

« On ne peut pas voyager gratuitement, songea-t-il. Même pas dans le temps. » Une autre pensée lui vint en tête. « J'espère que ce garçon pourra attendre d'être payé. Je n'aime pas commettre de meurtre si tôt dans la journée. »

La matinée ne fut pas de tout repos pour Riley et Chevron Savano. Quelques instants avant que Garrick n'arrive dans le sous-sol, les deux voyageurs du temps se retrouvèrent au fond d'un sac de toile rêche, ficelés comme des momies, puis portés en haut d'un escalier.

Au moment où Chevie sortait de la félicité du trou de ver, elle fut plaquée au sol, un genou sur sa gorge. Elle essaya d'appeler Riley mais ne parvint à émettre qu'un croassement à travers son larynx obstrué.

Apparemment, le croassement avait suffi à provoquer l'ire de ses agresseurs car l'un d'eux lui donna de petits coups secs sur le crâne.

– Ferme ton bec, miss, ordonna-t-il. On est fatigués, on a faim et on n'est pas d'humeur à supporter les manigances.

Chevie répondit en donnant un coup de talon dans la jambe de son ravisseur.

« Et ça, comme manigance, qu'en penses-tu ? » essaya-t-elle de dire, mais elle ne réussit qu'à produire une série de grognements.

L'homme ainsi malmené hurla avec vigueur, au grand amusement de ses camarades.

– Aïe, Jeeves, la jouvencelle a blessé ta petite personne ? dit quelqu'un, celui qui mangeait la cuisse de poulet à en juger par l'odeur.

– Tu veux que je t'emmène à l'hôpital ou bien c'est déjà trop tard ? lança un autre avant de cracher bruyamment pour souligner sa plaisanterie.

L'individu blessé se ressaisit et frappa à nouveau Chevie sur la tête.

– On a besoin des deux ? Malarkey en aura peut-être assez d'un pour cracher le morceau.

Dans son sac, Riley sursauta en entendant prononcer le nom de Malarkey.

« Otto Malarkey ? Le roi des Béliers ? Pour quelle raison pouvait-il bien s'intéresser à eux ? »

Comme il n'avait pas de genou coincé sur sa gorge, Riley parla à leurs ravisseurs :

– Hé, les arsouilles, c'est qui qui va aller dire à Mr Malarkey que vous avez tué quelqu'un de sa famille ?

Cette question fut suivie d'un instant de silence, jusqu'à ce que Jeeves réponde :

– Ho, ho, ça, c'est un joli bluff. On ne peut qu'admirer un mensonge aussi hardi, n'est-ce pas, Mr Noble ?

Noble parla à son tour :

– C'est toi qui prends le risque d'appeler ça du bluff, Jeeves. Parce que moi, sûrement pas.

– Ça n'a rien d'un mensonge, s'écria Riley à travers la toile de sac. Nous ligoter comme ça, c'est déjà une insulte, mais nous menacer, ça va vous mener tout droit dans la Tamise au clair de lune.

Noble siffla.

– Malarkey choisit toujours la Tamise au clair de lune pour faire ses adieux.

– Il y a un moyen sûr de faire taire ces deux-là, dit un troisième homme.

Riley entendit le bruit d'un bouchon qu'on enlevait d'un goulot de bouteille et une forte émanation d'éther domina la faible odeur de la toile à sac.

« De l'éther, pensa-t-il. Ils vont nous le faire respirer. »

– Chevie ! lança-t-il. Fermez votre bec.

Jeeves eut un petit rire aigu.

– C'est ce que je lui ai déjà dit, fit-il remarquer.

Riley sentit l'humidité se répandre sur son visage lorsque le liquide anesthésique traversa le tissu. Il retint son souffle jusqu'à ce que l'un des hommes lui donne un coup sous la cage thoracique, le forçant à respirer brusquement un air imprégné d'éther.

« Je prie pour que Garrick ne soit pas déjà là, sinon,

nous ne nous réveillerons jamais. » Ce fut sa dernière pensée avant qu'il ne sombre dans l'inconscience comme une pierre jetée dans la Tamise au clair de lune.

Riley survécut et se réveilla, mais avant d'ouvrir les yeux pour découvrir les nouvelles horreurs qui les attendaient, il passa un moment à revivre les visions qu'il avait eues dans le trou de ver.

« Ma famille habitait Brighton, où mon père travaillait pour le FBI. Ma mère était irlandaise et c'était la plus belle femme que j'aie jamais vue. Mon copain le Rouquin était en fait mon demi-frère, Tom. M'man et p'pa ont été massacrés pour de l'argent par Albert Garrick. Mais qui a allongé la monnaie ? Et mon père venait-il du futur ? Comment relier tous ces bouts ? Où est Tom, maintenant ? »

Ces révélations représentaient un gros morceau à avaler d'un coup. Tout ce qu'il avait considéré jusqu'alors comme paroles d'évangile n'était que mensonges déversés par Garrick dans ses oreilles.

Riley ouvrit les yeux et fut soulagé de constater qu'il pouvait voir.

Un deuxième motif de soulagement fut la vision de Chevron Savano, assise en face de lui, ligotée à une chaise solide. Ils étaient seuls. Les liens de Chevie n'avaient pas été noués par un expert, mais ils étaient nombreux et variés. Ses ravisseurs avaient utilisé un mélange de tout ce qui leur était tombé sous la main. Son torse était ainsi attaché avec de la ficelle, ses chevilles avec des fers, ses bras et ses poignets avec des torsades de papier paraffiné et des menottes. Une lanière de cuir serrée autour de son cou la maintenait immobile contre le haut dossier de la chaise.

«Au moins, elle a toujours la Clé temporelle», pensa-t-il en distinguant les contours de l'objet sous le corsage de Chevie.

Sans avoir besoin de baisser les yeux sur ses bras et ses jambes, Riley était sûr d'être pareillement ligoté.

– Chevie, murmura-t-il assez fort pour se faire entendre d'elle sans attirer l'attention de leurs ravisseurs. Agente Savano. Remuez-vous.

Chevie ouvrit les yeux, battant des paupières pour se débarrasser des derniers effets de l'éther.

– Riley! Ça va, tu n'as rien?

– Je vais très bien, agente Savano. Les brumes de l'éther vont bientôt se dissiper, vous pouvez me croire, j'ai l'expérience.

– Sors ton crochet, dit Chevie. Libère-toi et moi ensuite.

Riley tortilla sa cheville.

– Mon crochet n'est plus là. Je l'ai perdu quelque part dans toute cette agitation ou alors les gonzes qui nous ont enlevés l'ont trouvé.

Chevie souffla bruyamment par le nez, tel un jeune taureau furieux.

– Génial. Alors, on n'a plus qu'à rester ici, troussés comme des dindes de Thanksgiving, à attendre que le dénommé Malarkey consente à se montrer. Et d'abord, qui c'est, ce type?

– Otto Malarkey est quelqu'un de très important dans la ville. C'est le maître des Béliers, une bande d'estourbisseurs qui prennent leur part de braise sur tout, depuis le bonneteau jusqu'aux bouges à opium. Personne ne peut plumer un pigeon dans le Grand Four sans tirer sa casquette à Mr Otto Malarkey.

– J'ai compris à peu près la moitié de ce que tu viens de me dire, avoua Chevie. Donc, d'après toi, nous ne sommes pas sortis des ennuis.

Riley regarda autour de lui. Ils étaient enfermés dans une vaste réserve, peut-être en sous-sol, à en juger par le froid. Des carcasses de bœuf se dessinaient dans l'ombre, accrochées à des chaînes suspendues à une poutre du plafond, et des rais de lumière s'insinuaient entre les lattes mal jointes du plancher, au-dessus de leur tête. Un brouhaha où se mêlaient discussions d'affaires et clameurs de fête leur parvenait de l'étage supérieur, ponctué par des fracas et des cris de dispute. Divers liquides s'infiltraient à travers les planches, des gouttes s'écrasant sur le sol de terre. Riley reconnut du vin, de la bière et le lent écoulement du sang.

– C'est pas encore maintenant qu'ils vont nous donner à manger aux cochons, Chevie. Alors, racontez-moi une histoire.

Chevie parut surprise.

– Te raconter une histoire ? Je ne m'attendais pas à ce que tu me demandes ça.

Riley se mit à tendre et à détendre ses muscles.

– Je suis l'apprenti de Garrick dans le meurtre et la magie. L'une des pages du manuel, c'est l'art de l'évasion. Mais là, pour se faire la paire, ça va être un turbin du diable. Je connais pas les nœuds et j'ai pas d'outils dans ma musette. Alors, racontez-moi une histoire pendant que je me tortille pour me sortir de là.

Chevie était désarçonnée.

– Je ne connais pas d'histoire, Riley. Les livres, ce n'est pas mon truc. Mais j'aime bien les bons films.

– Dans ce cas, racontez-moi quelque chose de votre vie. Ça vient d'où, ce tatouage bizarre ?

Chevie regarda sa manche droite qui couvrait le tatouage étalé en haut de son bras.

– Le chevron ? Oui, ça pourrait être une histoire.

– Et c'est peut-être votre dernière chance de la raconter.

– Tu as raison.

De rage, elle agita ses menottes.

– Je n'arrive pas à croire ce qui se passe. Comment ai-je pu me laisser piéger dans le passé ?

En s'énervant, elle n'était parvenue qu'à produire un bruit de ferraille et elle décida de se calmer.

– D'accord. Tu veux connaître l'histoire de mon tatouage ?

Le visage de Riley luisait de sueur et son corps était raide comme une planche.

– S'il vous plaît.

Chevie ferma les yeux, s'efforçant de s'extraire du passé où elle était à présent pour se retrouver dans le passé de son propre futur.

– Mon père et ma mère ont grandi dans la réserve des Shawnees d'Oklahoma. Des terres allouées, comme on dit. Dès que mon père a pu s'acheter une moto, ma mère a sauté sur la selle arrière et ils sont partis à l'autre bout du pays. Ils se sont mariés à Las Vegas et se sont installés en Californie. Je suis arrivée un peu plus tard et papa m'a dit que tout avait été à peu près parfait pendant environ deux ans. Jusqu'à ce que maman se fasse tuer par un ours noir, à La Verne.

Chevie hocha la tête, comme si elle continuait à trouver ce fait inacceptable.

– Incroyable, non ? Une Indienne d'Amérique tuée par un ours en faisant du camping. Papa ne s'en est jamais remis. Oh, bien sûr, nous n'étions sans doute pas malheureux. Mais il buvait beaucoup. « Quand l'amour meurt, me disait-il, il n'y a pas de survivants. »

Chevie resta silencieuse un moment, regrettant pour la millionième fois de ne pouvoir se rappeler le visage de sa mère.

– Avec mon père, nous avons passé dix ans ensemble avant que sa moto explose sur la Pacific Coast Highway. Papa avait un tatouage exactement comme le mien, un symbole en forme de chevron. C'est de là que vient mon prénom.

– Vous avez un nom de symbole ? Drôle de coutume.

Chevie se renfrogna.

– Je te rappelle que c'est toi qui as demandé une histoire.

Riley tordit son bras vers l'arrière, au niveau du coude.

– Mes excuses, agente Savano. Continuez, s'il vous plaît.

– Mon père avait le même tatouage. Sur la même épaule. Il m'a dit que chez les Savano, tous les hommes avaient porté cette marque, depuis l'époque des guerres shawnees. William Savano a combattu les Longs Couteaux aux côtés de Tecumseh à Moraviantown. Chaque fois qu'il tuait un officier au combat, William se dessinait un chevron sur le bras avec du sang, parce que c'était le symbole du sergent. C'était un guerrier redoutable. Alors, en souvenir de William, les Savano ont continué à porter ce symbole. Je suis la dernière des Savano, je porte donc à la fois le nom de la famille et le chevron. La première fille à le faire.

– C'est une histoire fascinante, dit Riley en se dégageant de ses liens à coups d'épaule jusqu'à ce que seuls ses poignets soient retenus par de solides bracelets. Et vous l'avez bien racontée.

– Ouais, dommage que je ne puisse pas dire quelque chose qui te débarrasserait de tes menottes.

Riley cligna des yeux.

– Ce sont des bracelets à vis. Le crétin ambulant qui me les a mis a saboté le travail. Regardez ces écrous, ils devraient être en bas.

– Pourquoi ?

– Parce que si les écrous sont en haut, le prisonnier peut faire ça…

Riley rapprocha ses mains aussi près qu'il put, croisa les pouces et se servit de ses doigts opposables pour dévisser les menottes.

– Et voilà, presto, dit Riley en s'inclinant bien bas.

Des claquements de mains très lents résonnèrent dans la grande pièce, provenant du sommet d'un escalier délabré.

– Bravo, mon garçon. Bien joué.

Un géant de la taille d'un chariot à viande descendit les marches sans hâte, chacune grinçant sous son pas.

– Otto Malarkey, murmura Riley. Le grand chef en personne.

Malarkey sauta les trois dernières marches, envoyant les carcasses de bœuf se balancer au bout de leurs chaînes.

Cet homme aurait été un personnage hors du commun à n'importe quelle époque. Il portait un pantalon de cuir et des bottes de pirate, sa poitrine semblable à une barrique était nue et ses longs cheveux noirs et bouclés débordaient de sous un chapeau haut-de-forme en soie scintillante. Une ceinture de cow-boy avec deux revolvers lui entourait la taille et il brandissait une cravache dans sa main massive et charnue.

– Tu viens de montrer un talent considérable, mon garçon, dit-il, sa voix tonitruante se répercutant sur les murs et le plafond. Évidemment, cette demi-portion de Jeeves s'y est pris comme un branque pour te visser les bracelets. Je pourrais t'utiliser chez les Béliers. Avec cette bouille bien propre et toutes tes dents, tu ferais un bon casseur de porte du côté de la haute, à Mayfair ou ailleurs, là où ma bande de godiches attire les roussins comme un crottin de cheval attire les mouches.

Malarkey s'avança, émergeant de l'ombre, et Chevie remarqua sur son épaule un tatouage en forme de tête de bélier et une liste de prix sur sa poitrine :

Coups de poing – 2 shillings
Deux yeux au beurre noir – 4 shillings
Nez et mâchoire cassés – 10 shillings
Passage à tabac (à la matraque) – 15 shillings
Oreille arrachée – comme ci-dessus
Jambe ou bras cassés – 19 shillings
Coup de feu dans la jambe – 25 shillings
Coups de poignard – comme ci-dessus
Gros boulot – à partir de 3 livres

Malarkey remarqua la direction de son regard.

– Quelques-uns des divers services offerts par les Béliers. Bien sûr, mes prix ont augmenté en même temps que ma stature. J'avais l'intention de rectifier le tatouage depuis qu'ils m'ont éjecté de la prison de Little Saltee, l'île de la Petite Saline. J'étais le roi de ce petit tas de fumier.

Il écarta largement ses bras musclés.

– Maintenant, je suis le roi du plus grand tas de fumier du monde.

Riley tourna autour du géant d'un air méfiant.

– Pourquoi vous vous intéressez à nous, Mr Malarkey ? Pourquoi les Béliers surveillaient-ils cette cave ?

Malarkey donna un coup de pied dans la chaise vide de Riley, l'envoyant glisser sur le sol.

– En voilà un petit impudent qui me pose des questions dans mon propre club privé. Les Béliers ont passé un contrat d'après lequel ils devaient tuer quiconque se montrerait dans cette planque. Ça fait deux ans maintenant qu'on s'est mis un bon paquet dans la poche pour rien faire d'autre qu'ouvrir l'œil et c'est tout ce que tu as besoin de savoir sur la question.

– Bien sûr, désolé, mon prince. Toutes mes excuses.

– Écoutez-le, reprit Malarkey. Tout en bonnes manières, genre « enchanté de faire votre connaissance ». C'est sans doute l'éducation que je t'ai donnée puisqu'il paraît que tu es de ma famille.

Il eut un petit rire que le whisky et les cigares rendaient rauque.

– Tu as la langue bien pendue, mon garçon, et c'est pour ça que vous êtes toujours en vie, tous les deux. Tu es sacrément plus futé que les têtes d'os qui vous ont amenés ici et qui disent que vous êtes apparus dans un nuage, comme un génie sorti d'une bouteille. J'aurais de la place pour toi, chez les Béliers. Mais la fille a moins de valeur.

Otto s'accroupit devant Chevie. Il prit une mèche de ses cheveux entre deux doigts et la renifla.

– Faut dire que vous avez des cheveux éclatants, miss. Comment vous faites pour qu'ils brillent comme ça ?

– Eh bien, Mr Malarkey, répondit Chevie avec douceur, c'est tout simple, il me suffit de donner une bonne raclée à quelques Béliers et quand ils pleurent de honte, je lave mes cheveux soyeux dans leurs larmes.

Pris au premier degré, on aurait pu dire que ces propos, au mieux, manquaient de professionnalisme et que, au pire, ils étaient d'une témérité pathologique. Mais, comme l'avait enseigné Cord Vallicose à ses jeunes étudiants de Quantico dans ses cours sur les tactiques de négociation, « dans certaines confrontations, par exemple lorsqu'on a affaire à un narcissique ou à un psychopathe, une position agressive peut parfois se révéler utile, car elle éveillera l'intérêt de votre ravisseur et l'incitera à vous garder en vie un peu plus longtemps. » Chevie n'avait jamais oublié ces conseils et s'en servait pour justifier ses habituels débordements. Riley, bien entendu, n'avait jamais suivi ce cours et ne comprenait pas pourquoi Chevie s'obstinait à tenir tête à leurs ravisseurs.

– Elle est un peu simplette, dit-il précipitamment. Elle a eu un accident, à cause d'un grand mur… et d'une dose de laudanum. Ses méninges lui sont sorties par les oreilles.

Malarkey était perplexe. Il fit les cent pas pendant un moment, ne sachant comment réagir.

– Voyez-vous ça, dit-il d'un air un peu étrange. Les hommes ne m'envoient jamais de vinaigre à la figure et voilà que la première Indienne que je rencontre me crache un jet d'acide. Que doit faire un chef de gang dans un cas pareil ?

Malarkey frappa sa cuisse massive avec sa cravache.

– Voilà où on en est, jeunes gens. Mon prédécesseur a accepté de bonne foi un travail qui consistait à surveiller cette maison de Half Moon Street et à couper le cou à ceux qui s'y montreraient. Alors, je me trouve dans un dilemme. Ce n'est pas à moi de me demander pourquoi l'homme qui nous a engagés veut qu'on vous bute, mais Otto Malarkey n'aime pas tuer sans raison, surtout un gonze comme toi, mon garçon, qui pourrait nous être utile. Sauf que la fraternité a accepté de l'oseille pour faire un turbin et les Béliers ne seraient rien si on ne pouvait pas compter sur eux.

Riley pensa à quelque chose.

– Vous ne pouvez quand même pas tuer un autre Bélier.

– Bien vu, mon garçon. Mais tu n'es pas un Bélier. Les membres doivent être nés dans la fraternité ou se battre pour y entrer. Et, sans vouloir t'offenser, tu serais peut-être capable d'escalader une gouttière, mais pas de la tordre.

– Je pourrais bien vous surprendre, répliqua Riley.

Pour en donner la preuve, il sauta très haut et fracassa la chaise vide d'un coup de son avant-bras.

– Pas trop minable, reconnut Malarkey en enlevant d'une chiquenaude une écharde qui avait atterri sur son pantalon. Mais j'en ai une douzaine qui font mieux que ça. J'ai besoin de quelque chose d'un peu plus théâtral. Mes hommes en ont assez de voir des abrutis se taper dessus.

Riley tendit les poignets.

– Passez-moi les bracelets et je pourrai quand même filer une dégelée à qui vous voudrez.

– Je ne sais pas. On a déjà été payés.

– Vous ne voulez pas savoir pourquoi cet homme nous veut morts ? Le savoir, c'est le pouvoir, non ? Et un roi n'a jamais assez de l'un ni de l'autre.

Malarkey frappa à nouveau sa cuisse d'un coup de cravache.

– Toi, tu en mets plein la vue, mais tu es peut-être un peu trop malin avec toutes tes belles paroles. J'ai appris que, dans ce royaume, il est généralement plus prudent de fermer son bec, de faire ses affaires et de ne pas poser de questions. Je *voudrais* savoir pourquoi un homme aussi considérable a envie de vous voir mordre la poussière, mais dans ce petit jeu-là, en savoir trop t'envoie à la mort plus vite qu'en savoir trop peu.

Chevie eut une idée.

– Et si c'est moi qui me bats, grand chef ? Qu'est-ce que vous en diriez ?

La cravache de Malarkey s'immobilisa en l'air.

– *Vous,* vous battre ? On ne pourrait pas tolérer ça, ici. Les dames ne sont admises que depuis très peu de temps au Trou Perdu.

Les pensées de Riley avaient trois coups d'avance.

– Mr Malarkey, cette dame-là sait faire des trucs d'Indien. Je l'ai vue assommer un cosaque *et* son cheval. Elle n'en a pas l'air, mais c'est un vrai derviche tourneur.

Quelqu'un de bien inspiré pourrait se faire un paquet d'oseille en pariant sur Chevie.

Malarkey caressa la liste de prix tatouée sur sa poitrine.

– La cote serait très faible, il n'y aurait pas beaucoup d'enjeux. Mais il n'y a qu'une place à prendre en échange d'un combat. Ça te laisse de côté, mon garçon.

– Pas de problème, répondit Chevie. Choisissez vos deux meilleurs cogneurs et je les prends tous les deux.

Malarkey eut un grand rire surpris.

– Tous les deux ? Vous les prenez tous les deux ?

Il adressa un clin d'œil à Riley.

– Il devait vraiment être très haut, le mur d'où elle est tombée.

8

LE GANT ROUGE

Théâtre d'Orient. Holborn. Londres. 1898

Albert Garrick éprouvait pour le théâtre d'Orient des sentiments mêlés. D'une part, il aimait trop les souvenirs de sa vie d'homme de spectacle pour jamais le quitter, et d'autre part, le simple fait de regarder la machinerie de ses illusions autrefois célèbres lui causait une grande douleur.

Il parcourait les planches à présent, serrant une corde ici, ajustant un miroir là. Chacun de ces appareils faisait naître sur ses lèvres minces un sourire de regret.

« Ah, les bols d'eau chinois. Les acclamations du public, à Blackpool. Ils criaient Lombardi, Lombardi. »

Garrick songea qu'avec ses nouvelles capacités physiques, aucune illusion ne lui serait inaccessible.

« Je suis plus souple, maintenant, je pourrais même me glisser dans un de ces bols d'eau chinois s'il le fallait. Le Grand Lombardi deviendrait le plus célèbre illusionniste du monde. »

C'était une idée tentante, de voyager dans toutes les

cours d'Europe, d'éblouir les tsars et les rois. De voir des joyaux répandus sur la traîne de sa cape de velours.

« Tant de possibilités. »

Garrick se retira dans son cellier et se prépara un repas simple de fromages et de viandes, qu'il mangea debout, accompagné d'une croûte de pain un peu rassis et d'une chope de bière allongée d'eau.

« Bien sûr, j'aurai besoin d'un assistant. Cette fois, je ferai un choix plus judicieux et je ne montrerai pas tant d'indulgence. J'ai eu la main trop douce avec Riley, c'est ça qui l'a gâté. »

Garrick retourna sur la scène de l'Orient. Il alla prendre sa cape de velours accrochée à un portemanteau et s'enveloppa dedans. Puis, en guise de réconfort sentimental, et parce qu'il se sentait seul, d'une certaine manière, le magicien posa sur sa tête le haut-de-forme de soie qui avait appartenu au premier Lombardi.

« Les assistants sont des créatures qui n'apportent que des ennuis, s'avoua-t-il, ils développent souvent leur propre personnalité, ils ont leurs propres désirs, leurs propres préférences. »

Sabine, en plus, lui avait causé une douleur considérable. Sa trahison ne l'avait-elle pas forcé à quitter la scène à jamais ?

« Mais elle était si belle. Si parfaite. »

Garrick sentit monter en lui une fatigue qu'il ne pouvait ignorer. Il s'installa donc dans un fauteuil posé sur une estrade circulaire, pas très haute, au centre de la scène et décida de s'accorder quelques heures de sommeil avant de se lancer sur les traces de Riley et de Chevron Savano.

Comme cela était souvent le cas, Sabine apparut dans

ses rêves. Sa première assistante, si belle, si parfaite. Parfaite jusqu'au moment où...

Au début, le jeune Albert Garrick avait eu l'impression que sa vie entrait dans une nouvelle phase, s'éloignant des horreurs qu'il avait connues dans sa jeunesse. Il commençait à maîtriser les techniques de Lombardi et s'épanouissait dans les bottes de l'Italien. Pas un seul engagement de son maître disparu n'avait été annulé et Sabine semblait plus que satisfaite de voir son contrat renouvelé.

Garrick était éperdu d'amour et faisait pleuvoir sur la jeune femme les gages de son estime. Elle les acceptait avec de petits cris de joie et le serrait dans ses bras en l'appelant *son* Albert et en l'embrassant sur la joue. Pour la première fois de sa vie, Garrick était satisfait. Même ses cauchemars de sang et de choléra devenaient plus rares et quand ils se produisaient, ils étaient moins éprouvants.

Malheureusement pour le jeune Garrick, le cœur de Sabine était plus froid que les babioles qu'elle aimait tant et son intention avait toujours été de laisser tomber son employeur dès qu'une meilleure perspective se présenterait.

À l'été de 1880, un jeune Albert Garrick – devenu à présent le Grand Lombardi – occupait la deuxième position sur l'affiche de l'Adelphi, juste au-dessous du dramaturge et acteur anglo-irlandais Dion Boucicault, lorsqu'il remarqua que Sabine se montrait sensible aux tentatives de séduction d'un jeune éclairagiste blond du nom de Sandy Morhamilton. Garrick en fut offensé et déconcerté car, d'ordinaire, Sabine n'était guère patiente avec le personnel technique. Mais une petite enquête révéla que le jeune Morhamilton n'était pas un pauvre qui vivait au jour le jour. C'était en fait l'héritier d'une grande compagnie de commerce du café et il avait décidé de passer un an à l'Adelphi pour exorciser l'envie qui l'habitait de faire du théâtre.

« Et si j'ai décelé la véritable identité de Sandy, alors Sabine aussi », conclut Garrick. Il commença à les surveiller tous les deux, se découvrant un talent pour se *tapir* dans l'ombre, qui lui serait très utile dans les années à venir. Chaque jour, il avait le cœur brisé car la jeune femme si longtemps vénérée continuait d'accorder son attention à un abruti, un benêt de haute naissance.

L'amour de Garrick se transforma en une haine qui se tournait contre lui-même et lui aigrissait l'âme. L'affaire connut un développement tragique le troisième dimanche de juin, pendant la représentation donnée en matinée. Alors qu'il s'apprêtait à insérer les lames d'acier à travers les fentes de la boîte pour le numéro de la femme coupée en deux, il remarqua que le regard de Sabine était dirigé vers les cintres, au-dessus de la scène. À sa grande stupéfaction, la gourgandine souffla un baiser vers le ciel. Garrick se pencha pour l'admonester vertement et – c'était à peine croyable – il vit le reflet de son rival dans les yeux qu'il chérissait tant.

Une fureur irrépressible consuma le jeune Garrick et il enfonça la lame centrale dans la fente de la boîte sans retourner la poignée, ce qui signifiait que Sabine n'avait aucune chance d'éviter l'acier tranchant qui s'abattit sur elle.

La colère de Garrick laissa place à une satisfaction froide et, agitant son gant rouge de sang en direction de

Morhamilton, il s'enfuit par l'entrée des artistes et disparut dans les rues environnantes sans jamais plus revenir à l'Adelphi, bien que des gens de théâtre superstitieux jurent que le Gant Rouge hante toujours la salle, à la recherche de l'homme qui l'a fait cocu.

Albert Garrick ne fut jamais poursuivi pour ce meurtre car, par une ironie du sort, on le jugea coupable d'un crime moins grave. Deux jours plus tard, le magicien déchu attaquait un jeune homme blond devant le théâtre de Covent Garden et le laissait à demi mort. Le juge lui donna le choix entre passer un assez long moment à la prison de Newgate ou s'engager dans l'armée de la reine et prendre un train qui partait pour l'Afghanistan le soir même. Garrick choisit l'armée et à la tombée du jour, il se retrouva entassé avec d'autres soldats dans un wagon de transport de troupes à destination de Douvres, sans que personne ait remarqué que le chapeau d'Albert Garrick était celui qui allait si bien au Grand Lombardi. Il arriva juste à temps pour la grande bataille de Kandahar où il se couvrit d'une gloire sanglante. Garrick se vit proposer un grade d'officier et aurait pu faire carrière dans l'armée, mais il estima qu'il y aurait un plus grand bénéfice à devenir indépendant.

– Sabine, marmonna Garrick, à moitié endormi, Riley.

Garrick n'était pas seul dans le théâtre. En fait, une bande de malfrats chevronnés logeait ici depuis deux jours, attendant que Garrick revienne de sa mission à Bedford Square. Ce n'étaient pas des gros bras ordinaires, mais un trio de tueurs d'élite spécialement choisis pour cette tâche macabre. Leur chef les considérait comme les plus sanguinaires de son écurie et il leur avait confié ce contrat qui rapportait une jolie somme à la fraternité.

– Un seul corps ? avait demandé Mr Percival, le plus expérimenté des trois, un homme qui se vantait souvent d'avoir perpétré au moins un meurtre tous les dix ans de sa vie sur un continent différent.

– Oui, mais un corps exceptionnel, lui avait assuré son chef, et digne de vos talents combinés. N'y allez pas à moitié avec ce gonze, les gars, ou vous vous retrouverez dans le gosier du diable. Quand il reviendra après avoir lui-même saigné quelqu'un, attendez qu'il se couche et faites-lui son affaire. Vous attendrez le temps qu'il faudra. Compris ?

Les trois hommes hochèrent la tête avec une sincérité feinte et empochèrent leurs guinées payées d'avance, mais une fois le grand chef parti, ils se félicitèrent les uns les autres d'avoir décroché un travail aussi facile.

– Il n'y a pas plus vernis que nous autres, avait confié Percival à ses acolytes. Ce soir, les entrailles de ce Garrick s'étaleront sur la scène du théâtre et ensuite, on ira s'avaler un ragoût de mouton pour le dîner.

Et ainsi, en cet instant, Percival et ses deux complices se levaient derrière les fauteuils du rang F de l'Orient et se déplaçaient vers les allées en marchant en crabe. L'un se dirigea vers la gauche, l'autre vers la droite et Percival lui-même s'avança droit dans l'allée centrale. À part la longueur de l'attente, les événements se passaient comme sur des roulettes pour les intrus. Le nommé Garrick, loin d'être le spectre de la mort qu'on leur avait décrit, s'était planté dans un fauteuil en plein milieu de la scène comme pour leur donner le signal. Le trio des braves avait l'intention de prendre sa cible en tenaille puis de se resserrer sur lui avec diverses lames.

Percival leva une hache à manche court qu'il avait achetée dans un magasin de Californie et dont il s'était servi par la suite pour punir un adolescent qui l'avait montré du doigt. Le deuxième homme qu'on connaissait sous le simple nom de Turk brandit un cimeterre à la lame recourbée, qui avait appartenu pendant des générations à la même famille jusqu'à ce que Turk le dérobe. Quant au troisième homme, un Écossais aux jambes exceptionnellement courtes, il avait entre les doigts un crochet à foin qui avait vu pendre de sa pointe plus de globes oculaires que de bottes de paille. L'Écossais, nommé Pound, portait aussi un revolver, mais les cartouches étaient chères et un tir raté risquait d'éveiller la cible. Il valait donc mieux accomplir la tâche silencieusement, avec des lames.

Ces hommes avaient déjà travaillé ensemble et avaient mis au point un système de communication à base de hochements de tête, de sifflets et de signes de la main qui rendait inutile tout bavardage. Les assassins bavards ne duraient pas longtemps, à Londres. Percival était le capitaine, les deux autres le regardaient donc en attendant les ordres. En deux mouvements de sa hache, il leur indiqua la direction des coulisses. Garrick se précipiterait sans aucun doute vers l'un des deux côtés si jamais il remarquait l'approche de Percival. Ce qui était peu probable, car ce dernier faisait à peu près autant de bruit qu'une feuille morte portée par la brise de Hyde Park. Turk et Pound se résignèrent au fait que le meurtre lui-même serait l'œuvre de Percival, comme c'était en général le cas.

Percival monta l'escalier de scène et traversa silencieusement la fosse d'orchestre, sentant avec plaisir le poids de la hache dans sa main, savourant par avance le son mat qu'elle produirait quand elle ferait voler un morceau du crâne de la cible.

« Encore quatre pas et ce sera le ragoût de mouton pour moi et les gars. Encore trois pas. »

Percival sauta sur la scène proprement dite et il savait qu'à cette distance aucun homme, aucun animal sur cette terre, ne pourrait échapper à l'arc mortel que décrirait sa hache.

« À cette distance, je pourrais tuer un ours », pensa-t-il.

Il leva haut la hache et abattit la lame avec une force terrifiante. Mais elle ne frappa que le fauteuil, fendant le rembourrage et s'enfonçant profondément dans le dossier en bois.

Le cerveau de Percival ne parvenait pas à comprendre comment la certitude était devenue incertaine.

– La magie, dit une voix. Les choses ne sont pas ce qu'elles paraissent.

Percival arracha la hache du fauteuil et pivota vers l'endroit d'où lui étaient parvenues ces paroles mystérieuses. Là, dans un coin, se tenait la cible elle-même, Garrick, enveloppé dans sa cape d'illusionniste.

– Vous aimez cette cape ? Bien sûr, elle a un côté théâtral, mais après tout, nous sommes en pleine représentation.

« Il ne sait pas que nous sommes plusieurs, pensa Percival. Sinon, il ne jacasserait pas comme ça. »

Percival siffla sur deux tons, aigu et grave. C'était un signal pour que Turk sorte des plis d'un rideau de velours qui le cachait.

Turk faisait encore moins de bruit que Percival car il portait des pantoufles de soie qu'il appelait ses « chaussures de crime. » Il s'avança vers Garrick par-derrière et tendit la main pour l'attraper par l'épaule afin de maintenir le magicien immobile pendant qu'il abattrait sur lui la lame du cimeterre, mais ses doigts tâtonnants ne rencontrèrent qu'une surface de verre au lieu de saisir de la chair et des os.

« Un miroir, pensa Turk. J'ai été trompé. »

Il sentit la terreur descendre en lui comme une ancre de plomb – il avait compris qu'il était perdu.

L'image de Garrick tendit le bras à travers le miroir et arracha le cimeterre de la main de Turk.

– Tu n'en auras pas besoin, dit le reflet du magicien avant de plonger la lame dans le cœur du malfrat.

Turk mourut en pensant qu'il avait été tué par un fantôme. Son dernier souhait fut de pouvoir revenir dans cet endroit sous la forme d'un spectre pour essayer de comprendre les événements qui avaient conduit à sa mort mais malheureusement, ce n'est pas ainsi que fonctionne l'au-delà, surtout pour les tueurs au cœur noir.

Percival aurait voulu attaquer, mais il n'était pas sûr de la position de l'ennemi. Il entendit derrière lui un grincement menaçant et vit en se retournant un décor qui descendait des cintres. Il était de forme circulaire et constitué d'une toile tendue sur un châssis de bois. On y voyait des cercles peints à l'intérieur d'autres cercles.

– Que je sois pendu, dit Percival dans un souffle. Une cible.

– Pendu ? lança une voix dans la pénombre de la

salle. J'ai peur que tu n'aies pas très bien compris la situation, mais ça va venir.

Percival recula jusqu'à ce que ses omoplates se cognent contre le décor, sa tête occupant exactement le centre de la cible. Avant qu'il n'ait pu en tirer toutes les implications, une véritable grêle d'armes blanches jaillit de l'obscurité en sifflant.

« Je suis fini », pensa Percival et il ferma les yeux.

Mais il n'était pas fini du tout. Les divers couteaux, fourchettes, épées et baïonnettes le clouèrent solidement à la cible, ne lui coûtant qu'un demi-litre de sang qui coula de blessures bénignes.

Était-ce par hasard ou l'avait-il fait exprès ? Percival ne le savait pas, mais il profita de ses poumons toujours actifs pour faire appel à son dernier acolyte.

– Au diable les lames, Pound. Mets-lui du plomb, à ce gonze.

Pound surgit de sa cachette, pointant son pistolet tout autour de lui, à la recherche de sa cible.

– Où es-tu, Garrick ? Montre-toi !

À l'aide d'une quelconque machinerie, Garrick apparut à un autre endroit que celui où il se trouvait une seconde auparavant, le visage pâli par les lumières de la scène, ses cheveux sombres ondulant sur ses épaules.

– Je suis offensé par cette attaque dans ma propre maison. Je dis bien, offensé.

– Arrête de bouger tout le temps et reste tranquille, ordonna Pound.

– Pour que tu puisses m'abattre ? Drôle de requête. Mais si c'est ce que tu veux, d'accord. Tire avec ton satané pistolet, mais prends garde – si tu me rates, moi, je ne te raterai pas.

Apparemment, toutes les cartes étaient dans la main de Pound mais, son chef étant cloué à une cible, il était nerveux.

– Tue-le, l'ami ! le pressa Percival. C'est un coup facile, un singe y arriverait.

Garrick écarta largement les bras.

– Tire, l'Écossais. En poussière.

Pound cligna des paupières pour chasser la sueur de ses yeux, se demandant comment un travail si simple avait pu ainsi tourner au vinaigre.

– À genoux, Garrick.

– Oh non, je ne m'agenouille devant personne.

Percival se débattait pour essayer de s'arracher aux lames qui l'immobilisaient.

– Tire, Pound ! Presse la détente !

– Tu es un faible, dit Garrick d'un ton moqueur. Un poltron !

Pound fit feu et une volute de fumée bleue monta du canon. La détonation fut assourdissante et pendant un moment, le torse de Garrick fut enveloppé d'un nuage frémissant.

Lorsque la fumée se dissipa, le magicien réapparut, en pleine santé, sans aucun changement dans son apparence à part du sang sur ses dents et la balle de revolver qu'il tenait entre ses incisives.

– Mon Dieu, murmura Pound. Il a attrapé la balle. Cet homme n'est pas un simple mortel.

– Tire encore, imbécile ! s'écria Percival. C'est un revolver que tu as dans la main.

Garrick parla entre ses dents :

– Tu n'avais qu'une seule chance. Maintenant, c'est à toi de rester tranquille pour que je puisse te tirer dessus.

Pound était si désemparé que ses pieds semblaient aussi lourds qu'une ancre et que des larmes ruisselaient sur ses joues rougeaudes.

– Mais vous n'avez pas de pistolet.

Garrick frotta ses doigts devant sa bouche comme pour les chauffer puis il cracha la balle avec tant de force qu'elle s'enfonça dans le front de Pound qui tomba raide mort.

Percival comprit alors qu'il était dans la boue jusqu'au cou.

– S'il vous plaît, monsieur. Nous avons de l'argent dans nos poches. Prenez-le et laissez-moi partir. Je serai sur le prochain bateau pour l'Amérique.

Il n'y avait pas la moindre trace de miséricorde dans les yeux de Garrick.

– Je veux le nom de celui qui tire les ficelles.

Percival grinça des dents.

– Je ne peux pas. J'ai prêté serment.

– Ha, ha, un serment, lança Garrick en se faufilant jusqu'à la grande cible. C'est en soi un aveu.

– Je ne dirai rien de plus, affirma Percival avec obstination. Faites ce que vous voudrez, démon.

– Ceci, monsieur, est une invitation, répliqua Garrick en enlevant un par un les couteaux qui collaient Percival contre la cible. Vous avez peut-être deviné que j'ai été autrefois un illusionniste d'une certaine renommée. Il y en a qui m'appelaient le Grand Lombardi, mais ma sinistre réputation m'a valu un autre surnom.

Garrick marqua une pause et Percival n'y tint plus.

– Quel nom ? Pour l'amour de Dieu, cessez de jouer avec moi.

Garrick arracha le drap qui recouvrait une boîte en forme de cercueil, côté cour.

– On m'appelait le Gant Rouge.

Les yeux de Percival se révulsèrent et il s'évanouit, retenu seulement par un couperet et un stylet.

– Je vois que vous connaissez la légende, dit Garrick en enlevant les deux dernières lames.

Lorsque Percival reprit conscience, il était dans la boîte, étroitement attaché, ses pieds nus pointant à l'une des extrémités.

Garrick se pencha sur lui, habillé cette fois d'une tenue de soirée complète avec haut-de-forme en soie et gants fins – l'un blanc, l'autre rouge.

– C'est mon plus célèbre numéro, dit-il. Ce qui est d'ailleurs assez fâcheux puisque c'est le seul où j'ai été pris en défaut, et d'une manière fatale.

– En défaut ? s'inquiéta Percival. Ça veut dire que le numéro a *raté,* monsieur ?

– En effet. Et vous savez ce que signifie *fatal ?*

Percival chercha dans son vocabulaire qui se composait d'à peine plus de deux cents mots, la plupart liés à la nourriture.

– Ça signifie qu'on en meurt, monsieur. Est-ce que quelqu'un a été tué ?

– Vous avez plus d'éducation qu'il n'y paraît, Mr...

– Je m'appelle Percival, mon prince.

– Percival. Un bon gros nom gallois.

– Gallois, oui. Peut-être que vous avez du sang gallois dans votre famille et que vous m'épargnerez ?

Garrick ne prêta aucune attention à la question et sortit de derrière son dos, d'un geste très théâtral, une grande lame carrée munie d'une poignée en bois.

– Voici la clé de cette illusion, Percival : la lame. Le public croit qu'elle est fausse, mais je puis vous assurer qu'elle est du meilleur acier et qu'elle peut traverser chair et os sans qu'on ait besoin de s'y reprendre à deux fois.

Puis, avec une dextérité qui ne manquait pas de panache, Garrick jeta la lame en l'air, la rattrapa et enfonça le carré d'acier trempé dans la fente qui se trouvait du côté des jambes, semblant trancher les pieds de Percival.

– Pitié ! hurla celui-ci. Tuez-moi et qu'on en finisse. C'est de la torture, monsieur. De la pure torture.

Garrick claqua des doigts et, de quelque part au-dessus d'eux, leur parvint le son d'un orchestre.

– Vous ne pouvez pas me refuser ce petit plaisir, monsieur Percival. J'ai si peu l'occasion de revêtir mes anciennes frusques.

Le visage de l'homme semblait enfler de terreur.

– Je ne suis pas un mouchard. Les condés n'ont jamais réussi à faire jacter le vieux Percival et vous n'y arriverez pas plus.

– Allons, pourquoi tant d'hystérie ? demanda Garrick d'un ton innocent. Je ne vous ai fait aucun mal. Regardez.

Percival vit un grand miroir au cadre doré suspendu au-dessus de l'avant-scène. Il ordonna à ses orteils de remuer et fut profondément soulagé de voir dans le miroir qu'ils obéissaient.

– Mais la lumière est si mauvaise, ici, Mr Percival. Je devrais vous offrir une meilleure vision.

Garrick sépara alors du corps principal la partie inférieure de la boîte et Percival se mit à hurler lorsqu'il vit ses pieds s'éloigner de lui, ses orteils s'agitant furieusement.

– Mes orteils, gémit-il. Oh, mes orteils, rendez-les-moi, rendez-les-moi !

– Qui vous a envoyés ? demanda Garrick d'un ton impérieux en brandissant une deuxième lame.

– Non. Jamais.

– J'admire votre stoïcisme, Mr Percival, croyez-moi, mais il s'agit là d'une bataille entre deux volontés et vous ne me laissez pas beaucoup de choix...

Garrick se cala contre la boîte à couper puis il enfonça la deuxième lame dans sa fente.

Percival émit quelques balbutiements, des larmes lui coulèrent sur les oreilles et il se mit à chanter inconsciemment la chanson qui exprimait la loyauté à sa fraternité, une chanson qu'il avait fredonnée dans de nombreuses tavernes en compagnie de ses frères tatoués.

On les mord,
On les tord,
Les poignarde,
Les canarde.

Garrick ne fut pas surpris.

– Ah, Mr Malarkey, serait-ce vous qui vouliez intervenir dans mes affaires ? Merci, fidèle Percival. Vous avez fait ce que je vous demandais. Je n'infligerai donc plus de souffrance à votre personne.

Percival n'avait plus toute sa raison, à présent, et il continua de chanter.

Donnez-nous d'la monnaie,
On les tue sans délai,
Si escrocs ou gredins
Vous ont mis dans l'pétrin,

Garrick chanta avec lui les deux derniers vers, produisant une habile harmonie.

Venez donc demander
Aux Béliers d'vous aider.

Garrick applaudit, son gant rouge scintillant dans la lumière.

– Vous avez une belle voix de ténor, Percival. Pas d'une qualité professionnelle, mais agréable quand même. Vous ne voulez pas me régaler d'un bis ?

Percival s'exécuta, sa voix devenant plus tremblante à chaque note, puis se dissolvant dans un gargouillement terrifié lorsque Garrick saisit la partie de la boîte qui se trouvait à hauteur de la tête et l'envoya tournoyer à l'autre bout de la scène.

La dernière vision de Percival, avant que son cœur épouvanté ne s'arrête de battre, fut son propre torse qui s'éloignait et le bout de ses doigts qui s'agitaient en s'efforçant de se défaire de leurs liens.

Garrick aurait pu lui dire que tout cela était réalisé

grâce à des miroirs et à des prothèses, mais un bon magicien ne révèle jamais ses secrets.

Il dansa une marche joyeuse sur la passerelle de la fosse d'orchestre.

– *Venez donc demander*, chanta-t-il, poussant sa voix dans les aigus pour le dernier vers, *Aux Béliers d'vous aideeeer !*

Et il pensa : « C'est justement ce que j'ai l'intention de faire. »

L'illusionniste frappa du pied une bombe à poudre magique cachée sous le tapis de l'allée centrale et disparut dans un éclair de magnésium et un panache de fumée.

9

GOLGOTH GOLGOTH

Le Trou Perdu des Béliers.
Allée des Bandits. Londres. 1898

Il était venu à l'esprit de l'agente spéciale Chevron Savano qu'elle pouvait être la victime d'une sorte d'énorme opération de mystification. Des archives de la Seconde Guerre mondiale racontaient des histoires de prisonniers dans des hôpitaux de guerre qui avaient été convaincus par des ennemis parlant anglais que les hostilités étaient terminées et qu'ils pouvaient donc être débriefés. Mais dans ces cas-là, il s'agissait de prisonniers de haut rang et ces opérations coûtaient un prix fou. Or, au sein du FBI, elle n'était qu'une apprentie avec un badge en fer-blanc. Personne n'irait jusqu'à des extrémités aussi ahurissantes pour dérober les modestes secrets qu'elle avait dans la tête.

Mais les derniers doutes qu'elle pouvait avoir sur la réalité de sa présence dans le XIXe siècle londonien disparurent dès qu'elle émergea du sous-sol et pénétra dans le repaire où se réunissaient les voleurs, les égorgeurs et les traîne-savates d'Otto Malarkey.

Riley la saisit par le coude.

– Agente... heu... Chevie, ici, on est dans le Trou Perdu des Béliers et il vaut mieux me laisser tenir le crachoir. Je les connais, ces gens-là.

– Du calme, petit, je peux parler toute seule.

Riley eut une expression douloureuse.

– Ça, je le sais. Quelle que soit l'époque, vous êtes tellement emportée que vous finissez toujours par vous mettre dans le pétrin.

– C'est de la psychologie, Riley, se défendit Chevie, tout en sachant que ce n'était qu'à moitié vrai. Tu ne comprendrais pas.

Le Trou Perdu des Béliers ne ressemblait pas beaucoup à un trou et ne paraissait pas tellement perdu. L'escalier branlant de la réserve menait à un rez-de-chaussée occupant toute la surface d'une vaste maison, sans aucun mur pour soutenir le plafond qui ployait dangereusement et se serait effondré tout entier sans la hotte de la cheminée. L'immense pièce était peuplée d'une telle foule de truands endurcis que seule une prison aurait pu présenter une telle concentration de criminalité.

Des animaux se promenaient en liberté dans la salle, notamment des poulets, des chiens de chasse et de véritables béliers qui se battaient en emmêlant leurs cornes impressionnantes sous les encouragements des Béliers à deux pattes.

Sur des estrades de fortune constituées de planches posées sur des tonneaux, des chanteuses de cabaret chantaient des chansons à boire et des prestidigitateurs de rue se livraient à des jeux de bonneteau. Quatre perroquets au moins se cachaient dans des lustres de cristal, jurant dans autant de langues différentes.

– Wouaoh ! dit Chevie, qui sentait la pièce tourner autour d'elle comme un kaléidoscope. Ça semble irréel.

– Ne dites rien, souffla Riley. Je vais peut-être réussir à nous sortir d'ici.

Il se faufila entre un singe et son maître pour s'approcher de Malarkey.

– Mr Malarkey, Votre Majesté. J'ai des talents de magicien. Les colombes, les lapins, ce genre de choses. Pensez à une carte, n'importe laquelle.

Malarkey s'avança à grands pas vers le centre de la salle.

– Non, nous nous sommes mis d'accord pour une bagarre. Alors, pas de discutailleries. C'est toi qui voulais que je parie sur la fille, non ?

Il avait raison.

– Oui, admit Riley. Mais c'était...

Malarkey enjamba un marin inconscient cramponné à un jambon rôti.

– C'était quand tu étais au pont inférieur, dans la cave à tuer, avec du sang par terre et les égouts qui suintent à travers les murs, alors tu m'as dégoisé ce qui te passait par la tête pour revoir la lumière du jour, mais maintenant que tu la revois, ladite lumière, tu penses en toi-même : « Peut-être que je peux gagner du temps avec ce pauvre vieux Malarkey qui n'est pas très malin et ficeler une histoire pour arriver à nous sortir d'ici, moi et la jolie fille. »

Riley essaya de discuter :

– Non. C'est la vérité, y en a pas deux comme moi pour faire des tours. Regardez ça !

Il saisit un redoutable poignard à la ceinture d'un marin qui se trouvait près de lui et le planta entre les côtes d'un homme qui, pour une raison inconnue, portait un costume de bain à rayures. La lame semblait fichée dans la chair mais elle n'avait fait apparemment aucun mal.

– Vous voyez ?

– Pas mal, reconnut Malarkey, mais j'ai décidé que ce serait un combat.

Une pensée lui vint soudain à l'esprit et il s'arrêta net en se tournant vers Chevie.

– Vous connaissez les règles de la boxe du marquis de Queensbury ?

Chevie étirait les muscles de ses épaules.

– Non. On ne peut pas dire.

Malarkey lui donna un petit coup de cravache sur la tête.

– Excellent. Nous non plus. La seule loi, ici, c'est que tous les coups sont permis.

D'un bond, Malarkey monta sur une estrade, au centre de la salle, où un trône bas, en bois et velours, était installé, magnifiquement orné d'une toison de bélier à la laine touffue et aux cornes puissantes. Il donna un coup de pied à un singe qui s'était assis à la place du roi, pivota sur ses talons et se laissa tomber bien droit sur le trône. Avec une indulgence paternelle, Malarkey sourit un long moment aux diverses formes de criminalité déployées autour de lui, puis il sortit d'un étui en cuir accroché à un bras de son trône un porte-voix de cuivre en forme de trompette.

– Écoutez-moi, les Béliers, lança-t-il, sa voix amplifiée

dans une sonorité métallique. Qui parmi vous, fins gentlemen amateurs de plaisirs sportifs, serait tenté par un pari contre votre roi ?

Ses paroles se répandirent comme la peste dans la populace rassemblée et bientôt des clameurs montèrent aux pieds du roi pour réclamer l'événement sportif qu'il leur promettait.

– Très bien, les Béliers, dit Malarkey en se levant. J'ai pour vous ce soir quelque chose qui va vous clouer sur place et vous retenir ici quelque temps, alors que vous devriez être dehors à accomplir votre honnête labeur habituel.

Un rire rauque s'éleva jusqu'au toit de la maison lorsque Malarkey associa les mots « labeur » et « honnête ».

– Devant la toison sacrée, moi, le monarque que vous vous êtes choisi, je vous propose un pari. Et je vous affirme que personne, parmi tous les gonzes rassemblés ici, n'arrivera à prendre un demi-penny de mon argent durement gagné. Qui a le cran de se lancer ?

De nombreuses mains se levèrent, certaines jetèrent même des pièces au pied de l'estrade.

– Pas si vite, mes risque-tout. Laissez-moi vous rencarder sur les détails pour qu'il n'y ait pas un peu plus tard des accusations de tricherie dans l'air.

Malarkey se pencha et arracha Riley et Chevie à la foule.

– Voilà, mes compagnons, nous avons ici deux possibles recrues. Un joli petit arsouille, rapide de ses mains, et sa princesse indienne. Je leur ai donné mes instructions, c'est-à-dire que l'un d'eux va combattre et qu'il combattra pour deux.

– Je le prends, dit le baigneur au poignard.

Malarkey le fit taire d'un geste de la main.

– Vous n'avez pas entendu la meilleure. C'est la jeune dame qui va se battre.

Cette annonce provoqua un grand tumulte.

– On ne va pas faire entrer une dame sur le ring, objecta le challenger en reculant vers la foule.

Malarkey tapa du pied.

– Vous avez vu l'adversaire qui me représentera, les Béliers. Maintenant, montrez-moi le vôtre.

Il n'y eut pas de réponse immédiate à ce défi. Ce n'était pas une question de couardise. C'était le simple embarras qu'inspirait l'idée de se colleter avec une femme en public.

Mais tous n'étaient pas embarrassés. Un homme s'avança bientôt au premier rang.

– Je vais lui casser le crâne.

Le candidat était un chauve d'un mètre quatre-vingt-trois avec des jambes qui s'étaient arquées à force de soutenir un ventre de buveur de bière.

– Je peux me servir de mon gourdin ? Je ne me bats jamais sans lui, pour des questions d'équilibre.

Malarkey se montra choqué.

– Te servir de ton gourdin ? Bien sûr que tu peux t'en servir, Mr Skelp. Jamais je ne priverais un de nos frères de son arme préférée.

Skelp sortit de derrière son dos un bâton en bois de prunellier gros comme la cuisse de Chevie. Comme s'il n'était pas d'une taille suffisamment impressionnante, son propriétaire avait cloué dessus des plaques d'acier sans doute brillantes autrefois mais aujourd'hui ternies par une couche de liquides et de matières coagulés.

– Charmant, commenta Chevie. Vous avez beaucoup de classe, les gars.

Malarkey éclata de rire.

– Skelp est l'un de nos frères les plus raffinés. Il lui arrive parfois de lire des histoires aux illettrés. La cote et de dix contre un sur Skelpy. Que des espèces, pas de reconnaissances de dette. Vous donnerez la monnaie à mon comptable.

Un petit homme vêtu d'un gilet fut soudain assiégé par une bande de Béliers agressifs qui brandissaient de l'argent et avec lesquels il traita très efficacement en communiquant par un système compliqué de tics faciaux et de jurons.

Une fois les paris enregistrés, un espace fut dégagé face à l'estrade. Riley devina que c'était l'arène habituelle où se déroulaient les combats à poings nus et il espéra que les taches sombres sur le plancher n'étaient dues qu'à du vin ou de la bière.

Chevie ne paraissait pas anxieuse, bien que rien dans ces préparatifs ne lui fût familier.

Riley se rendit compte que l'attention de chacun dans cette salle était centrée sur Chevie et que c'était le moment idéal pour chercher un moyen de les sortir d'ici tous les deux. Il ne pouvait pas l'abandonner maintenant. « Nous sommes ensemble jusqu'à ce que cette histoire finisse. »

Les Béliers se bousculèrent pour essayer d'être au bord du ring pendant que les adversaires se préparaient au combat. Chevie étira avec soin ses muscles et ses tendons. Skelp, pour sa part, se mit torse nu et susurra des mots doux à son gourdin bien-aimé.

– J'arbitrerai la rencontre, annonça Malarkey dans sa trompette. Le dernier homme… ou la dernière femme… debout sera proclamé vainqueur. Prêts à vous battre, tous les deux ?

Skelp cracha une chique de tabac mâché dont la plus grande partie atterrit sur sa propre botte. Chevie se contenta d'approuver d'un signe de tête et serra les poings.

– Alors, allez-y ! s'écria Malarkey.

Les Béliers s'attendaient à ce que la petite jeune fille débordante de vigueur se rue sur Skelp qui tomberait peut-être sous l'assaut avec un grand rire. Ils se préparaient à huer gentiment leur camarade lorsqu'il serait finalement forcé de donner un petit coup de gourdin sur la caboche de la fillette pour pouvoir réclamer ses gains.

Ils ne s'attendaient pas du tout à voir ce qui se passa réellement et plusieurs d'entre eux éclatèrent de rire en pensant qu'ils assistaient à une sorte de blague orchestrée par le roi Otto pour leur offrir un peu d'amusement.

Avant que l'écho des paroles de Malarkey ne se dissipe, Chevie se précipita, penchée en avant, et recourut à une prise de judo basique pour arracher la matraque de la main de Skelp. Puis, avec le gourdin bien-aimé de son adversaire, elle lui décocha un uppercut d'une puissance foudroyante qui lui fit sauter trois dents et le propulsa en vol plané au milieu d'un groupe de ses camarades. Tous tombèrent les uns sur les autres, comme des quilles.

– Suivant, dit Chevie, ce qui était un peu théâtral, mais pas plus que la situation dans son ensemble.

La victoire de Chevie fut suivie d'un silence d'une intensité dont on n'avait pas connu l'équivalent en vingt ans, depuis que Gunther Kelly, dit Sans-Nez, avait gagné son surnom lors d'un concours qui consistait à manger des rats vivants.

– Attendez un peu, dit Malarkey du coin des lèvres.

Lorsque les Béliers rassemblés comprirent que leurs mises couraient un sérieux danger d'échapper pour toujours à l'étreinte de leurs doigts crasseux, le silence fut brisé par un gémissement collectif qui s'éleva comme une vague mugissante et s'écrasa dans une mer de protestations.

– Hé, qu'est-ce que c'est que ça ?

– Pas juste ! Pas juste !

– Est-ce qu'on frappe quelqu'un avec son propre gourdin ?

– C'est pas une femme, c'est une sorcière.

Malarkey fit taire la clameur en lançant un cri dans sa trompette, puis il s'adressa à la congrégation stupéfaite :

– Alors, les gars, vous semblez un brin surpris par mon petit derviche tourneur. Je vous avais prévenus, mais non, vous autres, fins gentlemen, vous en savez plus que votre régent bien-aimé.

Malarkey descendit et caressa la tête de Chevie comme si c'était son petit chien préféré. Il envoya même Riley s'asseoir sur son trône pour se détendre un peu.

– Tiens, dit-il en lançant une bourse pleine d'or au garçon. Une part pour la princesse indienne, même si ça ne faisait pas partie de notre marché, mais je suis un monarque juste et bienveillant.

Malarkey se tourna vers ses sujets.

– Écoutez-moi, mes bons gibiers de potence, l'histoire a une suite. Vous avez vu ce que peut faire ma championne et vous regrettez peut-être les pièces que vous avez pariées. Je vous offre donc la possibilité de reprendre votre mise sans pénalité. Mais si vous laissez dans le pot votre argent mal acquis, alors parmi les avantages qui vous reviendront, il y aura de plus grandes chances de gagner, un grog gratuit et l'admiration de vos pairs. Et c'est vous qui désignerez celui qui viendra verser le sang. Vous êtes libres de choisir dans vos rangs le plus costaud des traîne-savates pour se battre contre ma fillette. Prenez qui vous voudrez, du moment qu'il porte la marque.

Le malaise qu'éprouvait Riley augmentait à chaque seconde. C'était un beau spectacle à trois sous pour les Béliers, mais Chevie et lui devenaient des cibles désignées. Si Garrick avait réussi à basculer sa carcasse dans le tunnel du temps, des rumeurs sur une squaw bagarreuse ne tarderaient pas à lui parvenir aux oreilles.

« Et dans ce cas, les rats de la Tamise auront deux autres cadavres flottants dès le petit jour. »

Riley s'était perché sur le trône.

– Chevie, murmura-t-il. Finissez votre turbin le plus vite possible et ensuite, on se fait rares. J'ai des drôles de fourmillements sur la peau, ça veut dire que Garrick arrive.

– Bien reçu. Il faut qu'on sorte d'ici, répondit Chevie.

Chaque fois que Riley avait eu cette impression que « Garrick arrive », il avait mis dans le mille.

Malarkey entendit l'échange. Il arracha Riley au trône et le déposa à ses pieds comme un petit chien royal ou un bouffon.

– Ne t'inquiète pas pour Albert Garrick. Ma meilleure

équipe d'assassins sans foi ni loi l'attend dans son repaire et le temps qu'ils y passent est payé par le même gentleman distingué qui a commandé votre mort à tous les deux. Mais pour ce qui est de « sortir d'ici », je crois que vous ne vous souvenez plus très bien de notre arrangement.

Chevie frappa du poing la paume de sa main et plusieurs Béliers de bonne taille firent un saut en arrière.

– Quel arrangement ? demanda-t-elle.

Le menton de Riley lui tomba sur la poitrine et il répondit à la place de Malarkey :

– Nous nous battons pour entrer chez les Béliers, sinon, l'autre choix, c'est d'assister à un cas de mort violente et soudaine – la vôtre et la mienne. Une fois que nous serons dedans, nous appartiendrons à Malarkey pour la vie.

Malarkey montra Riley du doigt.

– Un shilling pour la clairvoyance de ce garçon. Vous vous battez pour pouvoir continuer à respirer, jeune dame. Et si vous gagnez dans l'arène le droit d'échapper à la mort, votre vie restera quand même entre mes mains. Souvenez-vous bien de ça.

Il pivota sur ses talons comme un escrimeur bien entraîné jusqu'à ce que sa cravache soit pointée sur Riley.

– Prenez celui-là et marquez-le. Il est des nôtres, à présent.

Des mains jaillirent de la foule et s'abattirent sur Riley, si nombreuses qu'il sembla comme avalé par une anémone de mer. Le garçon résista, envoyant au tapis avec quelques coups bien placés plusieurs de ses agresseurs, mais dès que l'un d'eux tombait, un autre bondissait pour prendre sa place. Les Béliers le soulevèrent au-dessus de leurs têtes et le portèrent à travers la multitude jusqu'à un coin éloigné de la salle où un vieil homme décrépit était assis, entouré de livres, de boîtes remplies d'aiguilles et de petites bouteilles d'encres aux couleurs denses et brillantes comme des joyaux. Les doigts de l'homme, pas plus grands que des doigts d'enfant, étaient noueux, leurs rides imbibées d'encre, chaque jointure colorée comme un arc-en-ciel. Riley se retrouva cloué sur une chaise de bois et maintenu en place par deux mains qui lui serraient les épaules comme des étaux.

– Une jeune recrue, n'est-ce pas ? demanda l'homme.

– C'est ça, Farley, répondit celui qui immobilisait Riley.

Farley fouilla dans ses aiguilles en les faisant tinter.

– Pas vraiment un Bélier, marmonna-t-il. Plutôt un agneau. Mais ce n'est pas à moi de me demander pourquoi il est là...

Il choisit une fine aiguille.

– Monsieur, vous n'allez pas d'abord faire une esquisse ? interrogea Riley d'un ton inquiet.

Une toux semblable à un gargouillement s'éleva de la gorge de Farley.

– Une esquisse, vraiment ? Mon garçon, il y a des années que je dessine le bélier, je pourrais le faire dans mon sommeil, crois-moi. Maintenant, arrête de trembloter ou c'est une chèvre que tu vas avoir à la place du bélier.

– L'aiguille est propre, au moins ? Je ne veux pas perdre un bras.

– Sois tranquille, mes outils sont mieux stérilisés que

n'importe quel instrument de l'hôpital de Saint-Bart. Personne n'a jamais vu une boule de pus qui lui soit venue d'une aiguille d'Anton Farley. Je vais t'en faire un petit très rapide et le temps passera vite. Ensuite, je prendrai une autre aiguille nettoyée à l'alcool pour le bélier de ton amie.

En entendant mentionner son amie, Riley tendit le cou sans bouger l'épaule pour essayer de voir ce qui se passait du côté du cercle où avaient lieu les combats. De sa chaise, il n'apercevait même pas le sommet du crâne de Chevie, il ne distinguait qu'une foule de Béliers qui scandaient quelque chose.

– Golgoth, Golgoth, criait la coterie des criminels, puis encore une fois : Golgoth, Golgoth.

– Ah, mon Dieu, dit tristement Farley. Alors, il ne faudra qu'une seule aiguille.

Chevie n'était pas encore habituée à l'odeur âcre de Londres. L'air lui-même semblait teinté d'une touche de sépia et des flocons mystérieux lui tombaient sur la tête et les épaules, mouchetant sa peau.

« Ça ne peut pas être très bon pour la santé, songea-t-elle. Je ne veux même pas savoir d'où viennent ces flocons. »

Les Béliers avaient formé autour d'elle une barrière humaine qui n'était pas trop serrée, car ils semblaient avoir adopté une certaine prudence dans l'approche de la demoiselle indienne, sans doute à cause du gourdin de bonne taille qu'elle tenait dans son poing délicat et dont l'extrémité servant à dire « bonjour, comment allez-vous ? » ruisselait de sang.

À présent, les hommes scandaient le nom de Golgoth et Chevie se doutait qu'il devait appartenir à une incarnation particulièrement redoutable de Bélier.

« Les Béliers. Il suffirait que ces types deviennent un tout petit peu plus macho pour avoir leur propre émission de télé sur le câble et montrer comment réparer des motos ou faire de la musculation. »

La mer humaine se fendit et une énorme brute aux allures agressives s'avança dans le cercle d'un pas conquérant comme s'il était le champion du monde d'une activité particulièrement violente.

« Voici donc Golgoth, pensa Chevie. Il faudra au moins deux ou trois coups pour l'assommer. »

Golgoth leva la main au-dessus de sa tête, se pinça délicatement le sommet du crâne entre le pouce et l'index et ôta ses cheveux qui devaient être une sorte de postiche.

– Tu veux bien garder Marvin pour moi, Pooley? dit Golgoth en laissant tomber la perruque dans la main de son ami beaucoup plus petit que lui, qui fit ce que lui demandait son ami beaucoup plus grand.

C'était sans doute sur cette base que reposaient leurs relations.

Deux choses surprirent Chevie à propos de Golgoth et de son ami.

La première : l'horrible postiche avait un nom.

La deuxième : personne en dehors d'elle n'avait l'air de trouver particulièrement amusant qu'il y ait dans cette assemblée de truands quelqu'un dont le nom se prononçait comme « poulet ».

– OK, Golgoth, dit-elle en faisant craquer ses jointures. Je vais essayer de rester humaine en te tapant dessus.

– C'est pas moi, Golgoth, répliqua le géant. J'suis son p'tit frère.

Ce furent les dernières paroles que Chevie entendit avant que quelque chose de la taille d'un parpaing ne vienne la frapper en pleine poitrine à la vitesse d'un train de marchandises.

Chevie était peut-être forte et rapide mais elle était aussi petite et légère. Le coup de son mystérieux attaquant renversa l'agente du FBI et l'envoya glisser sur le plancher, des dizaines d'échardes s'enfonçant dans sa peau au passage.

La douleur était si intense qu'elle se demanda si ses poumons n'avaient pas été écrasés sous le choc et elle fut soulagée de constater que sa respiration reprenait.

– Oooh, gémit-elle, un filet de sang se balançant entre sa lèvre et les débris de la Clé temporelle étalés par terre. « Me voilà coincée ici. »

– Pas juste.

– Golgoth ! Golgoth ! scandaient les Béliers en tapant du pied pour faire tressauter les lattes du plancher.

Chevie se mit à quatre pattes en se demandant si son crâne était fracturé. « Où est ce Golgoth ? pensa-t-elle. On peut se rendre invisible, au temps de la reine Victoria ? »

Elle se releva péniblement, secoua la tête pour éteindre les étoiles qu'elle avait devant les yeux et chercha autour d'elle son agresseur. Il n'y avait personne dans l'arène en dehors d'Otto Malarkey.

– Où est-il ? demanda Chevie, le regard brouillé. Montrez-moi Golgoth.

Malarkey porta deux doigts à ses lèvres, dans un geste contrit.

– J'ai bien peur, princesse, que ce soit moi, Golgoth. C'est mon ancien nom de scène au temps où j'étais hercule de cirque.

« Horreur », pensa Chevie.

– Mais je combats *pour* vous ! fit-elle remarquer.

Malarkey enleva les doigts de ses lèvres et les pointa sur l'assemblée des Béliers.

– Je leur ai dit qu'ils pouvaient choisir l'adversaire qu'ils voulaient et le choix de ces petits malins s'est porté sur moi. Après tout, qui serait meilleur ? Maintenant, c'est à moi de choisir, entre la bourse et la fierté.

« À mon avis, pensa Chevie, c'est la fierté qui va gagner. »

– Et dans ce combat, la fierté gagne à tous les coups, poursuivit Malarkey. Je dois sacrifier ma mise pour préserver mon rang.

Chevie adopta la position du boxeur, baissant la tête derrière ses poings levés.

« Ça ne changera pas grand-chose. Avec les mains qu'il a, Malarkey pourrait très bien enfoncer ma garde. Je devrai compter sur ma rapidité. »

L'attitude de la foule changea, passant des encouragements tapageurs à l'attente muette d'un spectacle bestial. L'enjeu était important. Les deux adversaires étaient mis à l'épreuve mais, alors que Chevron se battait pour sa vie, Malarkey combattait pour prouver sa loyauté envers ses hommes et il savait qu'il y aurait plus d'un Bélier pour souhaiter qu'il s'incline et laisse ainsi vacante la position suprême.

Les deux combattants tournèrent l'un autour de l'autre avec une méfiance respectueuse. Chevie ne pouvait s'empêcher d'entendre résonner dans son oreille le thème musical de *Star Trek,* ce qui détournait considérablement son attention. Malarkey roulait des épaules et sautillait d'un pied léger en avant et en arrière, dans une sorte de gigue au pas compliqué qui la déconcentrait presque autant que le petit air de musique.

Au bout d'une minute passée à s'évaluer l'un l'autre, tous deux attaquèrent en même temps, provoquant un tumulte chez les Béliers. La rapidité de Malarkey était limitée par la simple masse de son corps et seuls ses globes oculaires bougèrent assez vite pour voir Chevie se précipiter sous ses poings énormes et le frapper deux fois au plexus solaire. Ce qui eut à peu près autant d'effet que si elle avait lancé une boule de neige sur l'Everest.

« Les coups de poing, ça ne marche pas », comprit Chevie.

Elle tendit alors ses doigts et les enfonça dans un rein de Malarkey. Un homme a beau être aussi grand qu'une maison et bâti en briques rouges, s'il prend un coup bien pointu dans les reins, il aura mal.

Malarkey poussa un rugissement et son torse se tendit dans un réflexe, propulsant Chevie dans la barrière humaine qui entourait l'arène.

Des mains calleuses lui ébouriffèrent les cheveux et une impudente canaille lui donna même une tape sur les fesses.

– Tu as vu ça ? Ce qu'elle lui a fait avec les doigts ? dit un Bélier derrière elle.

– Ses doigts ? J'aurais juré que c'était seulement son pouce, répondit son camarade.

– Mais nan, idiot. Quatre doigts bien raides, comme ça.

Et le Bélier se servit de Chevie pour faire sa démonstration, ce qui déclencha un spasme dans ses reins et donna à Malarkey le temps de la saisir par le cou.

« Fin de partie », pensa Chevie alors que ses pieds quittaient le sol.

Elle abattit sa main sur l'avant-bras de Malarkey et écrasa le point moteur au creux de son coude. Cord Vallicose lui avait assuré que ce coup ferait lâcher prise « au plus grand des fils de garce que la planète bleue ait jamais porté ». Apparemment, il n'avait pas pris en compte les chefs de bande de l'époque victorienne.

Malarkey lui rit au nez, mais Chevie crut voir dans ses yeux une lueur de soulagement.

– Vous avez reçu de l'aide, Otto. Souvenez-vous-en quand vous jubilerez sur votre trône.

Malarkey lui serra la gorge, étouffant l'accusation en même temps que son souffle. Chevie s'accrocha à son bras pour essayer de détendre la pression sur son cou et éviter des dégâts à sa moelle épinière, mais déjà, le manque d'oxygène lui brouillait la vue et vidait ses membres de leur force.

– Riley, croassa-t-elle, bien qu'elle sût que le garçon était sous bonne garde à l'écart de la foule.

Il avait beau essayer de jeter un coup d'œil, il ne pouvait la voir et encore moins l'aider.

Malarkey libéra une main.

– Voilà qui me fait bien du chagrin, petite demoiselle. Certes, j'ai prouvé une fois de plus ma suprématie physique mais ça va me coûter une jolie somme d'honorer tous les paris qui ont été placés contre vous, sans parler du fait que j'ai perdu ma propre mise. J'ai parié sur vous, fillette, et vous m'avez déçu.

Malarkey serra le poing et ses jointures craquèrent.

– Je ne vais pas vous tuer, promit-il. Et vous devriez vous réveiller avec toutes vos dents et des méninges intactes.

Chevie essaya de se dégager mais il la tenait solidement. La musique sous son crâne passa de *Star Trek* à quelque chose de plus aigu. Une simple cloche. Son inconscient essayait-il de lui faire passer un message ?

Malarkey tendit l'oreille et, pendant un instant, Chevie crut qu'il arrivait à entendre ce qu'elle avait dans la tête, puis le roi des Béliers s'écria :

– Chut ! Fermez vos boîtes à jactance. Vous ne voyez pas que j'essaye d'entendre quelque chose ?

Le silence tomba presque aussitôt, rompu seulement par Mr Skelp qui venait tout juste de se réveiller.

– C'qui s'passe, les gars ? Je me souviens que j'ai mangé mon porridge, ce matin et ensuite... rien de rien.

Malarkey s'avança de trois pas dans la foule et fit taire Skelp d'un coup de botte au menton.

– Je vous ai dit de vous taire, imbéciles !

Il y eut un silence de mort, en dehors de l'étrange son de cloche.

Les yeux de Malarkey s'écarquillèrent tandis que son esprit reliait le bruit à l'objet qui le produisait.

– Le Téléphonicus ! C'est le Téléphonicus Causeloin !

Un « oh » collectif s'éleva dans la grande salle du Trou Perdu et toutes les têtes se tournèrent d'un seul mouvement, à la manière des lemmings, vers le trône de Malarkey. Sur une table de salon en noyer était posé un appareil taillé dans l'ivoire qui comportait deux parties : une base et un cylindre attachés par des fils torsadés. L'appareil émettait un tintement aigrelet à chaque sonnerie.

Malarkey jeta sommairement Chevie dans les bras de la foule.

– Tenez-la. Mais pas trop serrée, les gars. Personne d'autre que moi n'a le droit de faire du mal à la demoiselle.

Il se précipita sur le Téléphonicus Causeloin et répondit avec délicatesse, le petit doigt levé comme une duchesse prenant le thé.

– Allôôôô, dit-il avec un accent un peu plus raffiné qu'à l'ordinaire. Otto Malarkey, au Trou Perdu. Qui est au bout du fil ?

Malarkey écouta un instant puis il pressa l'écouteur contre sa poitrine et se tourna vers les Béliers.

– C'est Charismo, lança-t-il dans un souffle. Je l'entends très clairement, comme si j'avais une petite fée dans l'oreille.

Personne ne fut particulièrement surpris d'apprendre que la voix s'élevant de l'écouteur était celle de Charismo puisque c'était lui qui avait fait installer le Causeloin dans le Trou Perdu. Pourtant, à l'évocation de son nom, plusieurs malfrats se signèrent et deux des catholiques firent une génuflexion. D'autres Béliers formèrent un triangle avec les pouces et les index, un geste ancien destiné à éloigner le mal.

– Allons, mes frères. Mr Charismo est un ami des Béliers, dit Malarkey, mais ses paroles semblaient forcées et sonnaient creux.

Il écouta encore et les traits de son visage s'affaissèrent. Lorsque Charismo eut fini de parler, Malarkey hocha la tête, comme si ce geste pouvait être transmis par la ligne téléphonique, puis il reposa l'écouteur en ivoire sur son support.

– Eh bien, voilà, les Béliers, dit-il. Il y a du bon et du mauvais. Mr Charismo, je ne sais comment, a entendu parler de l'Indienne et du garçon. Il a donné l'ordre qu'on les amène directement à sa résidence. Il ne faut pas qu'il y ait la moindre marque sur l'un ou sur l'autre, a-t-il précisé.

– Et la bonne nouvelle ? demanda un Bélier du premier rang.

– La bonne ? La bonne, c'est que le combat ne peut pas se terminer dans les règles et que, par conséquent, tous les paris sont annulés.

Malarkey eut un large sourire.

– Une bonne nouvelle pour votre roi, c'est-à-dire moi.

Quelques Béliers grommelèrent, mais pas trop fort, et Malarkey savait que sa chance ne serait pas mise en question. L'un dans l'autre, c'était le meilleur résultat possible pour le roi des Béliers : sa réputation était intacte, sa bourse ne s'était pas allégée et Mr Charismo, tout bien considéré, s'était montré de bien meilleure humeur qu'il ne s'y serait attendu. Une bonne journée de travail, au bout du compte.

*

Farley termina le motif simple représentant un bélier sur l'épaule de Riley et le tamponna avec de l'alcool médicinal.

– Ne gratte pas les croûtes, lui conseilla-t-il. Sinon, tu auras des cicatrices, ce qui abîmerait mon dessin.

Riley n'arrivait pas à savoir ce qui s'était passé.

– Mon amie est sauvée ? Le combat est fini ?

Farley étendit un bout de chiffon propre sur le tatouage.

– Le combat a été suspendu. Un client a exprimé le désir de vous rencontrer, comme je m'en doutais.

Riley fronça les sourcils. Il y avait des machinations, derrière tout ça.

– Vous avez fait prévenir ce gentleman ? C'est vous qui nous avez sauvés, Mr Farley ?

Farley fit un nœud au chiffon et le serra étroitement.

– Silence, maintenant, mon garçon. J'ai pris quelques shillings pour envoyer un message, c'est tout.

Riley caressa le bandage d'un geste précautionneux.

– C'est qui, ce client ? Qu'est-ce qu'il nous veut ?

Farley reboucha ses encres avec un soin méthodique puis il les rangea dans un étui en bois.

– Ce *client* est un personnage des plus singuliers, répondit-il. Un génie dans bien des domaines, on peut le dire, et un généreux bienfaiteur envers ceux qui le tiennent informé. Quant à savoir ce qu'il vous veut, alors là, c'est une question à laquelle il répondra en personne.

– Un conseil pour moi, Mr Farley ? Au sujet de ce mystérieux client et de la meilleure façon de lui plaire ?

Farley sourit. Ses dents étaient d'une blancheur remarquable derrière ses lèvres desséchées.

– Mon garçon, tu ne manques pas d'intelligence. Étant donné que le temps me manque pour répondre à plus d'une question, c'est sans doute la meilleure que tu pouvais poser.

Farley réfléchit pendant qu'il nettoyait son aiguille.

– Je te conseillerais de te rendre toujours intéressant. Sois amusant dans ta conversation. Mr Charismo ne devrait pas te renvoyer ici tant que tu feras des étincelles en sa compagnie.

Riley monta sur sa chaise et aperçut Chevie. Elle était en train de terroriser les Béliers qui essayaient de la maintenir en place.

« Faire des étincelles, pensa-t-il. Ça ne devrait pas être trop difficile. »

Soudain, le nom prononcé par Farley pénétra dans son cerveau.

« Mr Charismo ? Sûrement pas. Tibor Charismo, l'homme le plus célèbre de toute l'Angleterre ? En quoi était-il mêlé à cette affaire ? »

Quelles que puissent être ses intentions envers Chevie et lui, elles n'auraient sûrement pas le même caractère assassin que celles d'Albert Garrick ou d'Otto Malarkey.

« Peut-être qu'on aura un moment de répit. Peut-être même une part du gâteau. »

Riley adressa à Chevie un signe de la main, accompagné d'un sourire encourageant.

« Notre situation est sur le point de s'améliorer, essayait-il de lui faire comprendre. Il y a de quoi être de bonne humeur. »

Mais Chevie n'était pas du tout de bonne humeur et ne le serait pas pendant encore un certain temps car, dans sa main, il y avait les restes de la Clé temporelle, complètement écrasée par le premier coup qu'Otto Malarkey avait porté par surprise.

Théâtre d'Orient. Holborn. Londres. 1898

Avant de quitter le théâtre pour aller à la recherche des Béliers, Garrick vérifia que sa cassette était toujours cachée dans un coffre d'acier, sous la petite estrade du chef, dans la fosse d'orchestre. Ce serait une terrible humiliation si, après avoir jeté les corps de Percival et de ses acolytes dans la Tamise, il s'apercevait à son retour qu'ils avaient fait main basse sur son magot avant son arrivée.

Dans la cour du théâtre, Garrick chargea les trois cadavres sur une charrette et fit un rapide voyage jusqu'aux marais de l'île aux Chiens pour se défaire de son fardeau.

« De quoi manger pour les poissons », pensa-t-il tandis que les macabres ballots s'enfonçaient dans les eaux boueuses.

À présent, le travail de manutention achevé, il pouvait se consacrer à des affaires plus importantes. Et plus précisément, savoir qui avait fait appel aux Béliers pour se débarrasser de lui. Il y avait un homme qui pourrait sans aucun doute répondre à cette question et Garrick savait où cet homme devait se trouver.

« Le Trou Perdu. N'était-ce pas le nom que les Béliers donnaient à leur club de sinistre réputation ? »

Comme s'il était vraiment « perdu ». Comme si chaque

bobby de Londres n'en connaissait pas l'adresse exacte. Comme si tous les policiers ne rallongeaient pas leurs rondes de plusieurs miles, simplement pour éviter de s'approcher du quartier général des Béliers.

« Oui, le Trou Perdu pas perdu du tout. La prochaine escale du Gant Rouge. »

Le soleil avait depuis longtemps plongé au-delà du clocher lorsque Garrick s'offrit une tasse de café chez son marchand habituel, au bout d'Oxford Street, mais son palais avait connu le café du XXIe siècle et celui-ci avait un goût d'eau de cale qui ne pouvait convenir aux Irlandais. Il le jeta sur les pavés et se promit qu'à l'avenir, il ferait bénéficier quelqu'un d'autre de sa clientèle.

Pendant quelques instants, le café gâta son humeur, mais en repensant à la virtuosité avec laquelle il avait exécuté les trois Béliers qui avaient violé son cher théâtre, il se sentit plus joyeux.

« Ma conduite a été très morale, se dit-il. Des ennemis sont venus m'assassiner et je les ai vaincus. »

La légitime défense était inhabituelle pour Garrick et il laissa monter en lui une colère sombre et vertueuse.

« Œil pour œil, comme disent les Écritures », pensa le magicien, décidant pour l'instant de laisser de côté le Nouveau Testament car « tendre l'autre joue » ne convenait pas à son argumentation.

Au cours de la journée, Haymarket n'était qu'une artère remuante, avec un nombre peu commun de débits de boisson spécialisés dans le gin, mais l'apparition de la lune avait sur le minuscule quartier des effets plus alarmants que sur le premier lycanthrope venu.

Il y avait d'abord les braseros qu'on plantait directement sur le trottoir. À peine étaient-ils allumés qu'une demi-douzaine de brutes venaient se rassembler autour de chacun d'eux, sirotant des pintes de gin et se passant des cigares malodorants. Puis, attirés peut-être par les signaux de fumée des charbons ardents, venaient les dandys, les joueurs et une véritable armée de vauriens qui allaient tous s'embarquer jusqu'au bout de la nuit dans des beuveries, des paris illégaux et des jeux de cartes truqués.

Garrick se considérait généralement comme un gentleman trop raffiné pour fréquenter Haymarket après le crépuscule, mais la nécessité commandait et, s'il voulait que soit levé le contrat lancé sur sa tête, il lui faudrait rendre visite au roi dans son palais délabré.

Lorsqu'il arriva dans l'allée des Bandits, le coin était déjà submergé d'oiseaux de nuit, avec une abondance de gros bras devant la double porte du Trou Perdu, les parieurs faisant la queue pour avoir une place au bord de l'infâme ring des Béliers qui, en une seule nuit, pouvait voir s'affronter des guerriers exotiques, des chiens, des coqs et même une fois – épisode de sinistre mémoire – un nain et un ours australien miniature.

« Ce n'est pas le moment de parler avec Otto Malarkey, se dit Garrick. Même un homme de mon talent ne peut espérer traverser une telle armée. Mais mon heure viendra. »

Garrick fut distrait de sa tâche par la vue d'une de ses anciennes comparses qui s'avançait d'un pas nonchalant vers les braseros pour mendier des gorgées de gin aux misérables venus se réchauffer les mains.

« Lacey Boggs. Mon rossignol du West End. »

Lacey Boggs gagnait sa vie en chantant pour les gentlemen un peu ivres qui sortaient du théâtre, pendant que son complice leur vidait les poches. La combine s'était révélée moins lucrative après que Lacey eut passé un été logée et nourrie aux frais de Sa Majesté et qu'elle fut sortie du placard privée de ses dents, mais avec un dentier en bois.

Garrick prit Lacey par le coude et la propulsa sous un bec de gaz avec une telle force qu'elle se cogna la tête.

– Hé, qu'est-ce que c'est que ces manières de brute ? protesta-t-elle. Je vais prendre ta main comme crachoir, mon gros.

La grogne laissa place à la terreur lorsque Lacey comprit à qui appartenait la main qu'elle venait de menacer.

– Oh, pas vous, bien sûr, Mr Garrick. Je ne vous aurais jamais dit ça. Vous pouvez être aussi brutal que vous voudrez, je sais bien qu'il n'y a aucun mal en vous.

Garrick resserra son étreinte sur le coude de Lacey.

– Il y a beaucoup de mal en moi, Lacey Boggs. Des torrents de mal et de violence qui attendent de se déverser sur un quelconque malheureux.

Lacey sourit et Garrick vit qu'elle avait blanchi à la chaux ses dents en bois.

– Pas sur moi, Mr Garrick. Est-ce que j'ai pas toujours fait exactement ce que vous me demandiez ? Qui est-ce qui vous a retrouvé ce comte français ? Celui qui a été sauvagement assassiné...

Les yeux de Lacey s'écarquillèrent et elle se couvrit la bouche de la main.

– J'ai jamais voulu dire que vous aviez quelque chose à voir là-dedans. Un monsieur distingué comme vous… Sûrement une coïncidence.

Garrick n'avait pas la patience de supporter les bêlements de cette femme.

– Calme-toi, Lacey. Le mal que j'ai en moi n'est pas dirigé contre toi. J'ai un travail à te donner, c'est tout. Tu te souviens de mon apprenti, Riley ?

Les traits de Lacey se détendirent.

– Ouais. Je m'en souviens. Un mignon petit gars avec un œil plus grand que l'autre. Je dirais qu'il est un peu fragile, côté nerveux.

– C'est bien lui. Il faut que tu me le déniches. Prends qui tu voudras pour ça. Demande au vieil Ernest d'envoyer quelqu'un au théâtre si on ne peut pas me trouver.

Lacey renifla, comme si elle sentait l'odeur d'une pièce d'or.

– Londres, c'est grand, Mr Garrick. Tellement grand qu'il y a trois millions d'âmes. Vous pouvez donner un indice à la pauvre fille que je suis ?

– Je serai généreux. Des indices, j'en ai deux pour toi. D'abord, il se pourrait que Riley file droit vers l'Old Nichol car il sait très bien que j'éprouve pour ce trou d'ordures une profonde détestation.

– Et le deuxième ?

– Il est possible qu'il soit accompagné d'une jeune Indienne. Une jolie demoiselle, mais dangereuse.

Lacey Boggs fit claquer ses dents de bois en signe de profonde réflexion.

– Une Indienne dans l'Old Nichol. C'est comme un renard qui se chasserait lui-même.

Garrick prit un demi-souverain dans sa bourse.

– Il y aura dix autres shillings pour toi si tu réussis. Sinon, je reprendrai cette pièce dans la main de ton cadavre. Tu m'as compris, jeune fille ?

Lacey Boggs frissonna comme si elle avait soudain froid, mais une main jaillit de sous son châle pour réclamer la pièce.

– J'ai bien compris. Trouver ce garçon et vous le faire savoir.

Garrick lui prit le menton entre ses doigts osseux.

– Et pas de gin jusqu'à ce que le travail soit fait.

– Pas de gin. Même pas une gorgée.

– Très bien, Lacey, dit Garrick en la lâchant. File dans l'Old Nichol, j'ai à faire ici.

Lacey frotta les traces de doigts sur son menton.

– Vous allez parier, Mr Garrick ? Pensez-y à deux fois, monsieur. Otto Malarkey truque toujours les jeux pour qu'il ne puisse pas perdre.

Garrick tapota son manteau et les jambes de son pantalon pour vérifier la présence de ses couteaux cachés un peu partout dans des poches secrètes.

– Même le grand roi Otto ne peut pas truquer ces jeux-là. Il a commencé un combat qu'il lui est impossible de gagner. Alors, si j'étais toi, je partirais d'ici au cas où le sang coulerait dans la rue.

Lacey releva ses jupons comme s'il y avait déjà une mare de sang à ses pieds.

– Je vais me faire rare, monsieur. Je viens d'être embauchée et le travail m'attend.

Garrick la regarda s'éloigner et sut que la nouvelle d'une prime pour la découverte de Riley allait se répandre dans la ville plus vite que le choléra dans un quartier pauvre.

« Si je connais bien mon garçon, il va adopter le même système que dans ses autres tentatives d'évasion. Il va se trouver une cachette avec l'intention de filer quand sa trace aura été perdue. Et dans ce cas, c'est vers le futur qu'il ira. Or, il n'y a que deux portes qui y mènent. L'une se trouve au sous-sol de Half Moon Street, mais je pourrais être là à l'attendre ou avoir simplement démonté l'appareil, donc, il va laisser passer quelques jours et choisir plutôt Bedford Square. Et c'est là que je me trouverai, dès que j'aurai eu une petite conversation avec Otto Malarkey. »

Au Trou Perdu, les réjouissances se poursuivirent jusqu'au petit matin et ne s'interrompirent qu'au moment où Otto Malarkey se mit soudain en colère, comme il le faisait avec la régularité d'une horloge, juste avant le lever du soleil, en conseillant fortement à ceux qui ne voulaient pas se retrouver avec des marques de cravache sur la peau de se dénicher un hamac et de disparaître de sa vue.

– Sauf vous, Mr Farley, lança-t-il au vieil artiste du tatouage. Vous allez mettre à jour ma liste de prix pendant que je dormirai un peu.

Vouloir dormir pendant que Farley lui labourerait la poitrine avec ses aiguilles était une preuve de sa tolérance à la douleur.

L'immense salle se vida lentement à mesure que les Béliers fatigués traînaient les pieds en direction de leurs lieux de repos. Malarkey suspendit son chapeau au dossier de son trône et étala sur sa tête la toison de bélier. Il arracha une bouteille de brandy de la main d'un marin inconscient étendu par terre, et s'avança d'un pas titubant vers le coin de Farley.

– Allons-y, mon fidèle artiste, dit-il en se laissant tomber dans le fauteuil du tatoueur qui grinça de manière inquiétante sous sa masse prodigieuse. Il faut que vous révisiez ma liste de prix. Ajoutez un demi-souverain pour chaque tâche. Après tout, je suis roi, maintenant.

Farley était fatigué et il avait les doigts raides. Il savait cependant qu'il aurait été malvenu de se plaindre. Il fournissait aux Béliers un service important, mais les humeurs de Malarkey étaient imprévisibles et mieux valait ne pas explorer son côté le plus sombre.

– Un demi-souverain, c'est entendu, répondit-il, donnant de petits coups sur les bouteilles d'encre pour les disposer en une plaisante ligne droite. Il y en a qui ne présenteront pas de difficultés, inutile de changer les « comme ci-dessus ». Mais puis-je humblement suggérer de laisser les prix en *shillings,* je n'aurai alors qu'à retoucher un peu les chiffres. Ça épargnera de l'encre et des aiguilles.

Ce qui n'était pas dit, c'était que la méthode de Farley diminuerait son temps de travail.

Malarkey déboucha la bouteille avec les dents et but une longue gorgée.

– Comme vous voudrez, Farley. Courageux comme je suis, ça n'a pas grande importance pour moi. Ce que fait votre aiguille ne représente qu'une simple piqûre comparé aux nombreux coups de rapière que j'ai reçus quand j'étais en prison sur l'île de la Petite Saline.

« Pas étonnant puisque ce n'est justement qu'une simple piqûre », aurait voulu dire Farley, mais il préféra s'abstenir.

– Trêve de bavardage, au travail, poursuivit Malarkey. Faut que je dorme. Le repos est vital pour avoir des cheveux brillants. Le repos et la caresse de la toison – ça aussi, je sais que c'est vital pour que ma crinière reste bien luisante.

Malarkey était très fier de ses cheveux. C'était sa faiblesse et trop de gens le savaient, de l'avis de Farley.

– Le repos et la toison, chef. Prenez soin de vos cheveux, moi je m'occuperai de votre poitrine. Quand vous vous réveillerez, ce sera fait.

Malarkey rota d'un air presque satisfait, disposa la toison pour qu'elle lui couvre les yeux, laissa ses muscles se détendre, puis sursauta au premier coup d'aiguille de Farley. Il y avait longtemps qu'il ne s'était pas fait tatouer et c'était un tantinet plus douloureux que dans son souvenir.

– Mes excuses, chef. Vous ne sentirez bientôt plus rien.

Malarkey se détendit à nouveau. Sursauter et s'agiter n'était pas une bonne idée quand on se faisait injecter de l'encre sous la peau.

« Un mouvement malheureux et un *T* se transforme en *J*. »

Farley avait dit vrai et bientôt, la sensation de piqûre s'effaça pour se transformer en un fourmillement diffus. Malarkey sentit sa poitrine tout entière gagnée par un engourdissement qui souvent accompagnait un état d'ivresse extrême. Quelques minutes plus tard, il se trouvait en paix avec le monde.

Le brouhaha autour de lui s'évanouit, remplacé par des ronflements et de temps en temps un cri de terreur nocturne en provenance des étages supérieurs.

«J'aime cette heure de la journée», songea Malarkey.

Il était sur le point de glisser dans le sommeil lorsqu'il sentit l'aiguille du tatoueur s'enfoncer à une profondeur inhabituelle, tel un glaçon pointu, en s'approchant dangereusement de son cœur. Le roi des Béliers ouvrit soudain les paupières et leva une main, prêt à donner un bon coup sur la tête de Farley pour le punir de sa négligence. Cependant, lorsqu'il arracha la toison qui lui couvrait les yeux, Malarkey vit que ce n'était pas le tatoueur décrépit qui était penché sur lui, mais Garrick l'assassin. Il était en tenue de soirée, avec une lourde cape de velours qui ondulait dans la faible lumière comme la fourrure d'une panthère repue.

– Vous avez perdu l'esprit? s'écria Malarkey.

– N'élevez pas la voix, Malarkey, répliqua Garrick en imprimant à l'aiguille une infime torsion. Sinon, vous allez me faire sursauter et je risque de percer votre cœur comme une répugnante poche de pus.

De l'endroit où il était, Malarkey ne pouvait voir le tatoueur.

– Où est Farley? Vous avez tué le vieux gonze? demanda-t-il à voix basse.

– Pas tué, répondit Garrick. Je lui ai fait respirer de l'éther, c'est tout, et je l'ai roulé sous l'escalier. Je ne suis pas une bête.

– Non, mais vous êtes un homme mort, Garrick, dit Malarkey d'une voix sifflante.

Garrick sourit, les dents semblables à une rangée d'épis de maïs.

– Je serais un homme mort si les choses s'étaient passées à votre manière. N'est-ce pas la vérité, Votre Majesté ?

Malarkey pâlit légèrement lorsqu'il lui vint à l'esprit que si Garrick était ici, cela signifiait que ses tueurs devaient se trouver quelque part dans la Tamise, entourés de crabes qui venaient examiner leurs globes oculaires.

– C'était un contrat pour un client qui a beaucoup de valeur à mes yeux. Les affaires, c'est tout.

– Je comprends très bien, répondit Garrick qui avait deviné la situation. Mais j'ai besoin de connaître le nom de ce client dont la valeur l'emporte sur le risque qu'il y a à croiser le fer avec votre serviteur.

– C'est un nom que vous n'obtiendrez pas de moi, assura Malarkey, qui avait déjà enduré dans sa vie de terribles tortures.

Garrick soupira comme si c'était pour lui une grande tragédie que certaines personnes l'amènent à commettre des actes contraires à sa nature.

– Laissez-moi vous raconter une histoire avant que vous ne preniez la décision qui vous conviendra. C'est l'histoire de Samson et Dalila. Samson était un grand guerrier d'Israël devant qui tout le monde s'inclinait très bas, un peu comme votre aimable personne, Otto. Mais Dalila la perfide lui coupa sa précieuse chevelure, ce qui lui ôta son pouvoir. Bien que l'histoire soit très brève, je pense que vous en avez compris le sens.

À chaque phrase, Garrick enfonçait un soupçon plus

loin l'aiguille glacée, l'approchant un peu plus du cœur de Malarkey.

Le roi des Béliers avait le visage trempé de sueur, mais il tenait bon.

– Vous pouvez me raser la tête, démon, vous n'obtiendrez de moi aucun nom.

Garrick s'attendait à une telle résistance de la part d'un homme qui avait la réputation de Malarkey, mais il avait une autre carte dans sa manche.

– Personnellement, je pense que toute cette affaire de cheveux coupés n'est qu'une façon symbolique de dire qu'on a privé cet homme de son pouvoir. Mais je sais combien vous êtes attaché à votre magnifique crinière, alors, ce dont je vous menace si vous ne me révélez pas le nom de celui qui a mis une croix sur moi, c'est de...

– Me raser la tête. Vous ne m'apprenez rien, Garrick.

Garrick émit un son qu'on pourrait décrire comme un petit rire étouffé.

– Non. Je vais vous brûler la peau du crâne avec ma petite bouteille d'acide, ce qui empêchera le moindre cheveu de jamais repousser sur votre tête. Et dans un mois, lorsque vos hommes auront mal au ventre à force d'avoir ri, je reviendrai au cœur de la nuit pour vous tuer.

La lèvre de Malarkey se contracta.

– C'est une menace de poids. Il faudrait être sot pour la prendre à la légère.

– Cela vous fait réfléchir, n'est-ce pas ?

Malarkey plissa les paupières pour essayer de croiser le regard du magicien sous le bord du chapeau haut-de-forme.

– Je me dis que peut-être, Garrick n'a pas apporté son acide et que toute cette affaire n'est que du bluff.

– Dans ce cas, répliqua Garrick, ses dents brillant d'une lueur à donner la nausée, vous mourrez à tout le moins dans ce fauteuil et je tatouerai sur votre large poitrine quelque chose d'un goût très douteux.

Malarkey était atteint, mais pas brisé et Garrick comprit, à partir de ce que Felix Smart connaissait de la psychologie et des techniques d'interrogatoire, qu'il fallait toujours donner une issue à un homme orgueilleux : un moyen de fournir l'information demandée sans qu'il perde sa dignité.

– Je vous respecte, Otto. Et voilà pourquoi j'ai quelque chose à vous proposer. Je vais racheter votre contrat, c'est aussi simple que ça. Cinquante souverains dans votre poche, à l'instant même, et je suis prêt à parier que c'est beaucoup plus que ce que vous a donné l'instigateur de cette histoire. Cinquante souverains et vous suspendez toute opération entreprise à la demande de l'homme qui vous a engagé. Une belle bourse en échange du nom de celui qui a lancé les Béliers sur ma piste. Je vais même vous faire encore une fleur. Je n'ai besoin que d'un seul jour de répit. Si je n'ai pas réglé cette affaire au coucher du soleil, vous serez libre de me traquer à nouveau.

C'était en effet une offre alléchante.

– On pourra vous assassiner dès demain ?

Les dents étincelèrent une nouvelle fois.

– Vous pouvez essayer, mais trois de vos meilleurs tueurs s'y sont déjà risqués et je suis navré de vous annoncer que Mr Percival et compagnie ne pourront assister aux festivités de ce soir.

Malarkey s'en était douté.

– Voici ma propre proposition, Garrick. J'ai l'intention de fermer les yeux et de dormir. Parfois, il m'arrive de dire dans mon sommeil des choses dont je ne parlerais jamais en état de lucidité. Lorsque je me réveillerai je m'attends à ce que vous soyez parti et qu'une bourse bien remplie ait été posée dans ma main. Que pensez-vous de ce plan ?

Garrick enleva l'aiguille de la poitrine de Malarkey.

– Fermez les yeux et vous le saurez.

10

Mr CHARISMO

Grosvenor Square. Mayfair. Londres. 1898

Dans la voiture attelée qui les transportait, Chevie pensa tout d'abord que Riley était anxieux, mais elle s'aperçut très vite qu'en fait, il était surexcité.

– Hé, petit, ça va ?

Secoué par les cahots, Riley faisait des bonds sur son siège, ses épaules cognant celles de Jeeves et Noble qui avaient pour tâche de les escorter.

– Oui, Chevie, tout est aux pommes. Vous savez où on va ?

« Nulle part, pensa sombrement Chevie. On reste ici, à Londres, sous la reine Victoria. Je finirai peut-être par devenir ma propre arrière-grand-mère. »

Elle regarda par la fenêtre de la voiture.

« Observez votre environnement, agente Savano. »

Ils étaient quelque part sur Piccadilly, peut-être en direction de Mayfair, à en juger par les maisons soignées qui les entouraient. Lorsqu'ils s'étaient éloignés de Haymarket, les bandes de gamins qui se pressaient autour des roues de la voiture avaient disparu et le nombre de mendiants dans les rues avait diminué à mesure qu'augmentait celui des policiers qui faisaient leur ronde.

Riley répondit lui-même à la question qu'il s'était posée.

– On nous envoie chez Mr Charismo. *Le* Mr Charismo. Vous avez sûrement entendu parler de lui ?

Noble était assis à la gauche de Chevie et elle le repoussa d'un coup de coude pour avoir un peu plus de place.

– Non, je n'ai jamais entendu parler de ce Charismo.

– Vous ne connaissez pas Mr Tibor Charismo ? dit Jeeves dans un grand rire. Où est-ce que vous étiez cachée ? Dans un wigwam ?

– Dans un wigwam, répéta Noble en se claquant la cuisse. Parfois, ça t'arrive d'en dire une bonne, Jeeves.

Chevie se renfrogna.

– Alors, c'est qui, le nommé Charismo ? Quelqu'un de célèbre ?

Les trois autres furent momentanément frappés de stupeur par l'ignorance de Chevie. Riley fut le premier à s'en remettre.

– Quelqu'un de célèbre ? Mr Charismo est comme Arthur Conan Doyle, H.G. Wells et Robert-Houdin rassemblés en une seule et même personne. C'est notre plus illustre romancier, compositeur et bien sûr spirite.

– J'aurais dû voir ce type sur les chaînes d'histoire.

– La reine Vic elle-même consulte Mr Charismo, dit Noble qui avait touché le bord de son chapeau melon mité en prononçant le nom de Sa Majesté.

– Et Gladstone aussi, avant qu'il pose sa chique, ajouta Jeeves.

– Vous connaissez la série des James Bond ? demanda Riley.

Chevie sursauta.

– Heu… oui, en effet.

– Les romans qui racontent les histoires du commandant James Bond, officier de marine de sa Majesté. Il est presque aussi habile que Holmes pour démasquer les malfaiteurs, mais ses méthodes sont un peu plus directes.

– Mon nom est Bond, James Bond, dirent en chœur Noble et Jeeves en faisant mine de brandir un pistolet.

– Et bien sûr, les symphonies de Charismo sont connues dans le monde entier, poursuivit Riley. Ma préférée, c'est *Another Brick In Yonder Wall* avec ce joueur de luth fou qui s'appelle Pinkus Floyd.

Chevie fronça les sourcils.

– *Yonder Wall ?*

« Yonder Wall, songea-t-elle. *Le mur là-bas.* Dans le titre original, c'est *In The Wall* tout simplement. »

– Oui. Et le public adore sa pièce *Batman dans la ville de Gotham.*

Jeeves sembla sincèrement terrifié.

– Le personnage du Joker m'a fichu les foies.

« James Bond. Pink Floyd. Batman. »

Chevie savait bien que tout cela ne pouvait pas exister avant des décennies. Ce Charismo semblait savoir beaucoup de choses sur le futur.

« Alors, comment se fait-il que le futur ne sache rien de lui ? »

La voiture les emmena sur des hauteurs et les sons de la rue s'effacèrent presque complètement, à part le lointain bruit de ferraille d'un omnibus et le léger clic-clac d'élégants chevaux qui tiraient de luxueuses berlines. Si ce n'était pas le plus riche quartier de Londres, on ne devait pas en être très loin. Chevie était prête à parier que Riley et elle étaient les seules personnes à porter des menottes dans cette rue. La voiture s'arrêta en grinçant devant une maison de ville à cinq étages qui aurait coûté un nombre indéterminé de millions au XXIe siècle.

– Et voilà, c'est là, lança la voix de stentor du cocher, au-dessus de leur tête. Grosvenor Square. Tout le monde à terre, on fait escale.

Avant que les passagers aient eu le temps de débarquer, un petit homme rondelet descendit les marches d'un pas chaloupé et traversa le trottoir, en frappant dans ses mains d'un air ravi. Il était impeccablement vêtu d'un gilet en brocart d'or et d'un pantalon bleu marine. Mais ce qui attirait surtout le regard, c'était le turban violet incrusté de pierres précieuses perché sur son crâne.

– Des visiteurs, dit-il d'une voix chantante. Des visiteurs pour Tibor.

L'homme sauta en souplesse sur le marchepied de la voiture et ouvrit d'un geste vif la portière de bois laqué.

– Bienvenue, les enfants, dit-il en passant la tête dans l'encadrement.

Son large sourire laissa place à une expression d'horreur théâtrale lorsqu'il vit les menottes.

– Oh, mais non ! C'est intolérable ! Débarrassez les poignets délicats de mes invités de ces affreuses chaînes, et tout de suite !

Jeeves oscillait entre la fascination qu'exerçait sur lui la célébrité du personnage et le sens du devoir.

– Je ne sais pas, Mr Charismo. Le roi Otto m'a dit de

ne pas leur ôter les bracelets avant que nous soyons dans la maison. Et en passant, je peux vous dire que j'adore vos œuvres. *Regardez le violon sur le toit* est la préférée de ma femme.

Les yeux de Tibor Charismo flamboyèrent et Chevie crut voir qu'il s'était mis de l'eye-liner.

– Dans la maison ? Jamais vous ne mettrez les pieds chez moi. Enfin, voyons, les tapis viennent d'Arabie.

Jeeves était très contrarié de devoir discuter avec le héros de sa femme mais il savait qu'Otto tenait à ce qu'on exécute ses ordres à la lettre.

– C'est bien possible, mais les ordres sont les ordres, aussi sûr que le monde appartient à ceux qui se lèvent tôt.

Chevie s'aperçut que Charismo portait sur la figure un masque de théâtre moulé qui couvrait le côté gauche de son visage depuis la racine des cheveux jusqu'à la pommette. Il était habilement peint pour se fondre avec la peau et il fallait être tout près pour le remarquer. Elle se demanda si c'était une forme d'afféterie pour faire du spectacle, comme le turban, ou si le masque cachait quelque chose.

La moustache frisée de Charismo frémit littéralement de rage.

– Je ne vous comprends pas, monsieur. Dites votre nom à Charismo.

Jeeves se plaqua contre le fond de la voiture.

– Il n'y a pas de raison de chercher le nom d'un homme qui ne fait que son travail.

– Ne lui dis pas, Ben, conseilla Noble. Il va te jeter le mauvais œil.

– Crème d'abruti ! s'écria Jeeves d'une voix suraiguë.

– Ah, ah, dit Charismo. Benjamin !

Noble leva les yeux au ciel.

– Calme-toi, il doit y avoir des dizaines de Ben à Londres. Il ne sait pas que tu t'appelles Jeeves, pas vrai ?

Chevie poussa un gémissement. Les malfrats stupides étaient toujours aussi stupides, quel que soit le siècle.

Charismo posa le pouce de sa main droite sur un gros rubis serti dans son turban puis il pointa l'index sur Jeeves qui s'était ratatiné dans son coin.

– Benjamin Jeeves, chantonna-t-il, et par un jeu de lumière, ses yeux semblèrent étinceler. Beeenjamin Jeeeeeeeves.

Il n'en fallut pas plus.

– Non, attendez, Mr Charismo, vous voyez ? dit Jeeves.

Tâtonnant du bout des doigts, il retira une petite clé glissée dans la bande de son chapeau miteux puis il entreprit de détacher les menottes de Chevie.

– J'enlève les bracelets. Inutile de regarder dans mon avenir.

Charismo ôta son pouce du rubis.

– Très bien, grossier rustre. Maintenant, libérez le garçon.

– Pas besoin, dit Riley en jetant les menottes à Noble. Je les ai enlevées sur Piccadilly pendant que ces deux-là lorgnaient un groupe de dames orientales.

– Je n'en avais encore jamais vu, marmonna Noble d'un air coupable.

Charismo descendit du marchepied.

– Je vais prendre livraison des *prisonniers* qui seront sous ma responsabilité. Veuillez informer Mr Malarkey que je suis enchanté de ses services et qu'il attende mon appel sur le Causeloin.

Quand ils entendirent mentionner le miraculeux appareil, les hommes de main touchèrent le bord de leur chapeau, comme si la machine avait un rang royal.

– Vous pouvez compter sur nous, Mr Charismo et merci beaucoup.

Soudain, Tibor Charismo se raidit et pressa ses index contre ses tempes.

– Quelque chose me parvient, cela se passe dans un an, je vois une foule qui pousse des acclamations et des sabots qui galopent. Manifesto, j'entends le mot Manifesto. Cela a-t-il une signification pour vous, messieurs ?

Noble et Jeeves se serrèrent les mains dans un débordement de joie. Les tuyaux de Charismo étaient célèbres. Il ne se trompait jamais. On pouvait faire fortune en écoutant ses conseils.

– Manifesto, dit Jeeves à mi-voix. J'ai parié sur cette beauté l'année dernière à Aintree. Elle a gagné avec vingt longueurs d'avance. J'ai pu manger du bœuf pendant une semaine.

– Elle va gagner de nouveau, dit Noble. Pas un mot à qui que ce soit. Inutile de faire descendre la cote.

– Ah non, inutile. Toi et moi, Noble, c'est tout.

Charismo claqua vivement des mains.

– Messieurs, notre affaire est terminée et je dois donner à manger à mes invités.

Jeeves expulsa Chevie de la voiture plus ou moins à coups de botte, puis il fit de même avec Riley.

Charismo leva la tête vers le gigantesque cocher qui avait une matraque posée à côté de lui, en cas d'attaque.

L'homme donnait l'impression d'avoir vu toutes les horreurs que Londres pouvait offrir et d'être lui-même responsable d'une bonne part d'entre elles. Il avait la tête complètement rasée avec une cicatrice en forme d'étoile au-dessus de l'oreille droite.

– Barnum, emmène ces deux messieurs là où ils voudront et reviens directement ici.

– Oui, monsieur, maître, répondit le cocher.

Puis il siffla pour faire avancer ses chevaux.

– Je sais, dit Charismo, tandis que la voiture s'éloignait dans un grondement de roues. « Maître » fait un peu théâtral, mais je ressens un frisson chaque fois que je l'entends. Je suis d'origine modeste, vous comprenez.

Chevie massa les marques qu'avaient laissées les menottes sur ses poignets et se demanda si son monde allait redevenir un peu plus sensé un de ces jours.

« Que dois-je faire, maintenant ? pensa-t-elle. Que dit le manuel du FBI en cas de rencontre avec des spirites du XIXe siècle ? »

Le trottoir était dur et graveleux sous ses pieds et elle sentait le parfum qu'exhalaient dans l'air du soir les jardinières de fleurs accrochées aux fenêtres.

« On a été battus, drogués, traînés dans des sacs, et encore battus, pensa-t-elle. On a besoin de repos, maintenant. »

– Vous envisagez peut-être de fuir, dit Charismo en les prenant tous deux par un bras. Après tout, qui est ce mystérieux bienfaiteur qui vous a tirés de la poêle à frire ? Peut-être pour vous jeter au feu, qui sait ? Si telle est votre décision, alors, partez maintenant. Charismo sera désespéré, car j'avais tout préparé pour votre arrivée.

Un bain chaud, du linge frais, des oreillers moelleux, des volailles rôties et de la bière pour le garçon. Mais c'est à votre guise. Vous êtes apparus tous les deux dans une de mes visions et j'ai senti que vous aviez quelque chose de remarquable. Je voudrais simplement pouvoir parler avec vous et peut-être recueillir des éléments de votre histoire pour mon prochain roman. Je travaille en ce moment sur une comédie burlesque intitulée *La Panthère qui était rose,* mais cela peut attendre. J'ai l'intuition que ce qui vous est arrivé est beaucoup plus intéressant. Vous pouvez donc rester avec moi aussi longtemps qu'il vous plaira et, en échange de quelques heures de votre temps chaque jour, je vous traiterai comme si vous apparteniez à la famille royale. D'ailleurs, je pourrais même vous présenter à certains de ses membres. Qu'en dites-vous ?

« Qu'en disons-nous ? pensa Chevie. Je n'ai aucune idée de qui est ce type ni de ce qui se passe ici. La Panthère qui était rose ? Riley et moi, il faudrait qu'on ait quelques minutes pour parler. »

Elle se tourna pour consulter le garçon mais il avait déjà monté la moitié de l'escalier qui menait à cette éblouissante maison.

– Il me semble que nous allons rester, dit-elle à Charismo.

Le minuscule gentleman lui pressa le bras.

– C'est capital. Vous n'avez pas idée à quel point cela me rend heureux. Nous allons vous laisser faire un brin de toilette et vous trouver des vêtements de dame au lieu de cette tenue qui vous donne des airs de garçon et que seuls vos ravisseurs ont pu vous obliger à porter.

Chevie regarda du coin de l'œil deux jeunes femmes qui descendaient d'une voiture un peu plus loin, affublées d'énormes bonnets et d'environ un million de jupes superposées.

« Des vêtements de dame ? pensa-t-elle. Jamais de ma vie. »

Chevie fut réveillée par un rayon de soleil vertical jailli d'un interstice du rideau. Elle décida de n'y prêter aucune attention le plus longtemps possible, mais elle eut beau se tourner dans tous les sens, il semblait la suivre, illuminant l'intérieur de sa paupière. Elle finit par rassembler suffisamment d'énergie pour attraper un oreiller et le mettre sur sa tête et elle aurait replongé dans le sommeil s'il n'y avait pas eu les moutons.

« Les moutons ? Les moutons ne sont-ils pas censés faire dormir ? »

Son inconscient lui lança l'idée de compter des moutons.

« Non, pensa Chevie. Je ne compterai pas les moutons. »

Mais l'esprit est son propre maître et il essaya bientôt d'évaluer combien il y avait de moutons dans le troupeau d'après la tonalité de leurs bêlements.

« C'est étonnant comme chaque mouton a sa propre petite personnalité, quand on écoute vraiment. »

Cette pensée força finalement Chevie à ouvrir les yeux. Une pensée de cette nature pouvait suffire à vous faire renvoyer du FBI si on l'exprimait à haute voix devant le psy de service.

– Des moutons ! marmonna-t-elle. Pourquoi y a-t-il des moutons à Bedford Square à une heure aussi matinale ?

Elle s'assit dans son lit et vit qu'il était tout en cuivre, brillant et clinquant, avec un tas de volants plissés, de rubans, de coussins au crochet. Elle se souvint alors qu'elle n'était plus à Bedford Square.

– Ce n'était pas un rêve, soupira-t-elle. Quel dommage.

Chevie écarta une tenture de gaze, descendit du lit et s'avança sur un épais tapis qui étouffait ses pas jusqu'à un rideau de velours violet orné de glands et de cordons d'or.

Elle regarda à travers une fenêtre à guillotine et vit en contrebas un alignement d'étables typiquement victoriennes, grouillantes d'une foule d'employés et de marchands, dont les activités étaient ainsi cachées aux yeux des gens importants.

Elle se rappela quelque chose que Charismo leur avait dit la veille, au cours du dîner: «Le duc de Westminster, l'un de mes clients de la bonne société, habite à proximité, dans Grosvenor Street, et j'ai une ligne de Causeloin qui me relie directement à son bureau. Il suffit que je décroche ce récepteur et l'un des hommes les plus puissants de Grande-Bretagne écoute attentivement ce que j'ai à lui dire.»

Ce Charismo semblait avoir beaucoup de relations. Il était curieux que le même homme ait une ligne directe avec le duc de Westminster et une autre avec Otto Malarkey.

Quelque chose accrocha le regard de Chevie. Un vieux monsieur avançait dans l'allée en tirant derrière lui quatre moutons attachés à une corde.

«Quatre, pensa Chevie. Je le savais.»

Charismo avait donné l'ordre à une servante d'enlever

les vêtements de Chevie et de les brûler. Il lui avait promis qu'elle trouverait dans la garde-robe un grand choix de toilettes mieux adaptées à une jeune dame élégante. Chevie inspecta l'armoire en bois et découvrit du côté femme deux robes à crinoline volumineuses tandis que le côté homme offrait une sélection de costumes et de tenues de chasse. Chevie choisit une culotte de cheval, sans doute taillée pour un adolescent, enfonça les bas de pantalon dans des bottes qui montaient jusqu'aux genoux et compléta le tout avec un chemisier d'un blanc impeccable.

« Il faut que nous partions d'ici, pensa-t-elle. Je ne fais pas confiance à ce type. Il est trop aimable avec nous. Et il en sait beaucoup trop sur le futur pour appartenir au passé. Je ne crois pas une seconde à ces histoires de spiritisme. »

Elle colla son oreille contre la porte et entendit des bruits de conversation à l'étage du dessous.

« Riley, le grand fan de Charismo, doit sûrement lui poser toutes les questions qui lui passent par la tête. »

Le son des voix flottait jusqu'à elle en même temps qu'une odeur de café et de pain frais. Chevie s'aperçut qu'elle mourait de faim en dépit du festin auquel Tibor Charismo les avait conviés la veille.

« Poulet, pintade, dinde, faisan. Combien d'oiseaux peut-on manger en un seul repas ? »

Elle tourna la poignée et constata que la porte était verrouillée.

« Étrange. Pourquoi notre soi-disant bienfaiteur m'enfermerait-il ? »

Pour Chevie, ce n'était qu'une preuve de plus qu'on ne pouvait se fier à Charismo.

«Ce personnage doit avoir un lien avec le futur. Il est impliqué dans toute cette affaire et, avec un peu de chance, il peut nous faire retrouver le chemin de la maison.»

Mais avant de l'affronter, Chevie estima qu'il serait judicieux de fouiner un peu dans la maison et de réunir quelques indices.

«J'appartiens au FBI, se dit-elle. Fouiner, c'est ce que nous savons le mieux faire.»

La fenêtre aussi était verrouillée, ce qui ralentit Chevie. Elle trouva un coussin sur lequel la tête de Charismo était brodée et pensa à s'en servir pour briser la vitre en l'appliquant contre le carreau qu'elle enfoncerait d'un bon coup de coude sur le nez du portrait.

Mais casser du verre n'était pas une brillante idée. On entendrait le bruit au-dehors et il y avait beaucoup de gens qui circulaient sur les pavés de la cour. Dès qu'elle fracasserait la fenêtre, des centaines d'yeux se lèveraient vers elle.

«Il doit y avoir un autre moyen de sortir.»

Pendant une minute, Chevie donna de petites tapes sur les murs à la recherche d'un passage secret que toutes les maisons victoriennes possédaient, tout au moins dans les films, mais elle n'entendit aucun son creux, simplement le bruit mat de la brique. Puis elle remarqua un paravent de soie sur lequel, une fois encore, était brodé le visage de Charismo. Dans un geste d'agacement puéril, elle creva la soie d'un coup de botte et sentit alors un courant d'air. Il venait d'une cheminée dont l'âtre était orné d'une composition de fleurs séchées.

« La cheminée. Garrick est descendu par la cheminée au Garden Hotel. Je n'aurais jamais pensé employer une de ses ruses. »

Chevie s'agenouilla et passa la tête dans le conduit. Il montait jusqu'à une souche de brique rouge. Malgré la suie qui recouvrait les parois comme une peau écailleuse, Chevie voyait la couleur des briques grâce à une tache de lumière qui l'éclairait à l'étage supérieur.

« De la lumière, pensa Chevie. Cela veut dire qu'il y a aussi un âtre dans la pièce du dessus. »

Elle tortilla les épaules pour se faufiler dans la cheminée – il y avait tout juste assez de place pour les tortiller, mais pas pour les hausser.

« Je devrai donc m'abstenir de tout haussement d'épaules, songea l'agente Savano, et elle se contorsionna pour pénétrer entièrement dans le conduit. »

Pendant que Chevie s'écorchait le nez contre la brique rouge d'un conduit de cheminée, Riley était interrogé dans son bureau par Tibor Charismo, le chouchou de la bonne société. Riley était un admirateur éperdu des œuvres de Charismo et celui-ci paraissait très satisfait que leur relation commence sur cette base.

Ils étaient assis à un extraordinaire bureau d'acajou en forme de griffon stylisé, avec un corps de lion et une tête d'aigle, recouverte d'une feuille d'or, qui dépassait à l'une des extrémités. Sur le dos plat du lion s'étalait un sous-main en cuir d'une couleur orange clair avec de petits casiers pour ranger les bouteilles d'encre, les plumes et un buvard.

Bien que Riley eût visité le XXIe siècle, il trouvait que

ce bureau était l'objet le plus fantastique qu'il lui ait été donné de voir.

– Je vois que tu admires mon bureau, dit Charismo.

Ce matin-là, il portait une perruque poudrée à l'ancienne sur ses boucles brunes, son masque était peint d'un mélange criard d'orange et de rouge pour lui donner un air légèrement démoniaque et il était vêtu d'une robe de chambre en soie matelassée, agrémentée d'un col d'épaisse fourrure.

– Oui, monsieur, j'ai jamais rien vu de plus beau.

Charismo pianota sur l'acajou.

– Un cadeau du tsar de Russie. Un jour, je lui ai préparé un cataplasme pour un furoncle qu'il avait sur le nez, si toutefois on peut se vanter de cela. La disgracieuse souillure a vu sa circonférence réduite de soixante pour cent. Alexandre m'en a été très reconnaissant.

Riley resta bouche bée.

– Vous êtes aussi un médecin ?

– Je n'ai pas de qualifications formelles, répondit Charismo d'une manière qui laissait entendre que se préoccuper de « qualifications formelles » n'était qu'une perte de temps pour un gentleman de sa trempe. Je suis en contact avec le monde spirituel qui se compose de l'ensemble des expériences humaines, passées, présentes et à venir. Les esprits communiquent avec moi dans mes rêves. Ils me murmurent des mots et de la musique mais m'avertissent aussi des événements futurs. Les guerres, les catastrophes. La peste et la famine. C'est un terrible fardeau.

Charismo posa son front las et torturé sur ses poings serrés.

– Personne ne pourra jamais se représenter quelle croix je porte.

Riley osa donner une petite tape sur le coude de son héros.

– Sherlock Holmes a dit : « Le génie est une capacité infinie à endurer les souffrances. » Et, monsieur, vous êtes certainement le plus grand génie qui ait jamais vécu.

Charismo eut un sourire teinté de tristesse.

– Mon cher petit. Je le suis peut-être. Et quel plaisir d'entendre quelqu'un reconnaître ce fait. Tu es un jeune garçon très sensible.

Charismo tamponna son visage, près de son œil droit, à l'aide d'un mouchoir de dentelle.

– Sensible et bien élevé. Tu as sans aucun doute remarqué mes divers masques sans faire le moindre commentaire.

Tibor Charismo caressa le plâtre lisse de son masque du côté gauche de son visage.

– Ce modèle en particulier est un masque du théâtre nô japonais. Il représente le diable.

Charismo gloussa de rire.

– Je le porte pendant les séances de spiritisme. C'est un peu mélodramatique, je le sais, mais les dames en sont tout émoustillées.

Il s'interrompit, les coins de sa bouche tombant dans une expression de tristesse résignée.

– Je sais bien ce qu'ils disent, ces soi-disant gentlemen de la presse. Charismo cache ses verrues. Ou encore Tibor Charismo cultive le mystère car c'est un imposteur. Mais à la vérité, je porte ces masques pour cacher une terrible difformité. Une marque de naissance qui a été la cause de tant de moqueries dans mon enfance que je ne peux supporter aujourd'hui de la montrer. Même la nuit, je porte un voile de soie.

Tibor tapa du poing sur le bureau.

– Pourquoi Tibor Charismo doit-il subir cette malédiction ? s'écria-t-il en direction du ciel.

Puis il s'exclama :

– Oh, regarde. Du thé !

Barnum, l'énorme cocher, était aussi majordome. Serré dans un uniforme, il entra en poussant une table roulante qui débordait de gâteaux et de boissons chaudes.

– Je sais combien les garnements dans ton genre sont gourmands, dit Tibor en remplissant une assiette pour Riley.

– Oh, mais non, monsieur, protesta le garçon dont l'estomac était déjà plein à craquer après qu'il eut avalé un petit déjeuner gargantuesque. Je ne suis pas habitué à une nourriture aussi riche.

– Allons, ne dis pas de bêtises, répliqua Charismo. Il faut absolument que tu essayes les macarons. Mon chef est français et c'est sa spécialité. Bien que ce soit moi qui aie inventé les différents parfums. Une suggestion des esprits.

– Alors, juste un, dit Riley en choisissant l'un des petits gâteaux.

Charismo remplit sa propre assiette de porcelaine et dégusta longuement les pâtisseries, avec plaisir et concentration, un grognement émanant de sa gorge à chaque bouchée. Enfin, il se redressa et éructa dans son mouchoir avec une telle force que le tissu en frémit.

– Voyons, quel était notre sujet de conversation ? Ah

oui, les tribulations de Tibor, mais n'en parlons plus. Tu penserais que je suis un horrible malappris. Nous sommes ici pour parler de toi. Les esprits m'assurent que tu as eu une vie fascinante. La première chose fascinante, ce sont tes yeux.

Charismo posa un doigt sur sa tempe.

– Les esprits m'indiquent que cette particularité est connue sous le nom d'anisocorie et qu'elle est généralement la conséquence d'un traumatisme mais qu'elle peut aussi être héréditaire.

Tibor se pencha en avant, manifestant soudain une attention extrême.

– Peux-tu te souvenir, mon garçon ? demanda-t-il, des taches de sucre blanc sur ses lèvres. Te souviens-tu de tes parents ? Avaient-ils une anisocorie ?

Riley but une gorgée de thé.

– Je ne sais pas très bien, monsieur. Parfois, je fais des rêves ou j'ai des visions. J'étais petit quand mes parents sont morts… quand ils ont été assassinés, en fait. Par un homme du nom de Garrick. Aujourd'hui, il est sur mes traces.

Charismo porta son mouchoir à sa bouche.

– Quelle horreur ! Assassinés, dis-tu ? Mais c'est terrible, effroyable.

Il donna de petites tapes sur le genou de Riley.

– Ici, tu ne crains rien, mon garçon.

Riley posa sa tasse sur la soucoupe, suivant du doigt le contour des danseuses qui ornaient la porcelaine.

– Je ne peux pas rester très longtemps, monsieur. Vous avez été merveilleux en nous accueillant, mais Garrick me retrouvera et vous serez alors en danger. Ma conscience ne pourrait supporter une telle responsabilité.

Charismo s'éclaircit la voix.

– Avec ta permission, Riley, je m'occuperai moi-même de ce Garrick.

Riley gratta la croûte sur son épaule, bien que Farley le tatoueur l'eût averti de ne pas le faire.

– Tout le monde dit ça, monsieur. Et après, Garrick les tue.

– Veux-tu que nous passions un *gentlemen's agreement* ? demanda Charismo. Nous allons avoir une petite conversation, je prendrai quelques notes de-ci de-là et ensuite, je consacrerai toutes les ressources à ma disposition, qui sont considérables et incluent les services d'Otto Malarkey et de ses acolytes, à retrouver ton Garrick. Qu'est-ce que tu en dis ?

Riley se força à sourire.

– C'est capital, répondit-il, bien résolu à ce que Chevie et lui soient partis avant la tombée de la nuit.

Lorsqu'elle émergea de la cheminée d'où elle pouvait voir la pièce située directement au-dessus de sa chambre, Chevie pensa tout d'abord qu'elle n'aurait pas dû mettre un chemisier blanc.

« Je n'ai pas beaucoup de chance avec les vêtements, ces temps-ci », songea-t-elle, puis : « Ces temps-ci ? Qu'est-ce que cela peut bien vouloir dire, désormais ? »

L'escalade avait été difficile, mais loin d'être impossible pour quelqu'un dont le premier mois d'entraînement avait comporté un parcours d'un kilomètre dans une canalisation de latrines désaffectées, avec du fil de fer barbelé au-dessus de la tête et, au-dessus du barbelé, un instructeur du FBI dans un état de fureur permanent. Sa seule inquiétude, dans le conduit de la cheminée, avait été de perdre prise, lorsqu'elle calait ses pieds dans les rainures qui séparaient les briques, et de glisser jusque dans la cave.

Chevie enjamba le pare-feu de cuivre déployé devant l'âtre, puis se redressa, soulagée d'avoir de l'espace autour d'elle – elle avait été à deux doigts de faire une crise de claustrophobie.

Elle observa la pièce, trois fois plus grande que sa chambre et infiniment plus luxueuse. Le lit avait la taille d'un trampoline. D'une inspiration visiblement nautique, il était constitué de colonnes en forme de mâts et de draperies tendues comme une voilure. Une montagne de coussins à rayures bleu et blanc s'élevait au milieu et, à sa tête, était suspendu à un crochet de cuivre quelque chose qui ressemblait à un voile. Chevie compta dans la pièce plus d'une douzaine de lampes à gaz, ainsi que quatre lampes électriques. L'un des Causeloin de Charismo était posé sur une table de chevet à la surface de marbre et un autre sur un secrétaire à cylindre. Des tableaux aux cadres dorés s'alignaient sur les murs, chacun représentant Charismo. Pour certains portraits, il avait posé, d'autres témoignaient de son extraordinaire carrière. Là, il apparaissait sur scène, à Covent Garden, en compagnie de Robert Louis Stevenson, plus loin, il présentait à la reine Victoria elle-même un livre à la reliure de cuir. Près de la fenêtre était encadrée une couverture du *Harper's Magazine,* séparée en deux moitiés par un ruban aux couleurs du drapeau britannique. La partie gauche montrait Charismo parlant dans un Causeloin et sur la partie droite, une mère de famille abasourdie, accompagnée de ses filles en jupons, qui écoutait d'un air extasié la voix sortant de l'appareil.

Chevie chercha des yeux le moindre indice qui pourrait justifier les soupçons persistants que lui inspirait Tibor Charismo. Elle savait au fond d'elle-même que quelque chose n'allait pas. Son instinct s'était révélé juste lorsqu'elle avait été une agente infiltrée à Los Angeles.

«Je savais que ces gens n'avaient rien à se reprocher et je sais aussi que Tibor Charismo n'est pas net. Je dois découvrir le lien qui permettra de le prouver. Il n'y avait que deux hommes du futur qui se cachaient là. L'un était le père de Riley, un agent du FBI, l'autre celui qu'il avait sous sa garde.»

La collection de demi-masques de Charismo était exposée sur une planche fixée au mur, chacun suspendu à son crochet de cuivre.

«Ce type aime les masques, aucun doute là-dessus», songea Chevie. Elle passa un doigt sur l'un d'eux qui semblait en or massif, mais n'était en fait qu'en plâtre peint.

«Les apparences sont trompeuses.»

Presque inconsciemment, elle se mit à fredonner l'introduction d'une chanson que son père ne se lassait jamais de passer sur son tourne-disque délabré : *Behind the Mask, Derrière le masque,* par Eric Clapton.

«Ça, c'est de la vraie musique, môme», disait son père chaque fois qu'il posait l'aiguille sur le disque.

«Derrière le masque. Je me demande ce qu'il y a derrière le masque.»

Elle vit une rainure au milieu de la planche. Non, pas

une rainure, plutôt une fente, car la planche était en fait constituée d'une porte à deux battants.

« Où est la poignée ? »

Il n'y en avait pas. Chevie posa un doigt sur chaque battant et appuya. Les portes cédèrent légèrement puis pivotèrent sur leurs gonds, laissant apparaître un placard encastré et un panneau d'affichage. Des dessins au trait étaient cloués sur le panneau et divers objets alignés le long des étagères du placard.

« Calme-toi. Et regarde bien tout. »

– Mon Dieu, dit-elle soudain à haute voix, surprise que ses soupçons se soient révélés vrais. Je te tiens, Tibor.

« Il s'est donné un nom raffiné, pensa Chevie. Beaucoup plus raffiné que Terry. »

À cet instant, elle entendit les pas rapides d'une personne d'un bon poids qui montait au pas de course un escalier proche.

« J'ai besoin d'une preuve pour Riley. »

Chevie saisit deux petits objets : une bague étincelante posée sur un écrin de velours et une Clé temporelle qui lui permettrait de revenir chez elle.

« Je ne sais pas pourquoi Tibor Charismo possède une Clé temporelle, songea Chevie. Mais je suis très contente qu'il en ait une. Ou plutôt qu'il en ait eu une. »

Elle était de retour dans la cheminée avant que les masques aient cessé de se balancer sur leurs crochets.

Quand elle fut à nouveau dans le conduit, elle mit au point la prochaine étape.

« Il faut que je voie Riley seul et que je lui montre ce que j'ai trouvé. Ça me fait beaucoup de peine de détruire son héros, mais Charismo n'est pas tout à fait aussi doué qu'il fait semblant de l'être. »

Elle amorça la descente, centimètre par centimètre, vers la lumière qui brillait au-dessous.

« La lumière. Ma chambre. »

Personne n'entra dans la pièce qu'elle venait de quitter. Les bruits de pas qu'elle avait entendus étaient une fausse alerte. Mais il aurait été trop risqué de remonter. Elle pouvait s'estimer heureuse de ne pas avoir été repérée.

Chevie imagina son instructeur de Quantico l'abreuvant d'insultes et cette vision l'incita à descendre un peu plus vite. Trois minutes plus tard, les pointes de ses bottes apparaissaient dans l'âtre de sa chambre.

Elle se retourna sur le ventre et se glissa à l'intérieur de la pièce en se sentant profondément soulagée d'échapper à nouveau à l'espace confiné du conduit.

« J'ai réussi », pensa-t-elle.

Une voix au-dessus d'elle dit alors :

– Tiens, tiens, tiens. Qu'est-ce qui nous tombe de la cheminée ? Peut-être un des elfes du père Noël ?

« Si cette voix est celle de Barnum, le gigantesque cocher, alors je vais avoir des ennuis », pensa Chevie.

C'était bien la voix de Barnum, et elle avait en effet des ennuis.

Albert Garrick se sentait toujours un peu fébrile quand il traversait le quartier de Mayfair. En dépit de sa tenue de dandy et de ses longs cheveux, un style qu'affectait volontiers le moindre petit lord, il avait l'impression tenace que ses humbles origines transparaissaient dans son regard et s'étalaient aux yeux de tous.

« En dépit de tout ce que je sais, de tout ce que j'ai vu, je n'arrive pas à me sentir à l'aise dans ces rues-là. »

Il essaya de stimuler sa confiance en lui en se tenant un discours d'encouragement : « Ressaisis-toi, Alby. Tu n'es plus un gamin affamé qui bat le pavé à la recherche des miettes tombées de la table des riches. Il est temps d'extirper cette honte de ton âme comme tu débarrasserais la pointe de ta botte d'une crotte de chien. »

Une petite vendeuse de fleurs s'approcha et lui fit une véritable révérence.

– Un œillet pour votre boutonnière, mylord ?

Cette simple marque de respect remonta le moral de Garrick plus que n'auraient pu le faire ses propres réprimandes et il eut un sourire qui n'avait pas été aussi sincère depuis bien longtemps. Il tendit la main derrière l'oreille de la jeune fille et en sortit une pièce d'or étincelante.

– Prends ceci, ma petite. Et achète-toi quelque chose d'aussi joli que toi.

La jeune fille balbutia un remerciement puis contempla la pièce comme si elle risquait de fondre au creux de sa main.

Garrick poursuivit son chemin vers le côté nord de Grosvenor Square en direction de la résidence de Tibor Charismo, l'homme qui avait payé Otto Malarkey pour le tuer.

Face à la célèbre maison de Charismo s'étendait un parc privé entretenu avec soin, exclusivement réservé aux résidents et auquel on accédait par un lourd portail verrouillé. Armé de ses outils de magicien, Garrick ne fut pas plus gêné par le portail que ne l'aurait été un chien par un écriteau interdisant de marcher sur une pelouse. Quelques secondes plus tard, il était allongé sur un banc verni et propre et admirait des rhododendrons de l'Himalaya, très à la mode, en observant au-dessus de leurs fleurs balancées par la brise, la fabuleuse résidence de Charismo.

«Alors, maintenant, Tibor Charismo veut ma mort comme il voulait autrefois celle de la famille de Riley.»

Car c'était Charismo qui avait engagé Albert Garrick plus d'une dizaine d'années auparavant pour supprimer toute la famille de Riley dans sa résidence de Brighton. Aujourd'hui, après tout ce temps, il avait de toute évidence découvert la tromperie de Garrick et s'était décidé à donner à cette affaire une conclusion définitive.

«Tout se réduirait donc à cela? L'hostilité de Charismo serait-elle due à la vie du jeune garçon?»

Garrick songea que, si la situation le permettait, il poserait la question à Charismo avant de le tuer.

Quelqu'un bougea derrière une fenêtre. Les yeux régénérés de Garrick n'eurent aucun mal à reconnaître cette silhouette, même à une si grande distance.

«Charismo.»

Garrick se redressa comme si le banc avait été électrifié.

«Mon bourreau est donc chez lui. Cela rendra ma tâche plus facile.»

Il fut soudain très content d'avoir donné un si gros pourboire à la jeune vendeuse de fleurs.

«Tu vois, Albert. C'est ce que disait toujours la mère de Felix Smart : si tu fais des choses agréables pour les autres, alors il t'arrivera aussi des choses agréables.»

*

Dans la maison de Grosvenor Square, Tibor Charismo s'accordait un nouveau macaron tandis que les barbituriques qu'il avait mélangés au thé de Riley commençaient à faire leur effet dans le cerveau du garçon. Les doux plaisirs de la table avaient toujours été sa faiblesse.

Lorsque les yeux de Riley devinrent vitreux et que ses bras flasques pendirent à ses côtés, Charismo entreprit sérieusement son interrogatoire, révélant les vrais motifs de sa bienveillance.

– Maintenant, Riley, je vais t'expliquer ce qui se passe. Je t'ai fait prendre un mélange de barbituriques que j'ai préparé moi-même. Un sérum de vérité. Tu peux essayer d'y résister mais tu cours simplement le risque d'endommager ton cerveau, il serait donc largement préférable pour ta santé mentale que tu répondes à mes questions en toute sincérité. Tu as compris ?

– Oui, répondit Riley, la langue pâteuse.

Il avait l'impression d'être ivre et se sentait comprimé par le simple poids de l'air au-dessus de lui.

Charismo claqua des mains.

– Excellent. Première question : es-tu venu par le trou de ver ou squattais-tu simplement la maison de Half Moon Street ?

Il ne semblait pas étrange à Riley que Charismo connaisse l'existence du trou de ver. Peut-être les esprits lui en avaient-ils parlé ?

– Trou de ver, marmonna-t-il. Du futur.

Charismo fronça les sourcils.

– J'imagine que tu as dû être aspiré dans le tunnel temporel à Bedford Square et que tu en es revenu à Half Moon Street ?

– Oui. Aspiré et revenu. Futur sent très bon.

– Et Miss Savano – quel est le rôle de cette douce jeune fille dans toute cette affaire ?

Riley ferma les yeux et sourit.

– Elle est du FBI. Agente spéciale très jolie.

Charismo se leva en tordant son mouchoir comme si c'était le cou d'une dinde.

– FBI ? Ce satané F… B… I.

– Comme mon vieux père. FBI. J'ai vu son insigne.

– Comme ton vieux père ? dit lentement Charismo, en se pénétrant de ces mots qui confirmaient ses soupçons. Bien sûr. J'ai entendu dire que Garrick avait un jeune garçon avec lui. Mais je ne savais pas que c'était *toi*.

Il en revint à Chevie.

– C'est moi qu'elle est venue chercher ?

– Vous, monsieur ? Oh, non. Nous avons simplement échappé à Garrick. Il veut la Clé temporelle. C'est la dernière qui permet de retourner dans le trou de ver. Ou plutôt, *c'était* la dernière, jusqu'à ce qu'Otto Malarkey la réduise en miettes.

– La dernière, murmura Charismo qui se détendit considérablement. Dans ce cas, je suis en sûreté. Garrick devrait déjà être décédé et même s'il ne l'est pas, il ne se doutera pas que j'ai une autre clé.

– C'est faux, monsieur.

Irrité, Charismo agita son mouchoir.

– Qu'est-ce qui est faux, mon garçon ?

– Garrick n'est pas décédé. Tout le monde fait cette erreur.

– Pas Tibor Charismo, répliqua Tibor Charismo. Je

me suis occupé d'Albert Garrick. Il m'a trompé une fois, cela ne se reproduira plus.

Tibor laissa tomber le dernier macaron dans sa bouche ouverte et chantonna pendant qu'il mâchait.

– C'est le refrain d'une nouvelle chanson que je compose et que j'ai appelée *We All Live in a Yellow Submarine,* mais je ne pourrai pas la sortir tant que les sous-marins ne seront pas connus de tout le monde.

La porte s'ouvrit à la volée et Barnum le serviteur entra, traînant Chevie derrière lui. Elle était solidement ligotée avec des cordes mais se débattait toujours.

– Holà ! s'exclama Charismo. Voilà qui est inattendu.

– Je l'ai trouvée dans la cheminée, dit Barnum en jetant Chevie aux pieds de son maître.

– Inattendu ? lança la jeune fille, la joue brûlante d'avoir frotté le tapis. Les esprits ne vous ont donc pas prévenu ?

Charismo enfonça dans l'épaule de Chevie l'extrémité de sa pantoufle à bout pointu pour la retourner sur le dos.

– Ce n'est pas ainsi que les choses se passent – il posa un doigt contre sa tempe –, agente Savano du Federal Bureau of Investigation.

Chevie ricana.

– Et si vous demandiez à vos esprits de vous dire ce qu'ils savent de Terry Carter, un banquier véreux de New York ?

Charismo poussa un petit cri aigu en entendant prononcer le nom de Carter, puis il donna à Chevie un coup de pied dans le ventre, qui lui coupa le souffle.

– Mets-la dans le fauteuil, ordonna-t-il à Barnum,

s'asseyant pour masser son gros orteil. Ensuite, tu nous laisseras.

Les mains de Barnum s'exécutèrent avec rapidité, mais son front exprimait la perplexité.

– Vous laisser, maître ? Mais cette fille a des drôles de façons de faire et vous, vous n'êtes pas vous-même, à donner des coups de pied et tout ça.

– Elle est ligotée, n'est-ce pas ? répliqua Charismo avec mauvaise humeur. Fais ce qu'on te dit, mais attends derrière la porte. Il faudra porter quelque chose dans peu de temps.

Barnum lança à Chevie un regard menaçant et quitta la pièce en marmonnant qu'on ne pouvait jamais être sûr de rien et qu'un peu de politesse ne ferait pas de mal.

– Mes excuses, dit Charismo. Parfois, Barnum a du mal à rester à sa place.

D'une secousse, Chevie se redressa dans son fauteuil.

– Joli bureau. Qui vous a donné ça ? Les esprits de la vulgarité bon marché ?

– Vos tentatives pour me mettre en colère resteront sans effet, répondit Charismo. Le grand Charismo est au-dessus des viles émotions.

– Et Terry Carter ? Que fait-il ?

Charismo jouait avec un coupe-papier en forme de poignard. À moins que ce ne fût un vrai poignard en forme de poignard.

– Terry Carter est mort. Il est mort il y a près de trente ans, quand je suis arrivé ici.

Chevie remarqua que Riley ne réagissait pas à ses révélations et semblait fredonner une chanson des Beatles.

– Qu'avez-vous fait à ce garçon ?

– Oh, lui, je lui ai donné quelques gouttes de thiopental sodique et une petite dose mortelle de belladone, répondit Charismo sur le ton de la conversation. C'est un mélange que j'affectionne. Vous dites la vérité et ensuite, vous mourez. Ne vous en faites pas pour lui. Il va s'endormir et ne se réveillera jamais, ce qui est à peu près la meilleure façon de disparaître dans le Londres de la reine Victoria. Vous allez adorer.

Chevie se débattit contre ses liens, mais savoir ficeler toutes sortes de choses faisait partie des fonctions de l'homme qui l'avait ligotée.

– Le grand Tibor Charismo. Vous n'êtes rien d'autre qu'un simple délinquant.

Charismo parut sincèrement offensé.

– Non, absolument pas. Je suis le plus grand homme depuis Leonardo da Vinci, dont je soupçonne qu'il a pu être lui-même un ancien du WARP. J'écris, je compose, je *vois*. Au XXe siècle, je n'étais rien, un banquier de la pègre. Ici, je suis le chouchou de la bonne société. Pourquoi, grand Dieu, devrais-je retourner là-bas ?

– Je comprends comment tout cela a pu se passer, dit Chevie. Vous saviez que la pègre finirait par traquer le petit Terry. Quel que soit le nombre de ses membres que votre témoignage pouvait envoyer en prison, il y aurait toujours d'autres voyous. En revanche, dans le Londres de la reine Victoria, vous aviez la possibilité de devenir vraiment quelqu'un.

– Exactement, admit Charismo. Et vous savez comment ? J'ai une mémoire photographique. Tout ce que je lis, tout ce que je vois ou même tout ce que j'entends, je m'en souviens à tout jamais. C'est aussi simple que cela.

– Un génie, remarqua Chevie, avec une certaine conviction.

Charismo se leva.

– La reine Victoria elle-même écoute mes conseils. Dès que le FBI m'a informé que je partais pour Londres à l'époque victorienne, j'ai lu tout ce que j'ai pu sur tous les sujets qui pouvaient m'être utiles. Je connais beaucoup de choses sur la politique mondiale, sur des événements sportifs, sur de simples inventions, sur les tendances de la mode. C'est une mine d'or.

Chevie respira à plusieurs reprises pour se calmer.

– D'accord, Terry, écoutez-moi, maintenant. Laissez-nous partir, c'est tout. Donnez à ce garçon un antidote. Ne devenez pas un assassin en plus de tout le reste.

– Devenir un assassin ? s'exclama Charismo en éclatant de rire. Nous sommes à Londres au temps de Victoria. Même avec mes dons, il faut se tailler un chemin jusqu'au sommet ou embaucher un grand Barnum plein de muscles pour le faire à votre place. Quand je l'ai trouvé, Barnum, il saignait à mort dans la prison de Newgate. Maintenant, il m'est fidèle et le sera jusqu'à la tombe.

– Vraiment ?

– Non. En fait je l'ai engagé dans un pub, mais j'ai l'intention de raconter la version Newgate dans mes mémoires.

– Vous n'avez pas besoin de tuer Riley, Charismo. Je représente la loi, ici. Ce n'est qu'un môme.

Charismo sourit en s'asseyant sur le bord du bureau.

– Oh, c'est lui que je dois tuer plus que n'importe qui d'autre. Il y a encore des éléments qui vous échappent, agente, n'est-ce pas ?

– Je crois avoir compris l'essentiel, répliqua Chevie. C'est une histoire très basique de cupidité humaine. Le petit Terry Carter trouve que l'époque victorienne lui convient très bien et il fait appel à Albert Garrick pour couper tous ses liens avec le futur, surtout avec l'agent Riley et sa famille.

Charismo ne manifesta aucun remords.

– Ce n'était pas ma faute. Je devais être sa priorité mais voilà que l'agent Riley a décidé de tomber amoureux. Je n'avais donc pas d'autre choix que d'envoyer Garrick tuer Bill Riley et sa précieuse famille. Comme ça, pas de traces.

Chevie le regarda.

– Mais vous aviez besoin de la Clé temporelle de Bill Riley ?

– En effet, répondit Charismo. Garrick me l'a remise sans se douter de ce que c'était. Comment aurait-il pu le deviner ? Entièrement programmée et prête à aspirer son détenteur vers le XXe siècle, le XXIe, maintenant, j'imagine. Je l'ai mise en lieu sûr, au cas où j'aurais été obligé de fuir cette zone de temps. J'aurais pu me trouver dans la nécessité de recourir à certains traitements médicaux – la chimiothérapie, par exemple. C'est la seule raison pour laquelle je n'ai pas démonté les portails. D'ailleurs, je n'ai découvert leur emplacement que récemment.

– On n'avait pas jugé bon d'indiquer où ils se trouvaient au pauvre petit Terry, le banquier de la pègre. Une telle information ne pouvait être donnée qu'en cas de stricte nécessité.

– Exact. Le soir où je suis arrivé, ils m'ont fait sortir précipitamment, avec un sac sur la tête. Vous vous rendez compte ? Dans mon état ?

Lorsqu'il prononça le mot « état », Charismo caressa légèrement son masque et Chevie se demanda une nouvelle fois ce qu'il y avait au-dessous.

– Alors, même débarrassé de l'agent Riley, il vous fallait retrouver Charles Smart et tous les portails qui existaient, sinon, vous n'auriez jamais eu la certitude qu'on ne puisse plus se lancer sur vos traces.

– L'autre option était de garder un profil bas, expliqua Charismo. Et quel intérêt de faire cela ?

– En effet, dit Chevie. Pourquoi être un personnage insignifiant dans deux siècles à la fois ?

– Jusqu'à présent, vous comprenez formidablement bien, remarqua Charismo d'un ton froid en ajustant son masque de démon. Souhaitez-vous continuer ? Ou préférez-vous que je vous tue maintenant ?

– Il vous a fallu un certain temps pour constituer votre fortune, mais dès que vous en avez eu les moyens, vous avez entretenu une relation personnelle avec Otto Malarkey, car seuls les Béliers disposaient du réseau nécessaire pour retrouver Charles Smart et les portails.

– Tout ce que j'avais, c'était un dessin de Smart que j'avais reproduit de mémoire et la description d'un sous-sol avec un lit monté sur une plateforme de métal. Plutôt maigre comme indices.

Chevie reprit le récit :

– Cela a pris des années, mais finalement, les Béliers

ont découvert que Smart vivait dans ce siècle à Bedford Square. Et ils l'ont suivi à Half Moon Street.

– Je l'ai mis sous *surveillance,* comme vous dites au FBI, jusqu'à ce que je sois sûr que Smart était le seul à utiliser les portails. Personne ne le cherchait, personne n'essayait de me retrouver.

– Et vous vouliez que cela dure. Vous vouliez être le seul à contrôler le trou de ver, donc Charles Smart devait disparaître. C'est à ce moment-là que vous avez à nouveau contacté Garrick pour achever le travail qu'il avait commencé une dizaine d'années plus tôt.

– Oui. C'était la liberté de m'épanouir qui était en jeu.

Charismo se pencha en avant et sépara les cheveux de Chevie en dessinant une raie avec la pointe de son coupe-papier.

– J'avais oublié les efforts qu'il faut faire pour parler avec mes compatriotes américains. Ils sont toujours dans la confrontation.

– Vous avez commis une erreur, Terry, dit Chevie.

– Oh, je ne crois pas. Après tout, vous êtes à mes pieds, comme toute cette ville.

– Garrick. Vous n'auriez jamais dû l'engager. Il est incontrôlable.

Charismo couvrit son sourire suffisant d'un mouchoir.

– Croyez-moi, Garrick a été si bien *contrôlé* qu'il s'est retrouvé prématurément dans la tombe. Otto Malarkey y a veillé. Il a été le dernier contact entre moi et le futur.

– Jusqu'à ce que nous apparaissions.

– Otto devait tuer quiconque arriverait dans l'un des deux portails, mais il est dans sa nature d'essayer de grappiller quelques shillings de plus dans n'importe quelle situation. Heureusement, il y a chez les Béliers un homme fidèle à mon or et qui m'a informé qu'il se passait quelque chose dans la maison de Half Moon Street. Vous imaginez ma surprise quand j'ai su que l'un des deux voyageurs temporels présentait une ressemblance frappante avec William Riley ? Je me suis dit qu'il devait s'agir d'une coïncidence et j'y ai presque cru jusqu'à ce que le garçon lui-même me révèle que son père était un agent du FBI. Ainsi donc, le jeune Riley ici présent est le seul joker de ce jeu et, comme vous le voyez, il n'est plus vraiment en état de continuer la partie.

Charismo claqua des mains, ce qui semblait une marque de fabrique.

– Ainsi donc, le jeu est fini et Charismo a triomphé.

Riley gémit dans son fauteuil et son corps fut secoué d'un spasme.

– Allons, Carter ! s'exclama Chevie. Soignez ce garçon ! Laissez-le partir. Quel mal peut-il vous faire ?

– Aucun. Le petit Riley est inoffensif. Et il le sera bientôt d'une manière permanente.

Chevie sentit battre le sang à ses tempes.

– Pour lui, vous étiez une idole et vous l'avez tué.

Charismo agita son mouchoir.

– Vous savez ce qu'on dit ? On ne devrait jamais rencontrer ses héros. Et je ne l'ai pas encore tué, il est simplement en train de rêver. Le poison est toujours dans son estomac. Il ne mourra pas avant plusieurs heures.

Riley rêvait à moitié et il aurait été ravi de se laisser emporter entièrement par le sommeil, mais quelque chose luisait devant ses yeux. Le garçon plissa les paupières, essayant de faire le point, mais il ne vit rien d'autre que le petit objet brillant au doigt de Chevie. Il resta flou, entouré d'un nimbe d'or, jusqu'à ce que Charismo s'approche de la fenêtre et fasse écran à la lumière du soleil, donnant du relief à l'objet doré.

C'était une bague en forme de fer à cheval.

« Une bague en fer à cheval. Il y avait un homme avec une bague en fer à cheval. Mr Carter. »

Dans son état de rêve, Riley était plus proche de ses visions. Il se souvenait que son père avait protégé l'homme qui portait cette bague et ce fut suffisant pour le réveiller un peu et lui permettre d'entendre ce que Charismo disait à ce moment-là : « Ce n'était pas ma faute. Je devais être sa priorité mais voilà que l'agent Riley a décidé de tomber amoureux. Je n'avais donc pas d'autre choix que d'envoyer Garrick tuer Bill Riley et sa précieuse famille. Comme ça, pas de traces. »

« Bill Riley, pensa Riley dans un état second. Mon père. »

Il ne pouvait se représenter ce qui se passait, mais il avait entendu un aveu et la bague l'incitait à croire que c'était la vérité.

Avec un effort surhumain, il respira régulièrement pour revenir à un état de conscience superficiel. Il lui fallut un certain temps, mais il trouva enfin l'énergie de passer à l'action. Il se traîna hors du fauteuil et fit de grands gestes pour essayer d'atteindre Charismo, donnant des coups maladroits.

– Allons, s'il te plaît, dit Charismo sur un ton de reproche. Voilà qui est très embarrassant. Je suis gêné pour vous deux.

Il posa une main sur le front de Riley et le projeta en arrière. Le garçon tomba lourdement et renversa dans sa chute une table au plateau de marbre, envoyant par terre le Causeloin qui glissa sur le sol jusqu'à ce que son fil le retienne.

– Regarde ce que tu as fait ! s'écria Charismo, qui était à présent légèrement irrité.

– Espèce d'animal ! lança Chevie en bondissant de son fauteuil.

Mais elle était solidement ligotée et ne réussit qu'à tomber, se cognant la tête au passage contre une aile du griffon.

Charismo leva les yeux au ciel.

– Regardez-moi ça, il y a du sang sur le beau bureau de Tibor, à présent. Je serai on ne peut plus heureux après votre mort, Miss Savano. J'espérais vous interroger, comme le garçon, et peut-être apprendre comment le monde a tourné depuis mon époque, mais je crois que je vais renoncer à ce plaisir et passer directement à la fin de la partie.

Chevie cracha du sang sur le tapis.

– Et votre reine ? Que croyez-vous qu'elle penserait de tous ces meurtres ?

– La vieille Vic ? répliqua Charismo. Je me soucie comme d'une guigne de sa majesté rhumatisante, en dehors du fait que sa protection assure mon statut social. De toute façon elle mourra, l'esprit embrumé, à l'aube du siècle prochain et sa fille la suivra quelques mois plus tard, ce qui sonnera le glas de la maison de Hanovre.

– Et votre précieux duc de Westminster ?

Charismo eut un rire amer.

– Ce vieux nigaud mourra avant Noël. Il ne m'aurait pas déplu qu'il vive encore vingt ans, car il est extrêmement profitable d'avoir l'oreille de l'homme le plus riche de Grande-Bretagne. Mais non, la vie au grand air va semer en lui les germes de la bronchite et c'en sera fini de notre jobard.

Charismo s'agenouilla et ébouriffa les cheveux de Chevie.

– Savez-vous que j'aurais préféré vous garder vivante ? Nous aurions pu parler du futur. J'ai tellement de projets en tête. L'un d'eux, par exemple, consisterait à changer le cours des guerres. Imaginez comme la Première Guerre mondiale serait différente si on conseillait aux Allemands de ne pas torpiller le *Lusitania*. L'Amérique n'entrerait jamais dans le conflit et, en 1918, l'Angleterre serait une colonie germanique avec Tibor Charismo en bonne place à sa cour. Ce n'est qu'une de mes nombreuses idées.

– Vous êtes fou, dit Chevie en essayant de toutes ses forces de concentrer sur elle l'attention de Charismo.

Elle se doutait que Riley préparait quelque chose en dépit de son état d'hébétude. Et même si son action n'avait pas beaucoup d'effet, elle pouvait jouer en faveur de Chevie, tant que Terry Carter ne se retournerait pas.

Terry Carter ne se retourna pas.

– Fou, délirant, comateux, qu'importe ? Je suis heureux et j'ai l'intention de le rester aussi longtemps que possible.

Charismo fit retentir une clochette de service sur son bureau et Barnum entra, encore un peu boudeur d'avoir été récemment congédié.

– Ah, vous voulez que je revienne, c'est ça que vous voulez, maître ?

– Ne sois pas si chatouilleux, Barnum. Tes allures de boxeur ne s'y prêtent pas.

– Très bien, maître. Qu'est-ce qu'on fait avec ces deux-là ? Je pensais à un bon coup de couteau dans la cuisine, au-dessus de l'évier pour que le sang ne coule pas par terre, ensuite, on les met dans un sac et emballez, c'est pesé, on les descend sur le quai.

Charismo donna de petits coups de son coupe-papier sur le bureau, réfléchissant à cette suggestion.

– Non, Barnum. Je veux que ces deux-là disparaissent entièrement. Qu'il n'en reste pas un cheveu.

– Alors, il y a deux chemins possibles. Le premier, c'est mon vieux copain de l'armée et sa porcherie près de Newport. Les cochons mangent tout, de la tête aux pieds, la cervelle et les os – tout ça, c'est pareil pour un cochon, on l'a bien vu avec les deux bohémiens, l'année dernière, maître.

– Non, pas ça, répondit Charismo. La dernière fois, tu as laissé des traces de fiente de porc sur tous mes tapis. Quelle est l'autre possibilité ?

– Les brûler, dit simplement Barnum. Je les coupe en morceaux et je les mets petit à petit dans la cuisinière. Ça prend plusieurs jours et c'est pas beau à voir, mais une fois que le travail est fait, c'est comme une omelette, tous les cavaliers de la reine auraient beau s'y mettre, ils n'arriveraient pas à redonner forme à ces deux œufs pourris.

Charismo eut un petit rire.

– Joliment dit, Mr Barnum. Tu as réussi à me faire

sourire. Allons-y pour la cuisinière, mais tu donneras les coups de couteau dans la cuisine.

– Très bien, maître, approuva Barnum qui hissa Chevie sur son épaule. Vous pourrez vous passer de moi pendant une heure, le temps que je commence la boucherie ?

– Vas-y, répondit Charismo d'un ton magnanime. Je serai parfaitement bien… Oh, tu pourrais peut-être m'apporter d'autres gâteaux lorsque tu auras fini ton découpage ? Tibor a un petit creux.

– D'autres gâteaux. Bien sûr, maître.

Charismo adressa un clin d'œil à Chevie.

– Maître. J'en ai des frissons à chaque fois.

À la grande surprise de Tibor, Chevie eut encore le courage de faire un dernier commentaire. Elle regarda droit dans les yeux le témoin du WARP et dit :

– Vous parlez trop.

Ce qui n'était pas une simple opinion mais un fait, comme cela apparaîtrait un peu plus tard.

Barnum prit Riley par la ceinture et le projeta sur son autre épaule. Mais, dès que le serviteur l'eut lâché, le jeune garçon empoisonné trouva encore la force de rouler de son perchoir et d'atterrir sur la poitrine de Charismo.

– Assassin, dit-il d'une voix pâteuse. Vous avez tué ma famille.

– Hiiirk ! s'écria Charismo. Enlève-moi ça, Barnum. Il a peut-être des poux.

Si Riley avait été plus alerte, il aurait pu lui porter un coup douloureux ou même fatal, mais dans son état d'abrutissement, il eut tout juste la force de se tortiller un peu et de tapoter la poitrine de Charismo comme un petit enfant.

– Viens là, toi, dit Barnum.

Il reprit son prisonnier de ses doigts puissants et le jeta à nouveau sur son épaule libre.

– Fais attention, Barnum, conseilla Charismo, ébranlé, en vérifiant que son masque était bien en place. Même un chien mourant peut être dangereux.

– Désolé, maître, répondit Barnum.

Il glissa le bout de sa botte dans l'entrebâillement de la porte et l'ouvrit du pied.

– J'aurais dû faire attention qu'un enfant paralysé par le poison mortel que vous venez de lui donner ne vous batte pas à plate couture.

Charismo lança un regard noir à son serviteur qui sortait de la pièce, se demandant s'il ne devrait pas retenir une partie de ses gages.

Barnum fourra les deux condamnés dans le monte-plats de la pièce voisine et, à l'aide d'une manivelle, les fit descendre vers la cuisine. Tandis que le minuscule ascenseur s'enfonçait dans sa gaine, Chevie entendit la voix de Charismo qui flotta jusqu'à elle.

– Quel tire-au-flanc tu fais, Barnum. Le monte-plats, vraiment.

La petite boîte grinçait en descendant lentement vers le sous-sol. Riley gémissait et essayait de s'étirer, ce qui était impossible dans cet espace confiné. L'air était chaud, les murs empestaient la viande et le monte-plats semblait incapable de supporter leur poids. Bien qu'elle ne pût le voir, Chevie sentait le vide au-dessous, s'attendant à ce que la boîte rompe son câble et tombe, tombe, jusqu'au fond.

– Hé, Riley, dit Chevie en donnant un petit coup de coude dans la jambe du garçon. Ça va ?

Il n'était pas suffisamment lucide pour répondre.

« Je me demande si le poison a commencé à faire son effet. Non. Charismo a dit qu'il en avait pour quelques heures. Il nous reste encore du temps. »

Le monte-plats s'arrêta brutalement et ses deux occupants pris au piège ne purent rien faire d'autre que respirer de l'air recyclé et attendre que Barnum les sorte de là. Il commença par Chevie.

Il la jeta sur le plan de travail de la cuisine comme une carcasse de bœuf, puis il noua un tablier autour de sa taille et passa le bout des doigts sur une rangée de couteaux à découper.

« C'est drôle, pensa Chevie. Je n'ai pas peur. Je crois toujours que nous allons nous en sortir vivants, malgré les apparences. »

Barnum prit le plus grand des couteaux, avec un manche en os teinté et une lame à dents de scie.

– Ah, Julia, dit-il au couteau. Tu savais que j'allais te choisir.

« Il parle à ses couteaux, songea Chevie. Je suis sûre que Garrick adorerait ce type. »

Barnum s'immobilisa soudain, tel un cerf qui aurait perçu un bruit étranger à la forêt.

« Qu'est-ce qu'il a entendu ? »

Puis Chevie entendit à son tour : un grondement de roues de voiture et un martèlement de bottes marchant au pas.

– Qu'est-ce qui se passe? dit Barnum.

Il pencha la tête, attendant que le vacarme s'éloigne. Mais ce ne fut pas le cas. Au contraire, le défilé s'arrêta net devant la résidence de Charismo.

– La maison d'à côté, marmonna Barnum. Ils doivent venir pour la maison d'à côté.

Mais il ne s'agissait pas de la maison voisine, ce qui devint manifeste lorsqu'un ordre retentit au-dehors.

– Halte! Résidence de Charismo, la porte bleue! Préparez le canon.

– Le canon? dit Barnum, d'une voix dont l'habituel registre était monté de deux octaves.

Le serviteur lâcha sa précieuse lame, saisit un revolver dans une poche intérieure, se précipita de l'autre côté de la cuisine et sortit par la double porte de service.

Les deux panneaux de la porte battaient encore lorsqu'une explosion semblable à un coup de tonnerre ébranla la maison jusque dans ses fondations, propulsant de l'air comprimé dans les cages d'escalier et les couloirs. La déflagration projeta Barnum et son revolver en arrière, à travers la porte battante. Le six-coups tournoya d'un bout à l'autre de la cuisine, fracassant de sa crosse un des carreaux du mur, et finit sa course dans un évier.

Barnum lui-même n'était pas en très bon état. Son gilet était en lambeaux et une centaine de petites entailles sur sa poitrine laissaient échapper son sang sur le plancher.

Il avait suffisamment fréquenté la mort pour savoir que son temps était compté. Barnum tourna péniblement son regard vers Chevie, étendue sur le plan de travail.

Il essaya de parler, mais avant qu'il ait pu prononcer un mot, un dernier râle signala son départ pour l'autre monde.

Chevie roula sur elle-même et tomba volontairement par terre. Son épaule heurta le sol avec un bruit sourd mais ne se brisa pas.

« Le coup n'a rien cassé, c'est donc un coup de chance. »

Sur le plancher glacé, le visage ravagé de Barnum n'était qu'à quelques centimètres du sien et son regard vide l'incita à ramper plus loin en dépit de son épaule douloureuse.

« Trouver le couteau, se dit-elle. Trouver Julia. »

Elle n'était pas loin, plantée entre deux lattes du plancher, telle Excalibur dans son roc. Fichée dans le sol là où Barnum l'avait lâchée.

« Encore un coup de chance », pensa Chevie.

Elle ondula comme un serpent en direction du couteau.

« Viens Julia. J'espère que tu es bien aiguisée. »

Elle l'était. Dès que Chevie l'eut empoignée, une main de chaque côté du manche, il ne lui fallut que quelques secondes pour trancher la corde qui lui attachait les poignets. Une fois ses mains libérées, elle put facilement se débarrasser de ses autres liens.

À l'étage supérieur, la troupe plongeait la maison dans le chaos. Chevie entendit les rugissements d'une douzaine de soldats qui couraient partout à la recherche de Charismo. Leurs pas lourds faisaient tomber de la poussière des plafonds lézardés et l'une des arrivées de gaz, sur le mur, prit feu spontanément, projetant une flamme bleue à travers la cuisine.

« Il faut qu'on sorte d'ici », pensa Chevie.

Elle entendit des pas se détacher des autres et descendre les marches qui menaient à la cuisine.

Chevie attrapa le revolver de Barnum dans l'évier et se faufila à l'intérieur du monte-plats, à côté de Riley, retrouvant la chaleur oppressante et l'odeur de cuisine rance, puis elle referma la porte sur elle.

À travers une fissure, elle aperçut les bottes et le pantalon noirs d'un soldat qui poussait la porte. Il s'avança d'un pas vif et fit le tour de la cuisine, regardant hâtivement derrière la table et les chaises. Il s'arrêta devant le cadavre de Barnum et vérifia que le géant avait bel et bien rendu l'âme.

Riley gémit dans son état de demi-conscience et Chevie fourra son genou dans sa bouche pour réprimer les autres bruits qu'il aurait pu faire.

Heureusement pour eux, le soldat avait été un peu assourdi par le tir du canon et il ne perçut pas le gémissement étouffé.

– Grand, dit-il à haute voix, en repoussant le corps de Barnum du bout de sa botte. Grand, très grand.

Enfin, il se détourna et sortit de la pièce.

Chevie attendit que les pas du soldat se soient évanouis, puis elle tira sur la lanière de cuir qui permettait d'ouvrir la porte du monte-plats et se glissa à nouveau dans la cuisine.

Riley continuait de gémir quand elle l'arracha à l'espace minuscule où il était enfermé, mais il souriait également.

– La belle agente, dit-il. Un baiser de la belle Annie Birch.

« Les garçons sont tous les mêmes, quelle que soit

l'époque», songea Chavie, puis elle donna à Riley un coup de poing dans l'estomac.

– Désolée, petit, dit-elle alors qu'il se pliait en deux, secoué de haut-le-cœur. Encore un et ça devrait suffire.

Elle lui donna un autre coup de poing et s'écarta pendant qu'il vomissait sur le plancher un flot de macarons à demi digérés et aussi, espérait-elle, la belladone mortelle qu'il avait ingérée.

– OK, dit-elle en s'adressant surtout à elle-même. Il devrait s'en sortir, maintenant. J'espère.

À l'aide d'un torchon mouillé trouvé dans l'évier, elle essuya le visage de Riley du mieux qu'elle put, puis elle l'aida à avancer d'un pas titubant vers la porte de la cuisine qui menait, fort heureusement, vers l'arrière de la maison.

«Il faut qu'on sorte d'ici, pensa à nouveau Chevie en attrapant un lourd pardessus suspendu à un crochet, près de la porte. Mais j'aurais bien aimé rester suffisamment longtemps pour voir la tête de Charismo. Je parie que les esprits ne l'avaient pas averti de ce qui vient d'arriver.»

La tête de Charismo exprimait un mélange d'incrédulité et de terreur furibonde, un cocktail d'émotions qu'on voit rarement s'afficher sur un visage. Le résultat fut que Tibor avait l'air de téter une bouteille invisible lorsque le colonel Jeffers, de la caserne de Knightsbridge, s'avança dans son bureau d'un pas martial, flanqué de deux soldats et d'un médecin.

Dès qu'ils se furent assurés que Charismo était seul et n'avait pas d'arme, les soldats se détendirent quelque peu, mais les canons de leurs fusils à répétition restèrent fermement pointés sur le torse du maître de maison.

Charismo agita son mouchoir, comme si cela avait pu détourner les balles de leur trajectoire.

– Suis-je en danger, colonel ? s'enquit-il d'un ton mécontent. Le duc vous a-t-il envoyé ici pour me protéger ? Existe-t-il une menace sérieuse ?

– En effet, monsieur, il existe une menace, répliqua Jeffers. Et j'ai l'infortune de l'avoir devant les yeux.

Le mouchoir de Charismo battit comme l'aile d'un colibri.

– Devant vos yeux ? Serait-ce donc moi, la menace ? Tibor Charismo menacerait quelqu'un ? Et qui menace-t-il, colonel ? Répondez-moi, s'il vous plaît.

Jeffers ne répondit pas, mais il suivit un fil qui traînait par terre jusqu'à ce que son regard se pose sur le Causeloin qui était toujours à l'endroit où Riley l'avait projeté.

– Quelqu'un souhaite vous parler, monsieur, dit-il en ramassant l'appareil qu'il tendit à Charismo.

Ce dernier comprit alors et sa moustache frisée en frémit.

– Je ne souhaite pas converser pour le moment, dit-il, d'un air presque enfantin.

– Je vous conseille de prendre la communication, répliqua Jeffers avec fermeté et Charismo en conclut avec raison que renouveler son refus aurait des conséquences désastreuses.

Il prit le Causeloin avec des mains tremblantes et approcha ses lèvres de l'appareil.

– *Hello ?* Votre Grâce ?

À l'autre bout du fil s'éleva le souffle rauque d'un fumeur de pipe, puis :

– Je suis horriblement déçu, Tibor. Horriblement.

Charismo essaya de trouver des explications pour se sortir de là.

– Votre Grâce, j'imagine ce que vous avez dû penser. Parfois, lorsque je suis sous l'empire des esprits, mes paroles ne sont pas celles que j'aurais choisies moi-même.

– Silence ! tonna le duc de Westminster. Ainsi, je vais bientôt mourir ! Et la reine elle-même va mourir. La reine rhumatisante dont vous vous souciez comme d'une guigne ! La fin de la maison de Hanovre.

– J'ai peut-être un peu dépassé les limites, admit Charismo.

– Un peu dépassé les limites ? Vous projetez d'aider les Allemands à faire la guerre contre la Grande-Bretagne ! L'Allemagne est notre amie. C'est de la haute trahison, rien de moins.

– C'étaient des propos sans conséquences. Une idée fugace.

– Imaginez le scandale. Imaginez le coup au cœur que cela infligerait à Sa Majesté, à son âge. Son propre spirite complotant contre elle. *Mon* satané spirite. Nous avions confiance en vous, Tibor. Soyez maudit, monsieur.

Charismo réfléchit rapidement.

– Un procès provoquerait un scandale considérable.

Le duc eut un petit rire, le rire d'un homme dur.

– Il n'y aura pas de procès, monsieur. Je vous ai déclaré dément et tandis que vous languirez dans l'asile de fous de Bethlem, j'effacerai systématiquement votre nom de l'histoire. Vos œuvres seront officieusement bannies, vos livres brûlés, vos chansons ne seront plus jamais entendues sur une scène de music-hall. Nous verrons qui de nous deux vivra assez longtemps pour connaître le nouveau siècle.

Un déclic dans l'écouteur signala que la conversation était terminée.

– Non ! protesta Charismo en se tournant vers Jeffers. Non, je ne le supporterai pas. Je suis Tibor Charismo !

Jeffers se mit au garde à vous.

– Vous êtes un traître, monsieur. Peut-être même un étranger par-dessus le marché. L'asile de fous est encore trop bon pour vous.

– C'est une erreur, colonel. Si vous allez voir en bas dans la cuisine, vous trouverez mon serviteur. C'est lui, le vrai criminel.

– Nous avons trouvé votre serviteur. Lui, au moins, est mort dans l'honneur.

La réalité s'abattit enfin sur Charismo comme une enclume tombée du ciel.

– Barnum, mort ? Je suis perdu.

Jeffers s'approcha.

– Il y a une autre possibilité, monsieur, mais je serais surpris que vous l'envisagiez. Vous pouvez accepter le défi que je vous lance et cette affaire sera tout de suite conclue.

Le colonel enleva son gant droit et en souffleta Charismo, ce qui fit voler son masque.

Dans une réaction d'horreur, Jeffers recula d'un pas, mais sa lèvre supérieure, momentanément déformée, retrouva très vite sa rigidité.

– Mon Dieu ! Vous n'êtes qu'un animal.

Le côté gauche du visage de Tibor était couvert d'écailles reptiliennes vert et marron qui semblaient changer de couleur selon ses mouvements.

– C'est le trou de ver ! s'écria-t-il. La mutation quantique. Le professeur avait juré que ça ne m'arriverait pas.

Jeffers claqua des doigts.

– Emmenez-le. Je refuse de me battre contre un animal.

Tibor continua de divaguer alors que les soldats le traînaient vers l'ambulance stationnée au-dehors.

– Assurez-vous qu'il soit enfermé à l'écart des autres pensionnaires, dit Jeffers qui piétina le Causeloin jusqu'à ce que son boîtier se brise et découvre ses entrailles de câbles et de fusibles.

– Et envoyez une escouade. Je veux qu'on enlève tout ce qui se trouve dans cette maison et qu'on le brûle.

Les hurlements de Charismo résonnèrent dans les ruines de son hall d'entrée dévasté et déclenchèrent les hennissements apeurés des chevaux attelés à l'ambulance.

Sur le banc du parc, Albert Garrick, penché en avant, observait le déroulement des événements avec une attention soutenue. Tout avait été très calme dans Grosvenor Square jusqu'à ce que, soudain, un détachement des meilleurs soldats de Sa Majesté se précipite à pas redoublés à l'entrée de la maison, tirant un vrai canon que suivait une berline noire.

– Alors ça, bon sang, dit-il, oubliant un instant son accent soigneusement travaillé, c'est du spectacle royal !

Il ignorait la nature de l'intervention, mais ce ne serait

pas de la demi-mesure. Il y avait suffisamment d'hommes de troupe pour affronter les Afghans.

Les soldats firent pivoter leur canon et pulvérisèrent la porte d'entrée, provoquant un envol d'étourneaux qui s'élevèrent dans le ciel.

« Une scène de guerre en plein Londres. Extraordinaire ! »

Garrick pensa aussitôt que la présence de tous ces soldats allait contrarier ses efforts pour obtenir l'annulation du contrat passé entre Charismo et les Béliers.

« Tout ça parce qu'il y a bien longtemps, j'ai négligé de tuer Riley dans son berceau. Serait-ce la seule raison ? Charismo s'opposerait-il à un homme de ma trempe pour la vie d'un enfant ? »

Tout à coup, Garrick se souvint de la première fois où il avait vu une Clé temporelle.

« Le père de Riley en avait une sur lui. Je l'ai prise sur son cadavre et je l'ai remise à Charismo. Il avait bien précisé que je devais lui rapporter l'objet. »

C'était une véritable révélation et Garrick retint son souffle, unissant ses propres souvenirs à ceux de Felix Smart pour rassembler les pièces de ce puzzle quantique.

« Le père de Riley était au FBI. Pourquoi l'homme le plus célèbre d'Angleterre voudrait-il faire tuer un agent du FBI ? »

Garrick comprit que Mr Tibor Charismo avait connu le futur et qu'il tirait bénéfice de ce savoir.

« Mais c'est fini. Charismo est allé trop loin aux yeux de quelqu'un de puissant et à présent, les militaires interviennent, ce qui laisse supposer un lien avec le pouvoir politique, peut-être même avec la monarchie. »

Cette situation ravissait Garrick qui avait toujours trouvé Charismo légèrement hautain et d'ailleurs, il n'aimait pas sa musique. *Another Brick in Yonder Wall.* Non mais vraiment!

L'esprit de Felix Smart établit alors le lien et Garrick fut physiquement ébranlé par cette découverte.

Il connaissait cette chanson, ou plutôt l'agent Smart la connaissait car elle venait d'un autre temps. Tibor Charismo n'avait pas seulement voyagé dans le futur, il en était issu.

Garrick ferma les yeux, se concentrant sur ses pensées. Il se représenta le visage de Charismo puis recourut à sa mémoire pour l'imaginer plus jeune avec une barbe négligée.

Tibor Charismo était en fait Terry Carter, le témoin disparu. L'agent Smart avait son dossier dans son bureau. William Riley était chargé de sa protection.

Voilà qui éclairait l'affaire d'un tout autre jour. Il ne fallait surtout pas que Charismo puisse parler à qui que ce soit. S'il disposait d'une Clé temporelle, il ferait peut-être une démonstration de son fonctionnement et Garrick pourrait avoir à nouveau le FBI à ses trousses.

«Je dois agir tout de suite, pensa-t-il. *Carpe diem.* Les circonstances sont loin d'être idéales, mais le risque est acceptable.»

Son plan improvisé consistait à maîtriser le cocher en espérant s'enfuir avec Charismo à l'arrière de la voiture.

«Peut-être même croira-t-il que je suis venu le sauver.»

Garrick eut un sourire sinistre. Ce malentendu ne durerait pas très longtemps.

À peine éclos, le stratagème se fana très vite lorsque

deux soldats sortirent de la maison en tenant suspendu entre eux Tibor Charismo dont les petites jambes pédalaient dans le vide.

« Il n'y a plus assez de temps. Plus assez de temps. »

Garrick savait que, aussi rapide qu'il fût, il ne pourrait sauter la grille et neutraliser le cocher avant l'arrivée des militaires.

Mais tout n'était pas joué. Albert Garrick avait une exceptionnelle faculté d'adaptation. Il se cacha derrière un gros buisson d'aubépine et sortit son pistolet à viseur laser. Il était navrant de gâcher une cartouche pour quelqu'un comme Charismo mais, au moins, il n'y en aurait qu'une de perdue.

Garrick pointa le canon de son arme et ajusta le point rouge du viseur sur le cœur de Charismo.

« Je ne connaîtrai jamais la vérité, jamais je ne saurai pourquoi tu voulais me tuer, songea-t-il. Dommage que nous n'ayons pu bavarder, toi et moi, mais mieux vaut un mystère persistant qu'une négligence dangereuse. »

L'index de Garrick était sur le point de presser la détente lorsqu'il remarqua que la voiture était en fait un fourgon cellulaire qui portait l'inscription : Asile de fous de Bethlem.

« Ils l'emmènent chez les cinglés », comprit Garrick.

Ébahi, il vit qu'on déshabillait Charismo pour lui passer une chemise réglementaire de l'asile. Ses vêtements furent jetés dans l'escalier menant au sous-sol, sur un tas grandissant d'objets qui lui appartenaient, puis quelqu'un versa du pétrole et y mit le feu.

« S'il l'avait sur lui, la Clé temporelle de Charismonest détruite, à présent, se dit Garrick avec une certaine satisfaction. Tibor pourra parler de trous de ver autant qu'il lui plaira, tout ce qu'il obtiendra, c'est une bonne raclée de la part de ses gardiens. »

Garrick remit son revolver dans sa poche et s'éloigna d'un pas tranquille vers l'autre bout du parc.

« Je reviendrai te voir, Tibor, pensa-t-il. Avant longtemps, je saurai tout de tes secrets. D'ailleurs, ils ne peuvent plus te servir. »

En quelques instants, Garrick se concentra à nouveau sur sa mission principale qui était de retrouver Chevie et Riley, sans se douter le moins du monde qu'il avait été à un cheveu de mettre la main sur eux une deuxième fois.

« À l'heure qu'il est, mes espions doivent passer la ville au peigne fin, pensa-t-il. Ils convoitent la récompense promise pour toute information concernant le garçon aux yeux bizarres et sa compagne indienne. »

Bien que légèrement agacé d'avoir été privé d'une occasion d'interroger Charismo, Garrick estima que, l'un dans l'autre, la matinée avait été plutôt favorable.

« Encore un ennemi définitivement écarté de mon chemin », songea-t-il en sifflotant les premières mesures de *Another Brick in Yonder Wall*.

« Il n'en reste plus que deux. »

11
L'OLD NICHOL

Les taudis de l'Old Nichol. Bethnal Green.
Londres. 1898

Chevie essaya de héler un fiacre mais son passage dans la cheminée de Charismo avait tellement sali ses vêtements qu'aucun cocher ne voulut s'arrêter jusqu'à ce qu'elle se plante au milieu de la chaussée en brandissant la bourse donnée par Malarkey. Tandis que le fiacre – un hansom cab –, s'éloignait, Chevie s'affala sur la banquette à côté de Riley et se demanda où, dans cet univers, ils pourraient bien aller pour avoir une minute de répit. Ses côtes lui faisaient mal, en raison des diverses écorchures infligées par la vie londonienne sous la reine Victoria, et elle s'aperçut qu'à un certain moment au cours de ses mésaventures, un sifflement constant s'était installé dans son oreille gauche.

Riley se remettait peu à peu, mais il n'était pas en état de voyager bien loin. Il leur fallait trouver un endroit où se cacher jusqu'à ce qu'elle ait mis au point un nouveau plan.

Il aurait été irresponsable de laisser Garrick se déchaîner dans la ville, avec tout le savoir qu'il avait acquis et dont il ne se servirait sûrement pas pour mettre fin aux guerres et aux famines. En termes plus simples : il fallait l'arrêter. Mais comment ? Elle n'en avait aucune idée. C'était le monde de Riley et, face à l'immense menace que représentait Garrick, ils devaient conjuguer leurs forces. Pour cela, ils avaient besoin d'un refuge jusqu'à ce qu'ils soient de nouveau en état de se défendre.

Chevie donna une petite claque sur la joue de Riley.

– Allez, réveille-toi. Il doit bien exister un endroit où ce cinglé ne pourra pas nous suivre. Qu'est-ce qui ferait peur à Garrick ?

Elle fut obligée de répéter la question à plusieurs reprises avant qu'elle ne pénètre dans le cerveau embrumé de Riley, mais dès qu'il l'eut comprise, il trouva la réponse : l'Old Nichol. À cette pensée, il pâlit et ses mains se mirent à trembler.

– Il y a un endroit, dit-il.

Puis il fut pris d'une longue et violente quinte de toux.

– Un endroit où Garrick s'est juré de ne plus jamais mettre les pieds. Il aimerait encore mieux écraser ses mains d'artiste à coups de maillet, m'a-t-il dit, plutôt que de retourner dans les taudis de l'Old Nichol.

Chevie se redressa sur la banquette du fiacre, balayant du revers de la main la suie qui salissait son corsage.

– Alors, on y va. Direction, l'Old Nichol.

Riley n'était guère enthousiaste car savoir que le diable a peur d'un endroit n'incite guère à s'y rendre soi-même. Il regarda la rue devant lui et se souvint de la description que Garrick lui avait faite de l'Old Nichol.

– Il m'a dit que l'air, là-bas, est chargé de soufre, à tel point que les rats et les petits chiens deviennent tout blancs et meurent asphyxiés.

Chevie se laissa aller contre le dossier de la banquette, à côté de son compagnon de voyage.

– Des rats qui deviennent tout blancs, ce n'est jamais bon signe, admit-elle.

– À l'arrière de chaque taudis, il y a un tas d'immondices alimenté par tout l'immeuble. Les seules créatures qui se sentent bien dans l'Old Nichol sont celles qui se nourrissent avec des entrailles d'animaux.

Chevie sentit son estomac se retourner. Se nourrir d'entrailles ne lui semblait pas une façon de vivre très agréable.

Riley se rappela autre chose.

– L'Old Nichol, c'est la mort lente pour tout le monde. Garrick m'a parlé de quelqu'un qu'il connaissait, un gars costaud, qui était tombé dans la dèche et s'était planqué là-bas. En six mois, il s'est complètement ratatiné et il est mort d'un empoisonnement du sang à cause des ulcères qu'il avait sur la peau. Ils l'ont enterré dans un sac à farine.

– N'exagérons rien, objecta Chevie, nous n'y allons pas pour nous marier et avoir des enfants. Tu as simplement besoin de quelques heures de sommeil pour éliminer le poison de ton organisme, ensuite, nous pourrons chercher un moyen de nous débarrasser de Garrick.

– Il suffit d'une minute pour choper une coqueluche.

C'était une remarque réfrigérante qui parvint presque à la faire changer d'avis, mais elle s'en tint à son raisonnement. Garrick ne mettrait pas les pieds dans l'enfer de l'Old Nichol, ils devaient donc s'y rendre, ne serait-ce que pour une nuit.

Elle tapa contre le toit du fiacre.

– Hé, l'ami, conduis-nous dans l'Old Nichol.

Le cocher fit coulisser un panneau et colla sa tête dans l'ouverture.

– 'Mande pardon, miss. Cette chaleur me ramollit le cerveau. J'aurais juré que vous m'avez parlé de l'Old Nichol.

– C'est bien ça, mon vieux.

Les sourcils broussailleux du cocher s'arquèrent comme deux petits poissons.

– L'Old Nichol ? Quitter le West End pour l'Old Nichol ? Dites, mon jeune monsieur, elle me monte un bateau, la touriste ?

– Non, répondit Riley d'un air sombre.

Le cocher cracha dans la rue.

– Eh ben, 'mande pardon mais je vous emmène pas dans c't'égout. Les surineurs viendraient barboter les sabots de ma jument. Je vous laisse tous les deux à Bethnal Green et après, vous irez risquer votre peau où vous voudrez.

La pauvreté et le crime ne sont jamais très éloignés, à Londres. Même dans la métropole moderne, il suffit de jeter un coup d'œil dans n'importe quelle ruelle pour y voir un malheureux qui essaye de s'installer aussi confortablement que le pavé le permet. Mais au XIXe siècle, les taudis de l'Old Nichol étaient tellement imprégnés par l'indigence et la saleté qu'il n'existait pas le moindre espace, fût-il de la taille d'une carte postale, qui y échappât. Chaque immeuble était une bauge, chaque personne courbée sous le poids de la maladie et toutes les occupations n'avaient pour seul but que la préservation de l'existence au jour le jour. Même le climat y paraissait pire qu'ailleurs, créant une principauté dominée par le froid et l'humidité à l'intérieur même des limites de la ville.

Tandis que Chevie Savano et Riley avançaient le long de Boundary Street, tout espoir d'un avenir meilleur semblait se liquéfier, s'échapper d'eux en traversant la semelle de leurs bottes pour s'évaporer sur les pavés inégaux de la chaussée. Il n'existait pas de bidonville dans le monde moderne où l'on éprouvât une aussi noire désespérance que dans l'Old Nichol.

Des murs de briques graisseuses s'élevaient du pavement fissuré, les étages entassés les uns sur les autres. Les fenêtres, apparemment percées au hasard, étaient rarement équipées de vitres et n'avaient pour seuls rideaux que des morceaux de bois arrachés à des caisses ou des chiffons agités par le vent. Sur les éventaires s'empilaient des marchandises pourrissantes qu'on aurait jetées sur un tas d'ordures dans n'importe quel autre marché. Les fruits étaient gris, écrasés, le pain moucheté de vert et dur comme la pierre.

Il semblait que les gens eux-mêmes avaient été créés par un dieu différent, plus méchant. Disparus, les accents de l'irrésistible esprit cockney, remplacés par des toux déchirantes, des regards sournois et menaçants. Les habitants se déplaçaient en traînant les pieds, d'une démarche très particulière, les épaules voûtées, les coudes serrés contre leurs flancs, se protégeant autant qu'il était possible.

Chevie ne put dissimuler dans sa voix le choc qu'elle éprouvait.

– C'est… On dirait l'enfer sur la terre.

Riley s'accrocha à son bras.

– Il faut qu'on trouve un abri. Qu'on mette quelques planches solides entre nous et l'Old Nichol avant la nuit. Je dois me faire discret.

Une femme malpropre, accoudée à une demi-porte, contemplait la rue d'un regard vide.

Riley s'approcha d'elle, indifférent aux gamins crasseux qui lui frôlaient les genoux comme des poissons avides.

– Vous auriez une piaule de libre, m'dame ? On aurait besoin d'une planque pour la nuit.

La femme le regarda d'un air soupçonneux, sous un emmêlement de cheveux bouclés.

– T'as de la braise ?

Riley approuva d'un vigoureux signe de tête, cachant sa nausée.

– Toute prête. Et des armes à feu aussi, mais juste assez de cartouches pour les roussins.

Des armes à feu était un peu exagéré. Ils avaient le revolver de Barnum et seulement six balles.

La femme éclata d'un rire qui ressemblait à un aboiement et son haleine dégagea une odeur de gin frelaté.

– Les roussins ? J'en ai pas vu ici depuis quatre-vingt-douze, quand ils ont essayé d'agrafer le traître Giles. Quelle journée ! Il y avait assez de sang de poulet dans les caniveaux pour nettoyer le choléra.

– Vous avez une chambre ou pas ? insista Riley.

– Y a le grenier qui est libre. Le gonze a posé sa chique

mercredi. Quelqu'un l'a emmené à la fosse commune, je crois.

– Combien ?

Une lueur rusée s'alluma dans l'œil de la femme malodorante.

– Je prends un florin.

– Ça, bien sûr, si j'étais assez branque pour vous en refiler un. J'ai une pièce de six pence que vous pouvez prendre ou pas. Si c'est non, on ira voir ailleurs.

La femme passa un doigt le long d'une gencive inférieure assez peu garnie.

– Je vais la prendre, mon jeune monsieur, ta jolie petite pièce de six pence.

Riley la lui tendit.

– Et prévenez bien ceux qui voudraient s'y frotter, à propos des armes à feu, dit-il. J'aime pas du tout gâcher des cartouches sur d'autres arsouilles, mais si quelqu'un essaye de casser la porte de notre turne, je ferai une exception. Et puis, ma copine est une sorcière en magie noire et elle peut vous remplir le crâne de fourmis rouges.

D'un coup d'ongle jauni, la femme fit tinter la pièce et l'écouta chanter.

– Des fourmis rouges, dit-elle, nullement impressionnée. Ça fait des années que je les ai dans la tête, ces bestioles.

Riley et Chevie traversèrent une entrée dont le sol en bois aurait pu provenir d'une épave de navire déformée par le sel : les planches semblaient se bousculer pour trouver de la place et se soulevaient ou s'enfonçaient comme une balançoire à bascule, selon l'endroit où on posait le pied. Le long du couloir s'alignait toute une rangée de jeunes voyous – une collection d'acrobates de la cambriole, de trafiquants de fausse monnaie, de voleurs à l'étalage, de pickpockets et de rôdeurs en quête d'un bon coup, dont on voyait rarement les semblables de ce côté-ci des murs de la prison de Newgate. Ces garçons fumaient ce qu'ils trouvaient, c'est-à-dire surtout des morceaux de papier peint qui se consumaient entièrement après une ou deux bouffées et recouvraient les poumons d'une sorte de pâte dont les effets rendaient plus difficile qu'elle n'aurait dû l'être chez des gamins des rues leur capacité à fuir devant la police.

Chacun d'eux lança un regard mauvais à Riley en le voyant passer, mais ils ne savaient que penser de Chevie, avec ses cheveux brillants et ses dents blanches.

– Vous êtes comme un ange pour ces pauvres types, murmura Riley à son oreille pendant qu'ils montaient l'escalier. On voit qu'ils ne vous connaissent pas aussi bien que moi.

L'un des gamins eut le cran de s'éclaircir la voix et de lancer, de l'étage supérieur :

– Hé, miss. C'est vous la princesse indienne qui a battu les Béliers ?

Riley s'avança, s'efforçant de paraître plus énergique et plus agressif qu'il ne se sentait.

– Ouais, c'est elle, le spécimen. Elle connaît pas l'anglais de la reine, alors c'est moi qui cause pour elle. Elle s'énerve facilement et si vous l'approchez, faut faire attention et rester toujours de face.

– Je m'appelle Bob Winkle, dit le garçon qui aurait pu être de n'importe quelle couleur, sous la couche de crasse incrustée dans sa peau, et avait à peu près autant de gras sur les os qu'une belette famélique.

Il n'était pas plus grand qu'un enfant de dix ans mais sa voix et ses traits paraissaient plus âgés.

– B'soin de quèque chose ? De la gnôle, du pain, des trucs de contrebande ? Avec Bob, c'est du travail propre. Et puis, il vole à la commande, tout ce que tu voudras.

Riley se douta que le travail du jeune Winkle devait être à peu près aussi propre que son visage.

– Si on a besoin de toi, on tapera par terre. Mais si tu montes là-haut, bouge pas trop les bras, sinon, la princesse indienne te coupe la gorge tout net.

Les garçons se couvrirent le cou de leurs mains et s'écartèrent pour les laisser passer en saluant Chevie comme si elle appartenait à la famille royale.

Chevie et Riley montèrent les marches qui menaient au grenier, se cuirassant le cœur pour ne pas s'émouvoir du regard vitreux des résidents croisés au cours de l'escalade. Des jeunes filles se battaient en s'arrachant des touffes de cheveux emmêlés. Des grands-pères blottis dans un coin tiraient sur des pipes sans tabac et juraient dans le vide, et partout, la clameur du désespoir s'élevait d'un bout à l'autre de la maison, aspirée par la cage d'escalier, tel un cri poussé vers le ciel.

Trois étages plus haut, ils arrivèrent devant une porte, au bout d'une volée de marches plus branlantes que la moyenne. Riley tourna la poignée de bois et ne fut pas surpris de constater qu'elle n'était pas verrouillée. À l'intérieur, une grosse brique était posée par terre et devait servir de serrure au cas où les occupants auraient désiré un peu d'intimité, mais à quoi bon puisque, de toute façon, les murs du grenier avaient été par endroits défoncés à coups de maillet ?

Chevie se précipita dans la pièce et souleva la brique.

– Entrons, dit-elle précipitamment à Riley. Enfermons-nous.

Riley s'exécuta avec une certaine réticence.

– Je n'aurais jamais cru que ces pauvres gens pourraient tomber si bas.

La brique racla le sol lorsque Chevie la cala contre la porte.

– Tu n'étais jamais venu ici ?

– Jamais. Je me suis enfui à Saint-Giles, un jour, et j'ai trouvé que c'était vraiment misérable mais ça, je ne l'avais encore jamais vu. Je comprends maintenant pourquoi Garrick s'est juré de ne plus y retourner.

Chevie arracha un morceau de papier d'emballage d'un coin de la petite fenêtre pour faire entrer un peu d'air dans l'atmosphère nauséabonde de la pièce, mais c'était peine perdue.

Riley s'enveloppa de ses bras et se laissa tomber sur le plancher pourrissant.

– Ici, on est entre l'hospice et la tombe, dit-il à voix basse. Les Londoniens craignent l'Old Nichol parce que c'est ça qui nous attend, chacun de nous.

Il frissonna.

– Je n'aurais jamais dû vous amener ici, Chevie, une dame en plus.

Chevie le prit par l'épaule, se serrant contre lui pour se réchauffer.

– On n'avait pas le choix.

Elle se souvint de la question qu'elle avait voulu lui poser au cours de ces dernières heures.

– Dis-moi quelque chose, Riley. Est-ce que tu as fait exprès de renverser le Causeloin ?

Riley cessa de frissonner assez longtemps pour répondre.

– Oui. Charismo nous a donné la corde pour le pendre.

– En effet, approuva Chevie. Ce type parlait trop.

– Il a fait tuer ma pauvre mère, dit Riley en reniflant. Et mon père aussi – c'était un des vôtres.

– Je sais, répondit Chevie. L'agent spécial William Riley. J'ai lu son dossier. C'était un sacré boxeur. Avant qu'il disparaisse, il avait la réputation d'être rapide de ses mains.

– Moi aussi, j'ai les mains rapides. Garrick m'a même dit qu'il n'en avait jamais vu d'aussi rapides.

– Nous aurons besoin à la fois de tes mains et de tes méninges, si nous voulons nous débarrasser de Garrick.

Riley se serra à son tour contre elle pour chercher sa chaleur et respirer l'odeur saine de Chevie plutôt que la pestilence environnante.

– Et avec quoi on y arriverait ? On a tout perdu. Même la Clé temporelle.

– Celle de Smart est perdue, admit Chevie. Mais j'en ai une autre.

Elle plongea la main dans la tige de sa botte et en retira une lanière au bout de laquelle était accrochée une Clé temporelle.

– Celle de Charismo, devina Riley. Vous l'avez prise en même temps que sa bague ?

– Je l'ai prise, mais ce n'est pas celle de Charismo.

Les yeux de Riley s'écarquillèrent.

– Celle de mon père, alors ? La clé de Bill Riley.

– Exact, dit Chevie en lui donnant la clé. Ton père veille toujours sur toi.

Cette idée parut apporter à Riley réconfort et détermination.

– Il faut occuper le temps qu'on va passer dans cet horrible endroit à préparer un plan. On ne peut pas affronter Garrick à mains nues.

Chevie poussa un grognement en regardant droit devant elle.

– Peut-être pas, mais comme dit le proverbe, il y a plusieurs façons d'écorcher un chat.

– Chut, murmura Riley. Sinon, quelqu'un va croire qu'il y a un chat ici et on aura des invités à dîner.

Chevie gémit.

– Des chats ? Il y a des gens qui mangent des chats ?

Riley hocha la tête.

– Si vous les laissiez faire, ils mangeraient vos bottes.

– Il est urgent de sortir d'ici.

– On en sortira, assura Riley. Vous m'avez sauvé dans votre monde. Maintenant, c'est moi qui vais vous sauver dans le mien.

Il ne s'agissait pas de simples paroles en l'air. Riley serra la Clé temporelle de son père contre sa poitrine, estimant que c'était là un présage favorable. À présent, ils avaient de l'espoir. À présent, ils avaient quelque chose autour de quoi bâtir un plan.

« Tu m'as donné de bonnes leçons, Albert Garrick », songea Riley en revoyant dans sa tête le visage de l'assassin. Maintenant on va voir si tes propres leçons peuvent se retourner contre toi. »

Malgré leur environnement sordide, malgré les odeurs et les sons qui agressaient constamment leurs sens, Chevie et Riley parvinrent à sombrer pendant quelques heures dans un sommeil agité.

Ils se réveillèrent en même temps, à la fois affamés et dégoûtés à l'idée de manger une nourriture préparée dans cet endroit. Surtout la viande car Chevie avait remarqué une absence suspecte de rats. L'air imprégné de soufre faisait battre le sang à leurs tempes et leur asséchait la gorge.

– Il faut acheter de l'eau, dit Chevie.

– Pas ici, conseilla Riley. Un estomac délicat comme le vôtre ne pourrait absorber l'eau de l'Old Nichol. Elle ressortirait très vite, d'un côté ou de l'autre.

Chevie ne lui demanda pas de détails. Elle savait bien qu'elle ne pouvait prendre le risque de tomber malade.

– OK, pas d'eau, espèce de rabat-joie. Rendors-toi et laisse-moi réfléchir.

Riley se tortilla pour se rapprocher d'elle.

– Moi aussi, je réfléchis. Grâce à Garrick, j'ai acquis des dons et il n'imagine pas que je pourrais m'en servir contre lui.

– Si tu as une idée, partage-la.

– J'ai une graine d'idée, répondit Riley. Elle a besoin… d'être arrosée.

Chevie sembla pouffer de rire, ou peut-être frissonner.

Ils restèrent assis sans parler pendant un moment.

– Je peux poser une question ? demanda Riley quelques

minutes après que Chevie eut été certaine qu'il s'était endormi.

– Demande, répondit-elle.

– Je vous supplie à l'avance de ne pas vous sentir insultée, parce que je vous respecte.

– J'adore ce genre de question. Vas-y.

Riley réfléchit à sa formulation.

– Chevie, j'ai entendu comment ces agents du futur vous parlent. Pourquoi tenez-vous à rester au FBI alors qu'ils n'ont pas l'air de vouloir de vous ? Et comment se fait-il que quelqu'un de votre âge, une fille en plus, cherche à décrocher une place chez les argousins ?

– C'est plus qu'une question. C'est plus ou moins l'histoire de ma vie que tu me demandes.

Riley se rapprocha encore pour trouver un peu de chaleur, ne serait-ce que l'équivalent d'une flamme de chandelle.

– Vous avez vu ma vie dans le tunnel, Chevron. Alors, vous pourriez me parler de la vôtre. On est proches maintenant, non ?

– Nous sommes proches, admit Chevie.

Jamais elle n'avait été si proche de quelqu'un. Elle était liée à ce garçon par l'adversité.

– D'accord, je vais te parler de moi.

Riley ne dit rien, mais il lui donna un petit coup de coude dans le ventre, ce que Chevie interpréta comme un *vas-y.*

– Tu le sais, je suis orpheline, comme toi. Après la mort de mes parents, on m'a remise dans un milieu familial, mais je n'ai jamais été adoptée – trop âgée et la langue trop bien pendue, disaient-ils. Apparemment, c'était parfait pour une autre sorte de famille, beaucoup plus grande : le Federal Bureau of Investigation, bureau fédéral d'enquête. Le FBI lançait un programme en liaison avec la sécurité nationale pour empêcher les cellules terroristes d'exercer une emprise sur l'esprit des lycéens. Et quel meilleur moyen de protéger nos écoles que d'y envoyer de jeunes infiltrés ? Ça paraît fou, non ? Une folie hollywoodienne. Mais ils ont obtenu des fonds secrets de la CIA – incroyable, non ? – et ils ont choisi une douzaine d'orphelins de Californie pour monter une opération pilote. On nous a entraînés dans un endroit appelé Quantico et on nous a inscrits dans une école.

Chevie s'interrompit pour vérifier que Riley était toujours éveillé, espérant à demi que ce ne serait pas le cas.

– Tu as des questions, petit ?

Riley remua.

– Juste une. C'est quoi, une *folie hollywoodienne* ?

Bonne question.

– Tu aimes les livres d'aventures, Riley. Eh bien, une *folie hollywoodienne,* c'est quelque chose de si délirant qu'on ne serait pas surpris de trouver ça dans une histoire de H.G. Wells.

– Je comprends. Continuez.

Chevie changea un peu de position sur le plancher pour essayer de trouver un minimum de confort.

– Ma cible était une famille iranienne qui avait quatre enfants à l'école. J'étais censée me rapprocher des enfants, m'introduire dans leur cercle et appeler le bureau s'ils avaient un quelconque projet terroriste. Une simple mission d'observation. Pas d'armes pour des adolescents, tu comprends. J'ai donc fait ce qu'on me disait, je me suis montrée très sympathique, je suis devenue amie avec eux. Et je me suis rendu compte que ces jeunes n'avaient pas l'intention de terroriser qui que ce soit, ils voulaient simplement finir le lycée, comme n'importe qui d'autre. Si quelqu'un était terrorisé, c'était plutôt eux. Il y avait, dans notre école, un groupe d'élèves bien comme il faut, incapables de faire la différence entre des Saoudiens, des Irakiens et des Iraniens et qui, d'ailleurs, s'en fichaient complètement. Un soir, une jeep remplie de ces types coince les Iraniens à la sortie d'un théâtre. Très vite, les choses ont mal tourné. L'un d'eux a sorti un pistolet et a commencé à tirer dans l'asphalte.

– Je devine ce qui s'est passé, dit Riley. Vous n'avez pas été très tendre avec sa façon de faire.

Chevie se renfrogna.

– Non, en effet. Je lui ai tordu le poignet pour lui prendre son arme, mais il a eu le temps de tirer une balle qui a ricoché et s'est plantée dans sa propre jambe.

– Pour moi, c'est plutôt un acte d'héroïsme.

– Ouais, on pourrait le penser, sauf que je me suis laissé un peu entraîner et j'ai tiré un coup de semonce en l'air.

– Ce n'est pas si grave.

– Non, mais le jeune a prétendu que c'était moi qui lui avais tiré dessus. Bien sûr, j'avais des traces de poudre sur la main et en plus, un rigolo avait filmé la scène avec son téléphone, mais sous un angle complètement décalé qui me montrait en pleine démonstration d'arts martiaux sans faire voir que le type s'était blessé lui-même.

– Ah, des traces de poudre, c'est le genre de preuve que chercherait Sherlock Holmes.

– Exact, ou plutôt, élémentaire, mon cher Riley. La nouvelle se répand dans tous les médias : il y a dans un lycée une élève avec un pistolet et un badge du FBI. Ça remonte jusqu'au Sénat. Le FBI s'aperçoit que son programme d'agents adolescents est au mieux inconstitutionnel, au pire illégal et donc, très vite et très discrètement, il retire tous les autres infiltrés.

– Mais l'agente Chevron Savano a trouvé sa famille et ne veut pas se retirer.

– C'est vrai. Je ne veux pas m'en aller et ils ne peuvent pas encore m'y obliger parce qu'une commission enquête sur toute cette affaire et que je ne suis pas censée exister. Alors, ils m'expédient à Londres et je crois que tu connais la suite.

Riley ne fit pas de commentaire et une fois encore, Chevie crut qu'il s'était endormi. Jusqu'à ce qu'il dise :

– Si nous affrontons Garrick, il faudra dominer votre caractère.

Chevie se sentit soudain écrasée sous le poids de la responsabilité. C'était un moment essentiel pour eux deux. Riley n'avait encore jamais admis qu'il soit possible d'échapper au diabolique Garrick.

– Mais nous devrions réfléchir ensemble à un plan. Après tout, nous risquons notre vie tous les deux. Nous sommes frères dans cette histoire, ou plutôt frère et sœur.

– D'accord et puisque nous sommes frère et sœur, tu peux me tutoyer, répondit Chevie. Alors, parle-moi de cette graine qu'il faudrait arroser.

Riley parla et Chevie s'aperçut que ce garçon était encore plus intelligent qu'elle ne l'avait pensé.

Lorsqu'il eut terminé, Chevie répondit :

– C'est un peu dément, Riley, et je ne vois pas comment nous pourrions faire ça tout seuls.

Avec le talon de sa botte, Riley donna sur le plancher quelques coups dont l'écho se répercuta dans toute la maison.

– Je connais un garçon qui fait du travail propre si on le paye bien.

Lorsque leur plan fut bien au point, Riley envoya Bob Winkle et son équipe chercher des provisions, puis il rejoignit Chevie dans un coin de la pièce où suintait du mur une chaleur douceâtre et malsaine qui réchauffait les doigts quand on les glissait entre les briques.

– Ce serait pire en hiver, dit Riley. On ne durerait pas une nuit.

– Et en plus, il n'y a pas de télé HD, ajouta Chevie en se mettant à rire.

Après un moment de perplexité, Riley rit à son tour. Il ne savait pas ce qu'était une télé HD, mais il était content d'avoir un prétexte pour s'amuser un peu.

Les éclats de rire remplissaient leurs poumons d'un air vicié qui les força bientôt à retrouver une respiration plus régulière. Leur rire s'évanouit et la rumeur du dehors se répandit à nouveau dans la pièce.

Chevie tenait la main de Riley à l'intérieur de leur chauffage de fortune.

– Est-ce que tu te rends compte que le temps nous est compté ? dit Riley. Même si Garrick ne vient pas ici, il pourra toujours payer quelqu'un pour y venir à sa place.

– On partira dès que Bob sera de retour, répondit Chevie. Ne t'inquiète pas, c'est un bon plan. Il va marcher.

– Il le faut, déclara Riley en serrant étroitement les doigts de Chevie. Avec Garrick, il n'y aura pas de deuxième chance.

On frappa à la porte.

– J'ai un message pour la princesse indienne, dit une voix rauque.

Lorsque Chevie ouvrit la porte, elle se retrouva devant un jeune garçon visiblement tuberculeux, avec du sang sur les gencives et une respiration sifflante.

Chevie l'entraîna à l'intérieur et le plaqua contre le mur pour une fouille rapide. Garrick n'aurait pas hésité à attacher une bombe à un enfant. Il aurait même trouvé ça drôle.

– Ne me coupez pas la gorge, miss. J'ai fait ça pour des bonbons.

Le garçon n'avait sur lui aucun endroit où cacher quelque chose et donc, il ne cachait rien. Il tenait simplement à la main un morceau de papier d'emballage sur lequel une fenêtre était soigneusement dessinée.

Le message était clair : « Allez à la fenêtre. »

« Bien sûr, pensa Chevie. Comme si j'allais m'approcher de la fenêtre. »

Mais elle le fit quand même. Elle se cacha sous le rebord, colla un œil à l'endroit où elle avait déchiré un coin du papier qui tenait lieu de vitre, regarda le soleil qui se levait dans un brouillard gris perle et scruta les toits.

Elle ne vit rien d'étrange. C'est-à-dire rien de plus étrange que le spectacle de Londres au XIXe siècle.

Des toits arrondis et des cheminées. Un clocher lointain.

« Non, pas un clocher lointain. Un homme au sommet d'un toit, une lumière rouge brillant dans son poing. »

L'insolite lumière rouge transperçait le brouillard, cent ans avant l'heure, dessinant un point sur le papier qui obstruait la fenêtre du taudis.

– À terre ! s'écria Chevie qui se rua sur les deux garçons et les fit tomber sur le plancher juste au bon moment. Six balles trouèrent le papier et arrachèrent du mur des morceaux de brique de la taille d'un poing. Des nuages de poussière tourbillonnèrent dans les rayons de lumière que laissait passer le papier perforé par les coups de feu.

Chevie maintint les deux garçons à terre jusqu'à ce qu'elle sente que l'attaque était terminée.

– Il nous a retrouvés, dit Riley d'une voix haletante.

Les lattes du plancher grinçaient sous leur poids comme si elles étaient sur le point de s'effondrer. Le nez sur le sol, ils sentaient encore plus fort une odeur nauséabonde de tripes bouillies et, par un interstice du plancher, Chevie put voir une douzaine de silhouettes qui s'éveillaient de leur sommeil dans l'obscurité confinée de l'étage du dessous.

– Si tu te sens suffisamment bien pour partir, dit-elle à Riley, allons-y. J'en ai plus qu'assez de l'Old Nichol.

– Essaye de me rattraper, répliqua Riley.

Et il se mit à ramper vers la porte.

12
EN POUSSIÈRE

Les taudis de l'Old Nichol. Bethnal Green.
Londres. 1898

Albert Garrick avait passé la plus grande partie de la nuit précédente à observer en toute discrétion la maison de Bedford Square jusqu'à ce que l'un de ses affidés lui fasse savoir où se trouvait la princesse indienne. Un Bélier avait aussi surveillé l'endroit mais, aux douze coups de minuit, l'homme avait reçu des nouvelles d'un messager et abandonné sa cachette.

« Otto a sûrement été mis au courant du sort de Charismo. »

Ainsi, Garrick se trouvait à présent à la limite de l'Old Nichol, muni de ses armes merveilleuses.

« Quelques tirs de semonce feront sortir ma proie », estimait-il.

Garrick décela un mouvement à la fenêtre du grenier et utilisa le précieux laser mortel pour tirer quelques coups de feu au hasard dans la pièce. La précision du viseur lui procura une véritable émotion.

« C'est une création parfaite dans le mélange de la forme et de la fonction. »

Il suffit ensuite à Garrick de faire deux pas sur le toit en direction de l'est pour avoir une vue dégagée de l'entrée de l'immeuble.

« Riley sait que je ne pourrais jamais entrer dans cette maison, se dit-il. Ce garçon a quelque chose de cruel en lui. Il aurait pu faire un excellent assistant, s'il ne m'avait pas trahi. »

Le taudis n'avait qu'une seule issue et c'était par cette porte que Riley et Chevie devaient sortir, à moins qu'ils ne préfèrent se noyer dans la fosse d'égout, à l'arrière du bâtiment, ou se frayer un chemin en défonçant les cabanes sous-louées élevées contre ses murs.

« Avec mes superbes armes du FBI, je les cueillerai dès qu'ils essaieront de s'enfuir. »

Il eut un sourire.

« La fin est proche, Chevron Savano. »

Il y eut une grande agitation à la porte de l'immeuble, précipitée par une bagarre de chiens bâtards qui roulèrent dans la rue en aboyant.

« Les voilà, pensa Garrick qui activa son viseur laser. Deux balles, pas plus, il faut en garder pour que l'armurier m'en fabrique d'autres. »

Mais au lieu de deux fugitifs apeurés, ce fut pas moins d'une douzaine de jeunes qui jaillirent de l'entrée du taudis. Arborant tous des chapeaux à large bord, ils franchirent le tas d'ordures amassé devant la porte et se dispersèrent comme des voyous en fuite. Il était impossible de dire si Riley et Chevie se trouvaient parmi eux.

Sur son perchoir, Garrick eut un sourire tendu.

« Toute une bande pour faire diversion. Pas bête. »

L'assassin estima qu'il pouvait en abattre une demi-douzaine, mais ce serait un scandaleux gâchis de munitions et les bobbies seraient inévitablement attirés par une telle tuerie, même dans l'Old Nichol.

Garrick remit son arme dans sa poche et courut vers la cage de l'escalier.

« Maintenant, c'est la course entre nous, mon fils. Seul le plus rapide survivra. Notre futur à nous tous se trouve à Bedford Square. »

Chevie traversa la rue à toutes jambes, zigzaguant entre les nids de poule. Juste en face de la porte du taudis, il y avait une ruelle déserte qui faisait à peu près la largeur d'un homme. Chevie et Riley s'y précipitèrent en évitant le ruisseau gonflé d'ordures qui coulait lentement en son milieu. Le long du passage sombre s'alignait une garde d'honneur des amis de Bob Winkle. Tous applaudissaient et poussaient des acclamations avec autant d'enthousiasme que le leur permettaient leurs poumons encrassés.

Bob Winkle lui-même les attendait, tel un ange dans le brouillard blanc, tout au bout de l'allée. Il tenait ouverte une porte de bois à pan coupé.

– Entrez, Votre Altesse, lança Winkle. J'ai donné des piments à la jument et elle a tellement envie de galoper qu'elle rue dans les brancards.

Chevie plongea à l'intérieur du *hansom cab*, une voiture de ville à deux roues, tandis que Riley grimpait à l'arrière, sur le siège surélevé du cocher. Winkle monta à côté de lui avec une remarquable agilité pour quelqu'un d'aussi mal nourri.

– T'es fougueux du mollet, toi, commenta Riley.

– J'ai descendu quelques bières, avoua Winkle, pour me remonter un peu.

– C'est à toi, cette voiture ? demanda Chevie, assise au-dessous.

– Pour le moment, elle est à vous, m'dame, répondit Winkle en lui adressant un clin d'œil à travers l'ouverture pratiquée dans le toit.

Riley saisit le fouet à long manche et, d'un geste expert, fit claquer la lanière entre les deux oreilles du cheval. Une partie de son entraînement de magicien/assassin avait été consacrée au travail du fouet et Riley était capable de faire sauter une carte de la main d'un joueur avec un bandeau sur les yeux. Le cheval se cabra de peur, claqua ses grandes dents en tournant la tête vers son tourmenteur puis fila sur les pavés en direction de Bloomsbury et de Bedford Square.

Garrick décida de courir pour se rendre à la maison de Bedford Square. Un fiacre aurait été plus rapide, mais il n'y en avait pas en vue.

Ses poumons commencèrent à le brûler et il était de plus en plus agacé d'être obligé, lui, le grand Albert Garrick, de courir ainsi derrière une fille et un gamin des rues.

La question de les laisser en vie ne se posait plus, désormais.

« Ils connaissent mes secrets et je me doute bien que l'agente Savano va déployer toutes les ruses possibles pour travailler à ma perte. »

Garrick savait que ces deux liens avec le futur devaient

être totalement coupés sinon, ils se serviraient de la Clé temporelle pour retrouver l'époque de Chevron et lancer à nouveau la justice sur sa piste.

Le magicien sentit son chapeau s'envoler et ne chercha pas à le rattraper, laissant ses longs cheveux flotter derrière lui. Le vent qui soulevait ses mèches lui donnait une sensation de force primitive, indomptable.

Riley conduisit le *hansom cab* comme s'ils avaient le diable à leurs trousses, ce qui n'était pas très éloigné de la vérité. Le trajet faisait un peu plus de quatre kilomètres et Riley heurtait tous les trottoirs, secouant Bob Winkle et Chevie comme des bonbons dans un bocal, mais ni l'un ni l'autre ne se plaignit ou ne lui demanda de ralentir. Ils acceptaient volontiers d'avoir quelques bleus si c'était le prix à payer pour échapper à Albert Garrick.

Riley, non content de frôler les trottoirs d'un peu trop près, semblait déterminé à détruire la voiture. Dans un roulement de tonnerre, il dépassa le carrosse d'un lord et n'évita de se renverser que grâce à un réverbère qui plia sous le choc lorsque le *hansom* le percuta par le flanc, mais résista suffisamment pour le maintenir sur ses roues.

Le long de Gower Street, des policiers sifflèrent sur leur passage, un plateau de boulanger fut projeté dans les airs en faisant retomber sur les deux garçons une pluie de petits pains chauds, et une marée de pommes de terre rôties déferla sur le pavé après la chute d'un brasero.

Chevie se cramponnait en essayant de voir si Garrick n'était pas dans les environs, mais la ville défilait devant ses yeux à la vitesse d'un éclair et tous ses sens étaient brouillés par les secousses.

– On y est presque, se dit-elle à haute voix dans un claquement de dents. Je connais ce quartier.

C'était la vérité car l'architecture des maisons et la disposition des rues n'avaient pas beaucoup changé au cours du siècle suivant.

Riley se leva de son siège et tira sur les rênes, ralentissant l'allure de la rosse surmenée qui se mit à trotter. Puis il se pencha vers l'ouverture du toit.

– Chevie, tu sors, ordonna-t-il. Bob, tu laisses ce fiacre quelque part dans Covent Garden pour détourner les roussins. Roule doucement, pas besoin d'attirer les regards.

Bob prit les rênes, le visage rayonnant de joie après cette fuite effrénée.

– Oui, monsieur Riley. Et s'ils m'agrafent, je la boucle, parole de Winkle.

Riley lui donna la dernière pièce de Malarkey.

– La princesse te remercie, Bob.

Winkle fourra la pièce dans la poche de son gilet en lambeaux.

– Vous savez où je me planque, si vous avez besoin de moi. Je voudrais dire à la princesse que la prochaine fois, elle peut me payer avec un baiser.

Chevie ouvrit la portière.

– Si tu te laves la figure, lança-t-elle en descendant sur le pavé, j'envisagerai peut-être la question.

Ce qui fit naître sur ledit visage couvert de crasse une expression consternée, bientôt suivie d'un large sourire lorsque Bob Winkle secoua les rênes d'un coup sec et s'éloigna précipitamment en se jurant de se laver la figure à la prochaine occasion.

*

La porte de la maison de Bailey Street était en bois massif avec des gonds de cuivre et des rivets d'acier. De toute évidence, des coups de pied ne suffiraient pas à la faire céder.

Chevie ne parvenait pas à croire qu'après être arrivés jusque-là, une simple porte puisse les arrêter. Elle jeta autour de la place des regards frénétiques à la recherche d'un outil qui les aiderait à défoncer l'obstacle, mais il n'y avait dans les rues que des nourrices avec des landaus, venues profiter du soleil matinal dans le petit parc, ou des vendeurs ambulants qui proposaient des friandises pour le petit déjeuner.

– Comment on va faire pour entrer ? demanda Chevie. Notre plan ne peut marcher que si on pénètre dans la maison.

– Calme-toi, Chevie, répondit Riley. J'ai déjà fait le monte-en-l'air dans cette baraque, tu te souviens ?

L'apprenti de l'assassin grimpa sur la grille du rez-de-chaussée et bondit en avant pour attraper du bout des doigts le rebord d'une fenêtre du premier. Riley souleva le panneau coulissant et se faufila à l'intérieur de la maison comme il l'avait fait lors de sa précédente visite, aux conséquences fatales. La dernière fois, le loquet de la fenêtre à guillotine avait été forcé à l'aide d'un pied-de-biche, cette fois, il était déjà cassé en deux.

Trente secondes plus tard, Riley entrouvrit la porte.

– Entre vite, dit-il à Chevie. Je sens l'odeur de Garrick qui approche.

Chevie s'exécuta.

– Moi, je ne sens rien du tout, dit-elle. Je crois bien que j'ai perdu l'odorat dans l'Old Nichol.

Riley referma la porte, mais n'attacha pas la chaîne.

– Au fond de mes tripes, je sens qu'il n'est pas loin. J'ai toujours deviné sa présence.

Chevie plaqua la paume de sa main contre son ventre.

– Tu sais quoi, Riley ? Je crois que tu n'as pas tort. Moi aussi, j'ai les tripes en accordéon.

Albert Garrick alla chercher dans sa nouvelle mémoire une autre expression du XXIe siècle : « l'ivresse du coureur ».

« Je ne me sens pas du tout fatigué, pensa-t-il, tandis que l'adrénaline se répandait dans son organisme, augmentant au maximum la performance de ses muscles. C'est parce que mes glandes surrénales produisent de l'épinéphrine. Fascinant. »

Garrick se penchait contre le vent, balançant les bras dans le style de Carl Lewis, un des athlètes préférés de Felix Smart.

Cette sensation ne dura guère et des nuages sombres obscurcirent son humeur matinale. Garrick ne pouvait se reposer tant que la Clé temporelle ne serait pas détruite et la machine à explorer le temps démontée. C'étaient les deux conditions à remplir pour qu'il puisse se sentir en complète sécurité dans cette époque.

« Riley saura que je suis son maître, même en poussière.

Quand cette affaire sera résolue, j'aurai besoin de trouver un nouvel apprenti. Quelqu'un qui ne fera pas les choses malgré lui.

J'ai épargné ce drôle de pistolet. Ça ne se produira plus.

Je vais choisir un indigent de l'Old Nichol, le nourrir et lui enseigner le respect. S'il n'arrive pas à l'apprendre, il ira droit dans la tombe, comme cela ne va pas tarder à arriver à son prédécesseur. »

Garrick coupa à travers le parc et sauta par-dessus la grille de Bailey Street juste à temps pour voir la queue de la veste de Riley disparaître dans le hall obscur de la maison de Charles Smart.

Le désir de Garrick de faire couler le sang monta dans sa gorge comme une poussée de bile.

« Je les aurai tous les deux, pensa-t-il avec une sauvagerie brute. Ensuite, je file avant que l'alerte soit donnée. »

Il se redressa pour éviter les regards des curieux et traversa la rue d'un pas nonchalant, avec l'air dégagé d'un homme qui n'a d'autre préoccupation que d'aller chercher son café du matin et ses petits pains au lait. Il abandonna ces manières insouciantes dès qu'il eut donné un coup d'épaule dans la porte de Charles Smart, découvrant ainsi qu'elle n'était pas verrouillée.

« Je les tiens, pensa-t-il, mais il se força à la prudence. Chevron Savano a suivi un entraînement très poussé. Elle est jeune et impétueuse mais capable aussi de surprendre. »

Garrick verrouilla la porte derrière lui puis il sortit le pistolet à viseur laser et s'avança rapidement vers l'escalier. Il entendit un martèlement un peu plus loin. Quelqu'un descendait les marches qui menaient au sous-sol et Garrick sut, au son des pas, et au sifflement de la respiration qu'il s'agissait de Riley.

« Serait-il possible que ce garçon soit légèrement asthmatique ? Des années de formation passées dans le brouillard empoisonné de Londres peuvent avoir cet effet, se dit-il. Et dans très peu de temps, les problèmes de respiration de Riley vont devenir beaucoup plus graves. »

Ses poumons à lui étaient propres comme un sou neuf, grâce au trou de ver.

De sa main libre, il saisit la rampe et bondit dans l'escalier, stoppant son élan d'un coup d'épaule contre le mur.

Riley était en vue. Dix marches plus bas. Une cible facile, impossible à rater.

– Riley ! tonna-t-il, savourant le mélodrame. Halte !

Le garçon ne se retourna même pas, mais ses jambes tremblèrent et quelque chose lui échappa des mains.

La Clé temporelle. Riley l'avait laissée tomber.

Garrick ne put retenir une exclamation.

– Aha !

La clé glissa des doigts de Riley et il savait qu'il devait revenir sur ses pas pour la récupérer, sinon, leur plan n'avait plus aucun sens. Il fit volte-face et se retrouva nez à nez avec Garrick qui écrasait déjà la Clé temporelle sous son talon.

– Tu m'as trahi, l'orphelin, dit Garrick. Ton châtiment sera une mort lente.

« C'est toi qui m'as rendu orphelin », pensa Riley, la fureur montant en lui telle la vapeur dans une machine, et il passa à l'attaque, ce qui n'était pas du tout prévu dans le plan.

Riley serra les poings, comme il avait appris à le faire, et donna un coup à Garrick dans le centre nerveux, au-dessus du genou. La jambe de l'assassin n'avait d'autre choix que de se dérober et Garrick pencha soudain de côté dans l'étroit escalier. Riley lui envoya encore un coup de poing dans le ventre avant que son adversaire ne lève sa garde.

– Tu as envie de te battre, dit Garrick, la voix rendue rauque par le coup. Trop tard pour ça, mon garçon. Nous sommes arrivés au bout de cette histoire.

Riley continua d'attaquer, cherchant les défauts dans la défense du magicien et les trouvant au niveau de la ceinture, du côté des hanches et des reins. Et bien que Garrick restât impassible, il était impressionné malgré lui par l'habileté de Riley et surpris de voir à quel point il était difficile de se défendre contre le garçon.

« Je ne m'étais encore jamais battu contre quelqu'un qui a exactement le même style que moi », se dit-il.

Garrick finit par se fatiguer du jeu. Dans un arc foudroyant, il envoya un large crochet qui frappa Riley à l'oreille. Celui-ci fut complètement désorienté et le choc l'expédia au bas des marches, dans le couloir du sous-sol, où il disparut à la vue de son adversaire.

« Riley ne se retournera plus contre son maître », pensa Garrick.

Le dernier obstacle qui le séparait d'une parfaite tranquillité d'esprit était une adolescente américaine qui n'avait sans doute pas d'arme. Mais il ne courrait quand même pas de risques.

Garrick prit le temps de bien écraser la Clé temporelle sous sa botte, broyant ses circuits internes avec délectation.

« Je pourrais m'en aller, maintenant. Simplement remonter l'escalier et partir. J'ai détruit la clé. »

Il reconnaissait cette voix dans sa tête, c'étaient les derniers sursauts de la conscience de Felix Smart qui essayait de le manipuler. Garrick fut enchanté de constater qu'il ne se laissait plus détourner de son chemin.

« Riley connaît mon visage. Il faut que sa voix se taise. »

La mort était la seule réponse possible. « En poussière », comme il disait toujours. Et maintenant, il pouvait descendre sans crainte dans la chambre du sous-sol. Le cadre métallique du lit n'était plus rien, sans la Clé temporelle qui l'activait. En vérité, Garrick savait qu'il aurait dû venir ici la nuit pour démonter le lit, mais il avait redouté une embuscade et devait s'assurer d'abord que sa tête ne serait plus mise à prix. À présent, il n'y avait plus lieu de s'inquiéter.

Garrick aurait presque souhaité que l'endroit soit équipé de caméras de surveillance du XXIe siècle pour qu'il puisse enregistrer ce qui allait se produire. C'était un épisode qu'il aurait aimé revoir d'un œil critique pour avoir la confirmation que sa présence était aussi impressionnante qu'il le pensait.

« Il est toujours possible d'améliorer une représentation. »

Garrick repoussa de telles pensées et une détermination froide, infaillible, enserra son cerveau, comme le casque d'acier d'un dragon au combat.

« Je dois être l'assassin, maintenant. Demain, mon monde changera – peut-être même que le monde entier changera – mais pour l'instant, j'exécute un travail. Et Albert Garrick tire toujours fierté de son travail. »

Il s'engagea dans le couloir, ses yeux s'habituant très vite à l'obscurité. Il entendait dans l'ombre des grattements qui auraient peut-être incité un amateur à gâcher des cartouches, mais Garrick savait reconnaître le bruit des griffes de rats et il s'abstint de faire feu.

Riley avançait lentement devant lui, gêné par de grosses malles et des mannequins, le dos voûté, lançant vers son ancien mentor des regards apeurés.

– Elle t'a laissé tomber, fils, lui lança Garrick. Tu es tout seul.

– Vous avez tué mes parents, répliqua Riley. Je ne suis pas votre fils.

Garrick aurait voulu prétendre le contraire – après tout, comment Riley pouvait-il savoir ce qui s'était passé il y avait tant d'années ? – lorsque la vérité lui apparut soudain : « le garçon a tout vu dans le trou de ver. »

– C'était un travail, admit-il en poussant un mannequin à roulettes pour s'amuser. J'ai accompli la tâche pour laquelle on m'avait payé. C'était une question de confiance. Ne t'ai-je pas épargné ? Contre les instructions que j'avais reçues, je dois le souligner.

– Assassin ! hurla Riley qui bondit vers la porte de la chambre et disparut dans l'obscurité.

Prudent, Garrick se posta à côté de la porte, ne voulant pas suivre Riley directement, au cas où l'agente Savano se tiendrait en embuscade.

« Souviens-toi, vous avez suivi le même entraînement, tous les deux. Quelle est la procédure standard quand on défend une pièce qui n'a qu'une seule issue ? »

Chevie l'attendrait dans un angle mort, pointant son arme, quelle qu'elle soit, sur l'embrasure de la porte.

« Si elle est là. »

Peut-être que l'agente Savano n'était même pas présente dans la maison. Mais il valait mieux perdre quelques secondes que perdre l'occasion de clore ce chapitre sordide du livre.

Garrick rassembla les souvenirs qu'il avait de cette pièce. Il était resté longtemps ici, à attendre l'arrivée de Felix Smart.

« Un espace rectangulaire avec une petite alcôve du côté sud, une armoire et un secrétaire. Des rangées de cylindres de la taille d'un tonneau – des batteries rudimentaires, j'imagine, que Smart fabriquait afin d'assurer l'énergie nécessaire pour aller retrouver Victoria. L'agente Savano a dû se mettre à couvert derrière le secrétaire. Quand j'entrerai, elle aura une ligne de tir dégagée avec un angle idéal sur sa cible. »

Garrick vérifia l'armement de son pistolet.

« Très bien. Albert Garrick va en effet entrer là où on l'attend. »

Chevie s'agenouilla derrière le secrétaire, le revolver de Barnum pointé vers l'embrasure de la porte. Dès l'instant où Riley apparut, elle se leva, le chien de son arme relevé.

« Viens, Garrick, pensa-t-elle en essayant d'attirer l'assassin par la seule force de sa volonté. Montre-moi ton sourire visqueux. »

Garrick ne cessa de parler, paradant comme un coq cockney.

– Nous avons partagé une belle aventure, dit-il. Mais pour aller au bout de mon potentiel, je dois pouvoir me consacrer à ma propre personne sans subir les constantes interférences...

Chevie fut grandement surprise par ce discours, car

elle avait tiré sur Garrick trois fois entre la première et la troisième syllabe du mot « aventure ». Sa cape était tombée par terre dans un tourbillon de velours et le magicien s'était effondré, le corps raide comme un piquet. Pourtant, il *continuait* de parler. Et bien qu'elle s'attendît à une ruse, Chevie s'exposa pendant une fraction de seconde, ce qui donna au vrai Garrick l'occasion de s'avancer dans l'embrasure de la porte et de lui tirer dessus en pleine poitrine, tout en continuant de projeter sa voix sur le mannequin à roulettes renversé par terre.

– ... les constantes interférences d'une petite policière juvénile qui n'est vraiment pas à la hauteur.

Garrick se laissa aller à penser que ce coup de feu en plein dans la cible, façon FBI, était le plus satisfaisant qu'il eût jamais tiré, en dépit des tentatives de Felix Smart pour essayer d'interférer avec sa conscience, ou peut-être à cause de cela.

« J'ai de nouveau le plein contrôle de moi-même. »

Chevie fut projetée en arrière par l'impact de la balle, soulevée sur la pointe des pieds, et faillit même faire un saut périlleux sur une pile de couvertures, derrière elle.

Garrick, toujours professionnel, estima qu'il valait mieux savourer ce moment un peu plus tard, quand il serait à l'abri, au théâtre d'Orient. Pour l'instant, il fallait apporter la touche finale.

– Riley, mon garçon, dit-il d'une voix mielleuse et bien timbrée, une des plus séductrices qu'on eût jamais entendue sur une scène du West End. Cesse de t'enfuir, fils. Laisse-moi mettre fin à tes souffrances.

Riley était couché à plat ventre sur le lit. Le corps secoué de sanglots.

« Finalement, ce n'est qu'un enfant. Il vaut peut-être mieux qu'il meure dans l'innocence. »

Garrick remit son pistolet dans sa poche, car il était important que ce meurtre devienne plus personnel.

En deux enjambées rapides, il arriva jusqu'au lit.

« Je vais lui serrer la gorge jusqu'à ce qu'il n'y pénètre plus le moindre souffle d'air, je regarderai ses yeux s'éteindre, mais, par respect pour le passé que nous avons partagé, je lui dirai peut-être quelques mots gentils pendant qu'il mourra. »

Garrick chercha le cou de Riley.

« Mes doigts sont si fins, si puissants, pensa-t-il, que j'aurais pu tout aussi bien devenir pianiste. »

Riley était trop épuisé pour tenter de s'enfuir et il resta étendu sur le lit, attendant que les mains de Garrick se referment sur son cou.

– Tu n'as plus envie de te battre, fils ? murmura Garrick. Il est peut-être temps de dormir.

Garrick sauta comme un chat sur le matelas, mais ses doigts ne se posèrent pas sur le cou tendre de Riley, comme il s'y attendait. Ils se heurtèrent à une vitre dure et glacée et la tête de l'assassin suivit, s'écrasant contre un miroir invisible dans un choc sourd qui craquela toute la surface.

– Mais… dit-il, stupéfait, du sang coulant dans l'un de ses yeux. Mais… J'ai vu…

Riley se retourna et regarda à travers les craquelures, en direction de Garrick, mais ses yeux n'étaient pas fixés sur lui.

– Qu'est-ce que tu as vu, puissant illusionniste ?

Les doigts de Garrick tâtèrent le miroir et il comprit qu'il avait été berné par son propre dispositif magique. Le battement qu'il sentait dans sa tête devint plus fort que ses pensées.

– Des lumières obliques. Une série de miroirs. Une tromperie. Mais pourquoi ?

– Pour vous amener sur le lit, dit une voix derrière lui.

Garrick se tourna d'un mouvement lent et là, vision impossible, se tenait Chevron Savano, en pleine santé, une sorte de projectile clignotant jaillissant déjà de ses doigts et tournoyant vers lui.

« Pas si vite, pensa Garrick, saisissant l'objet en plein vol. Même surpris dans un état second, je ne me laisserai pas vaincre par des gens comme vous. »

Le magicien s'agaçait d'avoir été blessé par l'un de ses propres miroirs. Mais quel effet avait eu cette illusion à part retarder l'inévitable ? Il saignait un peu, rien de plus.

La main de Garrick qui tenait le projectile le picota et il vit des étincelles orange voleter autour de ses doigts. Comme des abeilles quantiques autour d'un rayon de miel. L'ébahissement s'ajouta à la stupéfaction.

« Des étincelles orange ? Comment cela ? »

Garrick ouvrit les doigts et reconnut une Clé temporelle. Pendant un instant, il crut à une nouvelle illusion jusqu'à ce que le savoir de Felix Smart lui ait assuré qu'elle était bien réelle.

« L'équipe des HAZMAT que j'ai abattue. Bien sûr, ils avaient des Clés temporelles et des armures pare-balles. C'est une de leurs clés, comme celle que j'ai écrasée dans l'escalier. Lâchée délibérément, par ruse. Riley s'est arrangé pour que je le voie entrer dans la maison. Chevron a simplement passé un gilet pare-balles une minute avant que j'arrive. »

L'écran de la Clé temporelle était divisé en quatre quadrants. Les deux quadrants supérieurs clignotaient.

Garrick attendit une nanoseconde que l'information parvienne jusqu'à lui.

« Le quadrant en haut à gauche active le trou de ver. Celui de droite le compte à rebours qui est déjà à zéro. Les quadrants du bas activent le rayon de retour dans le flux temporel. Ils ne sont pas allumés. »

– En effet, dit Chevie. Vous entrez, mais vous ne ressortez pas.

Garrick pressa les touches de contrôle de la Clé temporelle mais elles s'étaient déjà dématérialisées. Il avait l'air d'un fantôme qui essayait d'établir un contact avec le monde réel. La clé glissa de sa main et atterrit sur l'édredon, un vortex de lumière s'ouvrant en son centre.

– Quoi ? dit Chevie. Pas de dernières paroles ? Pourquoi pas : « Le monde n'a pas fini d'entendre parler d'Albert Garrick ? » Pas mal, non ?

Riley apparut à côté de Chevie, les yeux mouillés de larmes.

– Vous avez tué ma famille. Vous m'avez volé dans mon berceau.

Il agita vers Garrick la propre cape du magicien.

– Pour que je devienne votre public.

Garrick avait bien d'autres soucis que les accusations d'un jeune garçon. Il se sentait disparaître.

« Je ne suis rien », comprit-il. Pour beaucoup, cette pensée aurait pu avoir quelque chose de réconfortant, mais pour Garrick, elle était simplement terrifiante.

« Je ne serai rien pour l'éternité. »

Les étincelles orange se répandirent comme des sauterelles magiques le long de ses membres et de son torse, ne laissant derrière elles qu'un contour. Des entrailles fantomatiques tremblotaient dans une chair transparente et Garrick vit en détail tout ce qui se passait.

Il ouvrit la bouche pour parler, mais aucun son n'en sortit et ce fut Riley qui parla à sa place :

– En poussière, dit-il avant de cracher par terre.

Pendant un instant, Garrick émit une lumière argentée comme s'il avait été transformé en poudre d'aluminium, puis il fut aspiré dans la Clé temporelle qui tournait comme une toupie.

Un éclair jaillit de son extrémité, brûlant le plafond, puis elle disparut à son tour.

– OK, dit Chevie qui attrapa Riley par l'épaule et le poussa vers l'escalier. Je sais ce qui va se passer maintenant.

Sans ouverture vers le XXIe siècle à l'autre bout du trou de ver, le tunnel temporel était affamé de l'énergie nécessaire pour convertir la matière. Les batteries en forme de tonneau partirent les premières, saisies par des éclairs qui agissaient comme des doigts. Vidées de leur substance, elles furent rejetées comme des coquilles vides et les éclairs creusèrent en profondeur la terre elle-même, siphonnant l'énergie géothermique jusqu'à ce que le sol se fissure et se fende.

Chevie poussa Riley, qui n'avait pas lâché la cape du magicien, en haut des marches, puis vers la porte d'entrée. Elle entendit le sol s'ouvrir derrière elle dans un bruit de tonnerre, accompagné de craquements secs et elle sentit la Clé temporelle de Bill Riley vibrer en sympathie contre sa poitrine.

– Cours, dit-elle inutilement. La maison va s'écrouler.

Riley n'avait pas besoin d'encouragements. Il fonça vers la porte, en pensant que c'était la seconde fois qu'il fuyait cette maison pour sauver sa vie.

Tout s'effondra autour d'eux pendant qu'ils couraient, avalé par la gueule béante du sous-sol, le trou de ver se nourrissant de l'énergie cinétique fournie par le bâtiment lui-même. Des vitres volaient en éclats, la pierre était écrasée comme du sable. Chevie donna à Riley un violent coup de pied dans le derrière pour l'écarter d'un lustre qui tombait du plafond.

Garrick avait verrouillé la porte après être entré, ce qui ne les ralentit pas le moins du monde car la plus grande partie de la façade s'était écroulée. Ils plongèrent tous deux dans un trou du mur, sortirent sur le trottoir et se précipitèrent pour échapper au maelstrom qui détruisait tout derrière eux.

Les habitants des maisons environnantes déferlèrent dans la rue, des cris, des hurlements s'élevèrent sur la place tandis que le trou de ver avalait le bâtiment tout entier, l'arrachant aux constructions voisines avec une précision chirurgicale. Quand enfin la poussière retomba et que la cacophonie se fut éteinte, il ne restait plus qu'un espace vide, comme si on avait arraché une dent gâtée d'une gencive, les autres maisons demeurant intactes, à part quelques vitres brisées et des craquelures superficielles qui dessinaient sur les murs des toiles d'araignée.

Chevie et Riley s'appuyèrent contre la grille du parc, moulés dans la poussière comme les victimes du Vésuve, mais intacts et sans la moindre égratignure.

Riley cracha par terre une boule de poussière.

– Tu savais que toute la maison serait avalée ?

Chevie toucha sur sa poitrine un endroit sensible, là où la balle de Garrick avait frappé le gilet pare-balles trop grand pour elle.

– Je savais que c'était un risque, mais ça valait le coup de le prendre.

Bedford Square était plongé dans le chaos, les sifflets des policiers résonnaient de tous côtés et on entendait tinter la cloche d'une voiture de pompiers qui arrivait du West End. Quelques personnes étaient raides évanouies et des jeunes gens avaient grimpé sur le tas de gravats, à la recherche de survivants.

– On devrait filer, dit Riley. La police va interroger tout le monde dans un trou à rupins comme ici.

Chevie arracha son gilet pare-balles et respira profondément.

– Dis donc, Riley, c'est moi qui prends les décisions stratégiques, tu te souviens ? En tout cas, il faut qu'on parte avant que la police locale nous accuse de quelque chose.

Riley cala sous son bras la cape du magicien.

– Très bonne stratégie. Je te suis, agente Savano.

Ils se frayèrent un chemin jusqu'au coin de Bedford Square, à contre-courant de la foule qui se pressait pour aller voir les débris de ce que le *London News* allait appeler la Maison de l'Enfer.

Chevie et Riley laissaient derrière eux un sillage de poussière.

Pendant un certain temps, ils restèrent silencieux, tous deux absorbés dans des pensées tournées vers le futur. Enfin, ils s'aperçurent qu'ils s'étaient machinalement donné le bras en marchant.

– On a l'air d'un couple qui va à l'opéra, dit Riley.

Chevie éclata de rire et une bouffée de poussière s'échappa de sa gorge.

– Ouais, un couple de zombies.

Son rire s'évanouit.

– Tu aurais pu mourir, là-bas, en te battant avec Garrick. Ça ne faisait pas partie du plan.

– J'ai pensé à lui au moment où il s'est penché sur ma mère que j'aimais tant, répondit Riley. Avec son couteau prêt à faire le travail et je n'ai pas pu m'en empêcher.

Des sabots martelèrent le pavé à côté d'eux tandis qu'un fiacre ralentissait, le cocher flairant des clients, en dépit de leur apparence.

– On est très bien à pied, lança Riley, sans lever les yeux. Pas la peine de vous arrêter.

– Et si ça me plaît, à moi, de rouler à côté de mes copains ? dit une voix familière.

C'était Bob Winkle qui semblait s'être attaché au fiacre volé.

Winkle occupait le siège du cocher, le regard tourné vers le coin de Bedford Square.

– On dirait que vous avez fait une sacrée fête dans cette turne, tous les deux, commenta-t-il. Quand on s'associe avec vous, faut s'attendre à la grande aventure. C'est comme Holmes et Watson, mais avec un peu plus d'armes et d'explosions.

Chevie s'ébroua comme un chien et d'un nuage de poussière, émergea quelque chose qui ressemblait à une jeune fille.

– En voilà, un beau visage, princesse, dit Bob Winkle. Si vous vouliez bien passer un peu d'eau dessus, je pourrais peut-être condescendre à l'embrasser.

Ils prirent un petit déjeuner royal grâce à l'une des pièces d'or qu'ils avaient trouvées cousues dans la doublure de la cape de Garrick. Ils avaient commandé du café avec des toasts, des flocons d'avoine au sucre brun, des œufs sur le plat accompagnés de saucisses, un curry de poulet aux pommes de terre et une assiette de bacon avec un supplément de gras pour se donner des forces. Le tout se concluant par de la bière pour les garçons, bien que Chevie les eût avertis que c'était mauvais pour leur santé.

Ils s'assirent à une table en plein air, sur Piccadilly, regardant l'avenue se remplir de passants affairés.

Bob Winkle lança une pièce au premier mendiant qui s'approcha de leur table et lui demanda d'interdire l'accès à leur petit espace pour qu'ils puissent parler sans être interrompus.

Riley soupira et caressa son ventre distendu.

– J'ai mangé autant qu'un prince le jour de son anniversaire, déclara-t-il.

Chevie se sentait moins lourde, ayant négligé quatre-vingt-dix-neuf pour cent de ce qu'on lui avait apporté.

« Je ne peux pas rester ici, pensa-t-elle. Mon cholestérol me tuerait en une semaine. »

– Bon, messieurs, dit-elle en frappant la table d'un geste décidé. Nous devrions établir notre plan avant que vous soyez tous ivres morts.

Bob Winkle eut une exclamation dédaigneuse.

– Ivre avec de la bière ? Je n'ai jamais été ivre avec de la bière depuis l'âge de dix ans.

Il prit le pain noir qui restait et en bourra ses poches.

– Je ferais bien d'aller voir la jument. Vous deux, vous vous faites vos câlins d'adieu et ensuite je reviens pour emmener qui voudra au théâtre d'Orient. J'imagine que le matériel de magicien qu'on a apporté dans cette maison est en miettes. Pas la peine d'aller le rechercher.

Winkle s'éloigna furtivement, les yeux et les oreilles grands ouverts au cas où un policier se serait montré.

– Ce type ne t'apportera que des ennuis, prévint Chevie.

– Lui au moins ne passera pas son temps à vouloir tuer quelqu'un quand il est réveillé ou à rêver de mort quand il est endormi.

– C'est possible. Mais je pense quand même que tu devrais venir avec moi. Une part de toi-même appartient au XXIe siècle.

Riley soupira.

– Mais une autre part de moi-même est ici. J'ai un demi-frère qui vit toujours quelque part. Peut-être à Brighton ? Avec l'aide de Bob Winkle, je pourrais peut-être le retrouver.

– Tu as les moyens de te payer l'aide de Bob Winkle ?

Riley haussa les épaules.

– Pour le moment, oui. Je sais où Garrick gardait son argent. J'imagine que le théâtre m'appartient également.

– Alors, tu vas chercher ton frère ?

Riley serra la cape du magicien autour de ses épaules.

– Moi aussi, je suis un magicien, maintenant. Je vais fonder une troupe et je m'amuserai à faire du théâtre jusqu'à ce que je trouve Tom le Rouquin. Peut-être qu'il connaît mon prénom.

Chevie avait les yeux baissés.

– Oui, sans doute.

Elle fouilla dans sa poche et en sortit la dernière Clé temporelle laissée par l'équipe HAZMAT.

– Les hommes et leur matériel ont disparu avec la maison mais j'ai demandé à Bob et à ses copains de ramasser leurs Clés temporelles pendant qu'ils installaient le miroir trompe-l'œil, alors, si jamais tu changes d'avis.

Riley passa la lanière autour de son cou.

– Merci, Chevie. Mais c'est mon siècle et c'est ici que je dois vivre.

Chevie agita l'index.

– Il ne faut jamais dire jamais, d'accord ?

– Oui, tu as raison. Peut-être qu'un jour j'aurai besoin de m'enfuir.

– Elle est préprogrammée, prête à l'emploi, tout ce que tu as à faire, c'est appuyer sur le bouton. Assure-toi que les quatre quadrants sont allumés, sinon tu finiras coincé dans le trou de ver avec qui tu sais.

– Tu peux être sûre que je vérifierai.

Chevie sirota son café qui avait la consistance de la vase et un goût de sirop pour la toux.

– Je sens que ça ne devrait pas s'arrêter comme ça. On a traversé l'enfer et maintenant, il faudrait simplement que je m'en aille ?

– On sera toujours proches, Chevie. Je connais le secret de ton tatouage, tu te souviens ?

Elle se tapota l'épaule.

– Mon tatouage ? Ouais, enfin, je crois qu'on m'a bourré le mou avec cette histoire.

– Bourré le mou ? répéta Riley en fronçant les sourcils.

– Oui, c'étaient des craques. Du bidon. Un paquet de bobards.

– Ton père t'a menti ? Et toi aussi, tu m'as menti ?

– J'en ai bien peur, mais je vais te dire la vérité, puisque nous sommes proches, maintenant. Papa adorait raconter cette histoire, mais en fait, le coup du chevron est venu d'une dispute qu'il a eue avec le patron de la station-service Texaco, à côté de chez nous.

– Tex-a-co ?

– Ouais. Un endroit où on met de l'essence dans les automobiles. Pour embêter ce type et parce qu'il buvait un peu trop de bière, il s'est fait faire un tatouage et a appelé son premier enfant Chevron, qui est le nom d'une station-service concurrente.

Riley repoussa sa chope du bout du doigt.

– Alors, tu n'es pas une noble guerrière ?

– Non. Mais j'ai basé toute ma vie sur cette histoire, je me suis fait tatouer, j'ai raconté ce mensonge à qui voulait l'entendre, et puis je suis entrée au FBI. L'année dernière, j'ai rencontré le type de la station Texaco, il était effondré d'apprendre que papa était mort et c'est lui qui m'a dit la vérité. Je porte le nom d'une station-service.

– Wouaoh ! dit Riley qui avait entendu cette exclamation au cours de son voyage dans le futur et l'avait adoptée.

– Wouaoh ? C'est tout ? Pas de commentaire plein de sagesse magique du Grand Riley ?

– Nous avons tous les deux bâti notre vie sur des mensonges, répondit Riley. Je n'ai pas été abandonné aux cannibales des bas-fonds et tes ancêtres n'étaient pas de grands guerriers, mais les mensonges ont fait leur œuvre et nous sommes qui nous sommes. Si tu es la plus jeune agente dans ta troupe de policiers, je pense que c'est pour de bonnes raisons. Peut-être même malgré ce nom de Chevron.

Chevie sourit.

– Ouais, pas mal, Riley. Je crois que je vais me contenter de ça.

Ils descendirent du fiacre et marchèrent en direction de la maison de Half Moon Street. Bob Winkle faisait de son mieux pour comprendre les rares éléments d'information qui lui avaient été fournis.

– Et donc, princesse, vous avez l'intention d'entrer dans cette maison et d'y rester cent ans ?

Chevie lui donna une petite tape sur l'épaule.

– Quelque chose comme ça, oui. J'aimerais bien te dire « à un de ces jours », mais ça n'aurait pas grand sens.

– Alors, on devrait s'embrasser maintenant ?

– Bien sûr, répondit Chevie et elle lui donna sur la joue un petit baiser dont il allait devoir se satisfaire.

– L'année prochaine, j'aurai quinze ans, dit Bob Winkle, enhardi par le baiser. On pourrait se marier. J'arriverais à ramasser pas mal de braise avec une princesse indienne championne de boxe dans les fêtes foraines.

– Une offre très tentante, mais je crois que je vais la décliner.

– Comme vous voudrez, princesse, seulement maintenant que je vais être copropriétaire d'un théâtre, ces dames vont se précipiter sur Robert Winkle. Alors, je suis prêt à vous attendre six semaines, six semaines, pas une minute de plus.

– Je comprends, dit Chevie avec un sourire. C'est la meilleure proposition que tu puisses faire.

Riley l'accompagna jusqu'au perron, pendant que Bob allait s'asseoir sur des marches voisines, guettant l'apparition d'éventuels casques de policiers.

– Fais attention, Chevron Savano. Le futur est un endroit dangereux. Il ne faudra pas longtemps avant que les Martiens débarquent.

– Ouais, je regarderai si je ne vois pas de créatures à tentacules.

– Dépêchez-vous un peu, tous les deux, s'écria Bob Winkle. C'est une rue de richards, ici. Dans deux minutes, ils vont venir nous chercher par la peau du cou.

Il avait raison. Il aurait été consternant que cette affaire se termine au poste de police.

Chevie serra très fort Riley dans ses bras.

– Merci pour tout, dit-elle.

Riley l'étreignit à son tour.

– Merci à toi aussi, Chevron Savano, guerrière et station-service. Peut-être qu'un jour j'écrirai notre histoire. Ça pourrait rivaliser avec les romans de H.G. Wells lui-même.

– Peut-être que tu l'as déjà fait, fit remarquer Chevie. J'irai voir sur Google quand je serai rentrée.

– Google ? Avec un nom pareil, ça doit être très douloureux, dit Riley.

Bob siffla bruyamment.

– Riley ! Je vois un casque. Laisse-la s'en aller, maintenant.

Ils ne pouvaient attendre plus longtemps. Chevie embrassa Riley sur la joue et lui pressa la main, puis elle referma la porte derrière elle.

La pièce du sous-sol était sombre et humide, telle que Chevie se la rappelait après l'avoir vue un bref moment, avant qu'on ne leur passe un sac sur la tête. Dans un coin, elle aperçut des os de poulet entourés de rats qui se pressaient comme des vagabonds autour d'un brasero. Les rats ne semblaient pas s'inquiéter de sa présence. Lorsqu'ils se retournèrent vers elle, ce fut plutôt pour évaluer la chair qu'elle avait sur les os.

Soumettre quelqu'un au regard insistant d'une bande de gros rats était un assez bon moyen de l'inciter à partir pour un endroit où les rats étaient plus petits. Chevie sortit donc la Clé temporelle de Bill Riley et se dirigea précipitamment vers la plateforme métallique.

« Le plus tôt sera le mieux. »

Elle activa la Clé temporelle et s'assura que les quatre quadrants étaient bien allumés.

La clé vibra pendant une seconde puis elle se mit à projeter des étincelles orange, comme une chandelle romaine.

« C'est parti, pensa Chevie. Pourvu que la maison de Victoria ne s'écroule pas. »

Puis elle songea : « J'espère que tout ira bien pour Riley. Ce môme mérite d'avoir sa chance. »

Elle fronça les sourcils. « Non pas que mon propre avenir soit un chemin de roses. Je vais passer des mois à répondre à des questions. Dieu merci, Waldo a vu ce qui s'est passé. J'espère qu'il l'a enregistré. »

Chevie leva la Clé temporelle devant ses yeux. Les quatre quadrants clignotaient.

« Adieu, Riley. Porte-toi bien. »

Elle sourit et des étincelles orange dansèrent entre ses dents.

« S'il vous plaît, pas de bras de singe », pensa-t-elle.

Et elle partit.

Hors du temps.

Bob Winkle proposa de voler une bicyclette pour aller à High Holborn, mais Riley n'était pas d'accord.

– Je suis ton partenaire, répliqua Winkle. Comment ça se fait que tu donnes des ordres comme un petit César ?

Riley décida d'affirmer son pouvoir tout de suite. Winkle l'accepterait ou pas, à sa guise.

– Je suis le Grand Savano, mon petit Winkle. Je possède le théâtre et l'équipement qui va avec et je sais où est enterré l'or. Si tu veux travailler pour moi, tu es le bienvenu, mais c'est à toi de choisir. Si ça ne te plaît pas, tu retournes traîner ta carcasse dans l'Old Nichol en fumant du papier peint.

Bob émit un sifflement.

– T'es dur, Riley. Dur et sans pitié. Mais c'est ce qu'il faut pour un chef, comme ça, les autres marchent droit. Et puis le Grand Savano. Ça sonne vraiment bien.

– Merci, Bob.

Riley s'interrompit.

– Les autres ? Je ne peux pas nourrir toute la colonie.

– Je sais, mais j'ai trois frères qui ont besoin qu'on

s'occupe d'eux. Ça fait un lot, tu comprends ? Tout le monde ou personne.

– Qui pourrait séparer quelqu'un de ses frères ? dit Riley. Ce serait d'une cruauté sans pareille. Tu devrais aller les chercher tout de suite et on se donnera rendez-vous à l'Orient pour préparer quelque chose. Est-ce qu'un de tes frères sait jongler ?

– Jongler ? dit Bob, qui traversait déjà la rue. Tu plaisantes, Mr Riley ? Ils jonglent l'un avec l'autre.

Et il s'éloigna dans la ruelle, droit vers les taudis, pour annoncer aux autres Winkle qu'ils allaient échapper à l'Old Nichol.

Riley poursuivit son chemin seul, jetant derrière lui des regards furtifs quand il sentait un petit coup de froid sur son front.

« Garrick est mort, se disait-il. Perdu dans le trou de ver. »

Perdu dans le trou de ver ? N'était-ce pas qu'un rêve ?

« Chevie n'était pas un rêve. »

Une belle jeune fille venue d'une terre lointaine pour le libérer de Garrick le tyran. C'était comme un rêve qui pourrait devenir un grand roman.

« Il ne manque qu'une seule chose, un dinosaure qui reviendrait à la vie. »

Riley continua de marcher en se rendant compte qu'il lui faudrait encore du temps avant de pouvoir pleinement apprécier la tiédeur du soleil sur son visage sans faire attention aux sueurs froides.

« Chaque fois que, dans une ruelle, quelqu'un donnera un coup de pied dans un caillou, chaque fois que le bois de l'escalier grincera – j'entendrai et je verrai Garrick partout. »

Mais il aurait un ami et ses frères à côté de lui et un jour peut-être, son propre frère.

« Ginger Tom, Tom le Rouquin, pensa-t-il. Me voilà, j'arrive et si tu savais tout ce que j'ai à te raconter. »

Riley retroussa le bas de sa cape de velours pour éviter la boue du pavé et il leva les yeux vers les trois arches du viaduc de Holborn, la plus impressionnante réalisation de l'architecture moderne.

« Je reviens chez moi, songea-t-il. Chez moi pour vivre une nouvelle vie. »

Il contourna une charrette de fruits renversée et, quelques secondes plus tard, se retrouva dans la foule matinale des gens ordinaires, occupés à leur tâche quotidienne : rester vivants dans la ville de Londres.

ÉPILOGUE

Farley, l'artiste tatoueur en résidence chez les Béliers, suivait Riley à distance dans les rues de Holborn, le visage dissimulé par un capuchon de soie, semblable à ceux qu'affectionnaient les mercenaires arabes. Même sans capuchon, Riley n'aurait peut-être pas reconnu le tatoueur s'il l'avait aperçu. Farley ne paraissait pas du tout aussi décrépit que lorsqu'il se trouvait dans le Trou Perdu. Il avait le dos bien droit et son pas assuré était celui d'un homme d'âge moyen.

Sur le trottoir, les passants faisaient un large détour pour éviter Farley. Il y avait à cela deux raisons. La première, c'était qu'une lueur rouge brillait à l'ombre de son capuchon, comme l'œil d'un loup en pleine nuit, la deuxième – si l'on a besoin d'une deuxième raison pour se méfier d'un gentleman à l'œil de loup – était que cet homme avait visiblement perdu l'esprit et n'allait pas tarder à se retrouver dans l'un des asiles de fous de Sa Majesté, car il parlait dans son poing comme s'il avait eu au creux de la main une fée qui écoutait chacune de ses paroles.

Voilà pourquoi les gens s'écartaient en lui jetant de brefs regards en coin.

«Parler tout seul est l'un des premiers signes de la folie, pensaient-ils. Et personne ne peut prévoir à quel moment un fou va devenir violent.»

Ce que les piétons victoriens n'avaient aucune possibilité de savoir, c'était que Farley parlait non pas à une fée, mais dans un micro attaché à son poignet. Quant à l'œil de loup qui brillait dans l'ombre de son orbite, il s'agissait en fait d'un viseur monoculaire à infrarouge avec un filtre antilumière visible. En termes plus simples, pour Farley, toute personne qui était passée dans un tunnel temporel, et dont les atomes avaient été imprégnés de sa radiation particulière, émettait un faible scintillement, comme si elle était recouverte d'une poussière d'or. C'était une manière très pratique de garder l'œil sur quelqu'un sans avoir besoin de le suivre de trop près.

– Rosie, passez-moi le colonel, dit Farley dans son micro, avec le même accent anglais qu'il adoptait dans le Trou Perdu des Béliers.

Il avait joué si longtemps son personnage qu'il n'en sortait plus que très rarement.

– Vous êtes sûr ? demanda dans son écouteur une voix masculine, contrairement à ce que le nom aurait laissé supposer. Il est en train de se faire masser. Vous savez comment il est.

Farley savait très bien comment était le colonel – personne ne le connaissait mieux que lui –, mais il savait aussi qu'il avait demandé à être tenu au courant. En vérité, Farley soupçonnait son supérieur d'être surexcité à l'idée qu'il se passe quelque chose sortant un peu de l'ordinaire. Cette étape de l'opération devait se limiter à un travail de préparation, ce qui n'était jamais très intéressant, et cette histoire de l'agente Savano avait mis un peu de piment dans la routine.

– J'en suis sûr, Rosenbaum. Passez-le-moi, c'est tout. Je suis en pleine rue, ici, et je parle dans ma main, comme un imbécile.

– Très bien, je vous branche sur lui, commandant.

Farley attendit un moment et regarda Riley ouvrir la porte d'un théâtre qui avait connu des jours meilleurs.

« Le garçon savait où était l'autre clé », nota Farley en se cachant sous un passage qui menait dans la cour d'un équarrisseur. « On dirait qu'il hérite du bâtiment. »

Son écouteur crachota quand le colonel décrocha le téléphone.

– Alors, mon vieux, comment ça se passe, dans la rue ?

Farley fit une grimace. Il détestait ça quand le colonel essayait d'être détendu et familier : ce n'était pas ainsi que devait fonctionner l'armée. Et d'ailleurs, c'était un numéro. Le colonel n'avait pas d'amis.

– Tout va bien, mon colonel. Dans la rue. La situation dont nous parlions se détend. Aucun déploiement nécessaire.

Le colonel pouffa de rire. On aurait dit le ronronnement d'un moteur bien huilé.

– Allons, Farley. Pourquoi parlez-vous en code ? Qui va vous écouter ? Ce clown de Charismo a tout juste réussi à monter une ligne terrestre. Le Téléphonicus Causeloin ? Quelle blague ! Dites les choses clairement, commandant.

Farley respira profondément.

– Oui, mon colonel. Force de l'habitude. Ne jamais

mettre l'opération en danger. Les murs ont des oreilles et tout ça.

– Donnez-moi les faits, mon vieux, c'est tout. Où est Garrick ?

– Il est fini, mon colonel. Complètement cuit. J'ai entendu l'essentiel grâce au micro que j'ai collé dans le pansement du garçon, après l'avoir tatoué.

– Fini ?

Le colonel paraissait déçu.

– Je l'aimais bien. Il était drôle, ce type.

« Drôle » n'était pas le mot que Farley aurait choisi, surtout lorsqu'il se rappelait l'assassin dressé au-dessus de lui, une bouteille d'éther à la main.

– Et les autres ?

– Le garçon est ici, à Holborn, poursuivit Farley. Et l'agente Savano a emprunté le portail de Half Moon Street.

– Donc, pas de dégâts ?

– Non, mon colonel. Nous sommes toujours clandestins. En ce qui concerne le futur, la technologie de Charles Smart est morte avec lui et nous sommes dans les délais.

– Et Charismo ? Il est toujours bien au chaud là où on peut l'utiliser ?

Farley grinça des dents. Il n'était jamais content d'avoir de mauvaises nouvelles à annoncer à son supérieur.

– Pas exactement, mon colonel. Le garçon l'a piégé pour le déconsidérer aux yeux du duc. Et ils ont vu les mutations sur son visage. J'imagine qu'ils doivent lui faire un trou dans le crâne, à l'heure qu'il est. Je pense qu'il n'aura même plus assez de cervelle pour courir après une balle.

Il y eut un silence, ponctué par les *clap-clop* du masseur qui continuait imperturbablement son travail.

– De toute façon, je n'ai jamais aimé ce type et ses horribles masques, dit enfin le colonel. On peut s'en passer, mais avançons l'opération de quelques semaines, juste au cas où Charismo balancerait quelque chose à quelqu'un qui l'écouterait.

Farley laissa tomber sa main pendant quelques instants et soupira. Le colonel se mettait parfois à tirer comme une arme automatique en crachant de la bile au lieu de balles et il était impossible à un brave soldat de prévoir quand cela lui prendrait.

– Et le garçon ? Dois-je l'enlever de l'équation ?

Le colonel réfléchit.

– Non. C'est un môme qui a du cran. Il peut nous être utile et je ne veux pas que vous vous fassiez prendre avec du sang sur les mains.

– Riley est un électron libre, mon colonel. Il pourrait nous créer des ennuis.

– On sait où il est, non ?

– Oui, mon colonel.

– Et nous pouvons le neutraliser quand nous voulons ?

– Nous pouvons. Rien de plus facile.

– Alors, commandant, gardez un œil sur ce garçon pour le moment. S'il fourre son nez dans quoi que ce soit qui n'appartienne pas à l'ère victorienne, vous lui rendrez une petite visite nocturne. Qu'en pensez-vous ?

Farley retourna dans la rue et vit Riley passer derrière une rangée de fenêtres, au premier étage du théâtre, sa silhouette scintillant dans le viseur à travers le voilage des rideaux.

– Ça me paraît très bien, mon colonel. Il ne bougea pas d'ici.

– Tant mieux. Faites-le surveiller par un de vos hommes. Vous, je veux que vous retourniez au Trou Perdu pour que Malarkey n'ait pas de soupçons.

– J'y vais tout de suite, mon colonel.

Farley coupa la communication et jeta un rapide coup d'œil au théâtre d'Orient.

– Je reviendrai te voir, Riley, dit-il à la silhouette scintillante. Et très bientôt.

Table des matières

L'Auteur

Eoin (prononcer Owen) **Colfer** est né en 1965 à Wexford, en Irlande. Enseignant, comme l'étaient ses parents, il vit avec sa femme Jackie et ses deux fils dans sa ville natale. Tout jeune, il s'essaie à l'écriture et compose une pièce de théâtre pour sa classe, une histoire dans laquelle, comme il l'explique, « tout le monde mourait à la fin, sauf moi ». Grand voyageur, il a travaillé en Arabie Saoudite, en Tunisie et en Italie, puis est revenu en Irlande où il a commencé à publier des livres pour la jeunesse. Auteur reconnu dans son pays, l*a* parution du premier volume de la série *Artemis Fowl* le propulse sur la scène internationale. Doté d'un grand sens de l'humour, Eoin Colfer a également prouvé ses talents de comédien dans un one-man-show. Ses inspirations sont multiples et hétéroclites : de James Bond à la mythologie celte, en passant par Batman, Conan Doyle ou *La Guerre des étoiles*.

Du même auteur aux Éditions Gallimard Jeunesse

EN GRAND FORMAT ET EN FOLIO JUNIOR

ARTEMIS FOWL

1. Artemis Fowl (Folio Junior n° 1332)

2. Mission polaire (Folio Junior n° 1381)

3. Code éternité (Folio Junior n° 1391)

4. Opération Opale (Folio Junior n° 1444)

5. Colonie perdue (Folio Junior n° 1485)

6. Le paradoxe du temps (Folio Junior n° 1539)

7. Le complexe d'Atlantis (Folio Junior n° 1621)

8. Le dernier gardien (Folio Junior n° 1680)

Le dossier Artemis Fowl (Folio Junior n° 1583)

Airman (Folio Junior n° 1560)

EN GRAND FORMAT

H2G2, Encore une chose...

Le Supernaturaliste

EN FOLIO JUNIOR

Fletcher mène l'enquête (n° 1532)

Que le diable l'emporte... (n° 1222)

POUR LES PLUS JEUNES, EN FOLIO CADET

Panique à la bibliothèque (Folio Cadet n° 445)

La légende du capitaine Crock (Folio Cadet n° 468)

Un frère d'enfer (Folio Cadet n° 493)

Le papier de cet ouvrage est composé de fibres naturelles, renouvelables, recyclables et fabriquées à partir de bois provenant de forêts gérées durablement.

Loi n° 49-956
du 16 juillet 1949
sur les publications
destinées à la jeunesse

Mise en pages : Dominique Guillaumin

ISBN : 978-2-07-065658-5
Numéro d'édition : 256191
N° d'impression
Achevé d'imprimer sur Roto-Page
par l'imprimerie Grafica Veneta S.p.A.
Imprimé en Italie
Dépôt légal : janvier 2014